第2版

ポケットマスター臨床検[illegible]の整理

病理学／病理組織細胞学

臨床検査技師国家試験出題基準対応

新臨床検査技師教育研究会 編
福留伸幸・木村文一・大河戸光章 責任編集

医歯薬出版株式会社

■編　集

新臨床検査技師教育研究会

■責任編集

福留　伸幸　千葉科学大学危機管理学部 保健医療学科 特任教授

木村　文一　信州大学医学部 保健学科 講師

大河戸光章　杏林大学保健学部 臨床検査技術学科 准教授

■執　筆

木村　文一　前掲（1 章，2 章）

小林　隆樹　国立がん研究センター東病院 臨床検査部（1 章，2 章）

大河戸光章　前掲（3 章，4 章）

岡山　香里　群馬パース大学保健科学部 検査技術学科 准教授（3 章，4 章）

福留　伸幸　前掲（5 章，6 章）

富安　聡　岡山理科大学理学部 臨床生命科学科 講師（5 章）

阿部　仁　がん研究会有明病院 臨床病理センター・臨床検査センター（5 章，7 章）

発刊の序

臨床検査技師になるためには，幅広い領域についての知識を短期間のうちに習得することが求められている．またその内容は，医学・検査技術の進歩に伴い常に新しくなっている．さらに，学生生活を締めくくり実社会に出ていくための関門となる国家試験はきわめて難関で，臨床検査技師を目指す学生の負担は大きい．

本書は，膨大な量の知識を獲得しなければならない学生に対し，効率的に学習を進めるために，そして少しでも勉強に役立つよう，学校での授業の理解を深め，平素の学習と国家試験対策に利用できるように配慮してつくられた．国家試験出題基準をベースに構成され，臨床検査技師教育に造詣の深い教師陣により，知っておかなければならない必須の知識がまとめられている．

「学習の目標」では，国家試験出題基準に収載されている用語を中心に，その領域におけるキーワードを掲載し，「まとめ」では，知識の整理を促すようわかりやすく簡潔に解説することを心掛けた．一通り概要がつかめたら，○×式問題の「セルフ・チェックA」で理解度を確認し，要点が理解できたら，今度は国家試験と同じ出題形式の「セルフ・チェックB」に挑戦してもらいたい．間違えた問題は，確実に知識が定着するまで「まとめ」を何度も振り返ることで確かな知識を得ることができる．「コラム」には国家試験の出題傾向やトピックスが紹介されているので，気分転換を兼ねて目を通すことをおすすめする．

持ち運びしやすい大きさを意識して作られているので，電車やバスの中などでも活用していただきたい．本書を何度も開き段階を追って学習を進めることにより，自信をもって国家試験に臨むことができるようになるだろう.

最後に，臨床検査技師を目指す学生の皆さんが無事に国家試験に合格され，臨床検査技師としてさまざまな世界で活躍されることを心から祈っております.

新臨床検査技師教育研究会

序

『ポケットマスター臨床検査知識の整理　病理学／病理組織細胞学』は，『最新臨床検査学講座　病理学／病理検査学』をもとに，知識の整理を目的につくられています．このたび本書を刊行するにあたり，臨床検査技師国家試験出題基準に準じて1章「病理学総論」，2章「病理学各論」，3章「病理組織標本作製法」，4章「病理組織染色法」，5章「細胞学的検査法」，6章「病理解剖（剖検）」，7章「病理業務の管理」まで同様な構成となっています．

本書の特徴として，各章にカラー写真や図表を多く掲載しました．5章の細胞学的検査法に掲載した細胞像写真は視覚的に理解しやすくなっています．また，文章も簡潔にまとめられており，重要な語句や関連した事項はコラム欄で解説しました．学生にとって理解度向上に寄与できると確信しています．

今回，企画に賛同していただいた執筆者は，大学で臨床検査技師の教育に携わり，また医療現場で病理部門業務に精通されている先生方にお願いしました．持ち運びに便利なポケットサイズの国家試験対策本として十分に活用してもらえれば幸いです．

最後に本書を手にした学生諸君が臨床検査技師国家試験に合格し，免許を取得されるのを心から祈念しています．

2020年1月

編者を代表して　福留伸幸

本書の使い方

1　国家試験出題基準に掲載されている項目をベースに，項目ごとに「学習の目標」「まとめ」「セルフ・チェックA（○×式）」「セルフ・チェックB〔国家試験出題形式：A問題（五肢択一式），X2問題（五肢択二式）〕」を設けています．“国試傾向”や“トピックス”などは「コラム」で紹介しています．

2　「学習の目標」にはチェック欄を設けました．理解度の確認に利用してください．

3　重要事項・語句は赤字で表示しました．赤いシートを利用すると文字が隠れ，記憶の定着に活用できます．

4　「セルフ・チェックA／B」の問題の解答は赤字で示しました．赤いシートで正解が見えないようにして問題に取り組むことができます．不正解だったものは「まとめ」や問題の解説を見直しましょう．

5　初めから順番に取り組む必要はありません．苦手な項目や重点的に学習したい項目から取り組んでください．

授業の予習・復習に

授業の前に「学習の目標」と「まとめ」に目を通し，復習で「まとめ」と「セルフ・チェックA／B」に取り組むと，授業および教科書の要点がつかめ，内容をより理解しやすくなります．

定期試験や国家試験対策に

間違えた問題や自信がない項目は，「まとめ」の見出しなどに印をつけて，何度も見直して弱点を克服しましょう．

目　次

1　病理学総論

A　病理学（Pathology）とは

病理学（Pathology）とは，顕微鏡などを使って，病気の部分の組織の形および構造の変化を形態学的に判断，解明することで，病気の原因・仕組み・経過を明らかにし，医療に役立てようとする分野．

B　病因（pathogenesis）

学習の目標

- □ 主因
- □ 副因
- □ 外因
- □ 内因

病因は病気の原因をさすが，単純なものではなく病気が現れるまで各種因子が重なって作用する．それらの因子はさまざまな角度から分類されている．いくつかの病因のうち主要なものを主因，他のものを副因という．また，外因と内因がある．

外因（external cause）

外界から作用して病気を引き起こす因子．栄養障害，物理的病因，化学的病因，生物学的病因に分けられる（表 1-1）．

表 1-1　外因

栄養障害	飢餓，ビタミン欠乏，酸素欠乏，脱水
物理的病因	外傷，骨折，火傷，凍傷，日光皮膚炎，難聴，騒音ノイローゼ，電撃傷，心室細動，潜函病，高山病，放射線障害
化学的病因	無機酸，アルカリ，金属類，有機溶剤（シンナーなど），環境汚染，医原性疾患（ステロイド，抗生物質の副作用）
生物学的病因	細菌，真菌，スピロヘータ，リケッチア，ウイルス，寄生虫

内因（internal cause）

体内から病気を引き起こす因子．一般的素因，個人的素因，遺伝的素因などがある（**表 1-2**）．

表 1-2　内因

一般的素因	年齢，性，人種
個人的素因	先天性素因（アレルギー体質など） 後天性素因（栄養不良→感染症にかかりやすいなど）
遺伝的素因	遺伝子異常，染色体異常

病理学／病理組織細胞学

1．病理学

病理学は，理論的・形態学的に病気のしくみを学びます．1 章では，病気の原因を大まかに分類し，その原因を簡潔にまとめています．セルフ・チェックを利用して自分でより深く学習してください．そして，1 章で学んだことを基礎として，2 章に続く項目から病気についてさらに学習を進めましょう．

2．病理組織細胞学

病理学的検査や細胞学的検査は，正確な診断のために病理医や細胞診専門医との連携が重要で，臨床検査技師には知識と技術が求められます．また，多くの試薬や情報などを扱うことから，医療事故防止対策についてしっかり理解する必要があります．

セルフ・チェック

A　次の文章で正しいものに○，誤っているものに×をつけよ．

		○	×
1.	いくつかの病因のうち，主要なものを副因という．	□	□
2.	外界から作用して病気を引き起こす因子を外因という．	□	□
3.	外因は，栄養障害，物理的病因，化学的病因，生物学的病因に分けられる．	□	□
4.	ビタミン B_{12} の不足で脚気が起こる．	□	□
5.	水俣病はヒ素の中毒である．	□	□
6.	潜函病や高山病は気圧の変化により発症する．	□	□
7.	病気の発症に関与する要因のうち，第一義的なものを外因という．	□	□
8.	医原性疾患の多くは化学的病因による．	□	□
9.	結核症は，生物学的病因が主因となる疾患である．	□	□
10.	栄養供給の障害は内因に分類される．	□	□
11.	胃癌は日本人には発症しにくい．	□	□

B

1．主因が物理的病因でない疾患はどれか．

□　①　骨　折
□　②　脱　水
□　③　火　傷
□　④　高山病
□　⑤　外　傷

A　1−×（主要なものは主因），2−○，3−○，4−×（脚気はビタミン B_1 の不足で起こる），5−×（水俣病は有機水銀の中毒），6−○，7−×（主因），8−○，9−○，10−×（外因），11−×

B　1−②

2．ビタミンとその欠乏により起こる疾患の組み合わせで**誤っている**のはどれか．

- □　① ビタミンA――夜盲症
- □　② ビタミンB_1――脚　気
- □　③ ビタミンB_{12}――悪性貧血
- □　④ ビタミンD――壊血病
- □　⑤ 葉　酸――骨粗鬆症

3．ステロイド剤の投与と**関係のない**疾患はどれか．

- □　① 糖尿病
- □　② 骨粗鬆症
- □　③ Cushing 症候群
- □　④ 細菌感染症
- □　⑤ 多発性骨髄腫

4．有機水銀の摂取により発生する疾患はどれか．

- □　① 水俣病
- □　② 日本脳炎
- □　③ 中皮腫
- □　④ 悪性貧血
- □　⑤ イタイイタイ病

5．異常な遺伝子が伝わることにより生ずる遺伝性疾患はどれか．**2つ選べ**．

- □　① 鎌型赤血球貧血
- □　② 肺結核症
- □　③ 先天性風疹症候群
- □　④ 梅　毒
- □　⑤ 血友病

2-⑤（⑤：巨赤芽球性貧血など），3-⑤，4-①，5-①と⑤

C　遺伝子・染色体異常と発生発達異常

学習の目標

- □ 奇形
- □ 二重体
- □ 単体奇形
- □ Down 症候群
- □ Turner 症候群
- □ Klinefelter 症候群
- □ 常染色体顕性遺伝（優性遺伝）疾患
- □ 常染色体潜性遺伝（劣性遺伝）疾患
- □ X 連鎖潜性遺伝（劣性遺伝）疾患

先天性疾患とは，出生時に存在する疾患をいう．遺伝性のこともあり，受精から出生に至るまでの子宮内生活に原因があることもある．

- ・奇形：先天性疾患のうちで形態の異常として現れた場合．
- ・先天性代謝異常：代謝の異常として現れた場合．

1 奇形（malformation）

1．定義

①出生時に存在する全身または一部の臓器・組織にある形態上の異常．

②体表上の奇形は出生時にただちに認められるが，内臓器官の奇形は発見が遅れ，臨床的観察か剖検により発見されることが多い．

③原因は，内因として遺伝子異常，染色体異常，外因として放射線などの物理的因子，妊娠初期の薬物投与（サリドマイド：アザラシ肢症），風疹などのウイルス性疾患や梅毒などに母親が妊娠初期に罹患した場合（先天性風疹症候群：白内障，心奇形など）などがある．

2．発育形式

発育抑制（無脳症など），過剰発育，位置の異常（内臓逆位症），分離の抑制（馬蹄腎，合指症），融合の抑制（兎唇，脊椎裂），異常残存（側頸嚢胞）がある．

3．種類

奇形は，二重体と単体奇形に分けられる（表 1-3）．

表 1-3　奇形

二重体	分離二重体（双生児，無心体），連絡二重体
単体奇形	巨人と小人，単眼症，半陰陽，多指症，合指症，心中隔欠損，動脈管の開存，右心症，Meckel（メッケル）憩室，肝門閉鎖，食道気管瘻，肺の分葉異常，馬蹄腎，重複尿管など

(1) 二重体

2 つの個体が結合したもの.

①分離二重体

i ）双生児：胎児の体をつくる部分が 2 つに分離し，それぞれ完全に発育する.

ii ）無心体：双生児のうち一方の発育が不完全で，心臓または多臓器を欠く.

②連絡二重体：双生児になるべき分離が不完全で，体のどこかの部分が融合したままで，それぞれ発育する.

(2) 単体奇形

1 つの個体の全身または一部に現れた奇形.

染色体異常（chromosome abnormality）

1．Down（ダウン）症候群

①英国の医師 Down が記載した 1 つの型.

②常染色体 21 番目が 3 個ある 21 トリソミー（trisomy）.

③知能障害，発育遅延，小頭，小耳，小さい眼裂などの特異な顔貌，小さい指などの外表的特徴のほか，心奇形などを伴う.

④リンパ性白血病の発症頻度が高い.

⑤高年産婦から生まれる頻度が高く，母親が 20 歳代前半では発症率が約 1/1,000 であるのに対し，40 歳代では約 1/100 とリスクが高くなる.

2．Turner（ターナー）症候群

①性染色体が X 染色体の 1 つで，染色体数が 45 の 45,X が基本型.

②外見は女性であるが，身長が低く，無月経が特徴で，乳房の発達はなく，第 2 次性徴は発達しない.

③性腺は瘢痕的で，卵胞がなく，卵巣間質によく似た線維組織よりなる.

表 1-4　遺伝性疾患

常染色体顕性遺伝（優性遺伝）疾患	家族性高コレステロール血症，Marfan（マルファン）症候群，von Recklinghausen（フォン レックリングハウゼン）病（神経線維腫症 I 型：NF1），Huntington 病，家族性腺腫性ポリポーシス（FAP），von Hippel-Lindau（フォン ヒッペル・リンドウ）病など
常染色体潜性遺伝（劣性遺伝）疾患	ライソゾーム（蓄積）病［Tay-Sachs 病，Niemann-Pick 病，Gaucher 病，ムコ多糖代謝異常症，糖原病］，Wilson（ウィルソン）病，フェニルケトン尿症など
X 連鎖潜性遺伝（劣性遺伝）疾患	Duchenne 型筋ジストロフィ，血友病 A，血友病 B，重症複合免疫不全症，Menkes（メンケス）病など

3．Klinefelter（クラインフェルター）症候群

①性染色体が X 染色体 2 つと Y 染色体 1 つの 47,XXY の染色体をもつ．

②外見的には男性であるが，筋組織の発達が悪く，腰部の発達により女性型の体形を示す．

③睾丸は小さく，精細管は硝子化し，ライディッヒ細胞が増殖し，精子形成は認められない．しばしば女性化乳房を伴う．

④尿中ゴナドトロピン値が高い．

遺伝性疾患（genetic disorders）（表 1-4）

常染色体上に存在する一対の遺伝子の片方に異常があれば発症するものを常染色体顕性遺伝（優性遺伝），両方に異常があって発症するものを常染色体潜性遺伝（劣性遺伝），性染色体（X 染色体）上にある遺伝子に異常があり発症するものを X 連鎖潜性遺伝（劣性遺伝）という．

1．常染色体顕性遺伝（優性遺伝）疾患

(1) 家族性高コレステロール血症

①19 番染色体上にある LDL 受容体遺伝子の変異によって起こる．

②LDL の肝細胞への取込，代謝障害．

③コレステロール値の上昇．

④粥状硬化症を発症．

(2) Huntington（ハンチントン）病

①4 番染色体上のハンチントン遺伝子の CAG トリプレットの繰り返し領域の延長のため，線条体尾状核の神経細胞が変性・脱落を起こす．

②進行性不随意運動，認知力低下，情緒障害などを発症.

2．常染色体潜性遺伝（劣性遺伝）疾患

(1) ライソゾーム（蓄積）病

蓄積物質の種類によって，以下などに分けられる.

①糖脂質代謝異常症（リピドーシス）: Tay–Sachs（テイ・サックス）病，Niemann–Pick（ニーマン・ピック）病，Gaucher（ゴーシェ）病

②ムコ多糖代謝異常症

③グリコーゲン貯蔵病：糖原病

3．X 連鎖潜性遺伝（劣性遺伝）疾患

(1) Duchenne（デュシェンヌ）型筋ジストロフィ

・ジストロフィン遺伝子の変異による. →p.162 参照.

(2) 血友病

①凝固因子Ⅷの欠損：血友病 A

②凝固因子Ⅸの欠損：血友病 B

(3) 重症複合免疫不全症

・→p.66 参照.

セルフ・チェック

A 次の文章で正しいものに○，誤っているものに×をつけよ．

	○	×
1. 出生時に存在する形態的な異常を奇形という．	□	□
2. 奇形は，二重体と単体奇形に分類される．	□	□
3. 妊娠初期にサリドマイドなどの薬物の投与があると，児に奇形が生ずる危険が高まる．	□	□
4. 双生児は同型対称性，無心体は非同型非対称性の分離二重体である．	□	□
5. Down 症候群は性染色体異常である．	□	□
6. Turner 症候群の染色体型は 45,X が基本型である．	□	□
7. 妊娠初期に梅毒に感染すると，先天性代謝異常をもつ児の生まれる確率が高くなる．	□	□
8. Turner 症候群と Klinefelter 症候群の外見は，いずれも女性である．	□	□
9. Down 症候群患者は白血病を発症しやすい．	□	□
10. 児に奇形を生ずる要因のうち，酸素欠乏は物理的因子である．	□	□
11. Meckel 憩室は消化器系に発生する奇形である．	□	□

B

1．奇形の原因と**ならない**のはどれか．

□ ① 羊膜の形成異常
□ ② 放射線照射
□ ③ 風疹感染
□ ④ サリドマイド投与
□ ⑤ 子宮筋腫

A 1–○，2–○，3–○，4–○，5–×（Down 症候群は常染色体異常で，21 トリソミー），6–○，7–×（奇形），8–×（Turner 症候群は女性，Klinefelter 症候群は男性），9–○，10–×（化学的因子），11–○

B 1–⑤

2. 奇形**でない**のはどれか.

- □ ① 動脈管開存
- □ ② 肝門閉鎖
- □ ③ 馬蹄腎
- □ ④ 食道気管瘻
- □ ⑤ Marfan 症候群

3. 奇形とその発生過程の組合せで**誤っている**のはどれか.

- □ ① 無脳症――――発育抑制
- □ ② 側頸瘻――――異常残存
- □ ③ 兎　唇――――分離の抑制
- □ ④ 脊椎裂――――癒合の抑制
- □ ⑤ 大血管転移――位置の異常

4. Down 症候群について**誤っている**のはどれか.

- □ ① 知能障害, 発育遅延がみられる.
- □ ② 尿中ゴナドトロピン値が高い.
- □ ③ リンパ性白血病の発症頻度が高い.
- □ ④ 発症率は母親の年齢と関連がある.
- □ ⑤ 心奇形を伴う.

5. 常染色体顕性遺伝（優性遺伝）による疾患はどれか. **2つ選べ.**

- □ ① 家族性高コレステロール血症
- □ ② 血友病 B
- □ ③ von Recklinghausen 病
- □ ④ Down 症候群
- □ ⑤ Duchenne 型筋ジストロフィ

2–⑤, 3–③（融合の抑制）, 4–②（②：Klinefelter 症候群の特徴）, 5–①と③（②：血友病 B と⑤：Duchenne 型筋ジストロフィは X 連鎖潜性遺伝（劣性遺伝）疾患, ④：Down 症候群は 21 トリソミー）

D　組織細胞障害とその修復機能

学習の目標

- □ 変性
- □ 壊死
- □ アポトーシス
- □ 萎縮
- □ 肥大
- □ 過形成
- □ 化生
- □ 再生
- □ 創傷の治癒
- □ 肉芽組織

細胞は外界からさまざまな刺激（ストレス）にさらされている．細胞はストレスに対して機能や構造を変化させて適応し，細胞内の生理学状況をある程度保っていくことができる(ホメオスタシス)．適応能力を超えると，細胞障害が生じる（図 1-1）．

- 可逆性障害：一定範囲内の障害．元に戻る障害．
- 不（もしくは非）可逆性障害：強いストレスの持続による障害．細胞死に至る障害．

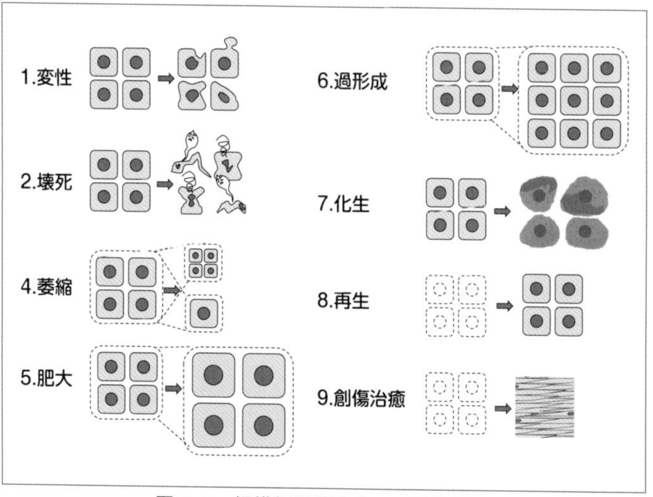

図 1-1　組織細胞障害とその修復機能
番号は大項目の見出しに対応．

変性（degeneration）（図 1-1）（表 1-5）

1．定義

①障害を受けた細胞が壊死に陥らない程度の細胞（細胞質・細胞内小器官）・組織の構造（形態学的）変化と代謝障害.

②細胞の変化が可逆的な状態に留まる.

2．細胞質の変性

(1) 混濁腫脹

①障害を受けた細胞の細胞膜浸透圧維持に障害が起こり，細胞外液が細胞内に入り細胞が腫大する.

②ミトコンドリアの膨化となり細胞質細顆粒状化，光が散乱することで細胞質は不透明となり混濁してみえる．臓器の割面は光沢が失われ白く濁る.

③肝，腎，心臓などにみられる.

(2) 水腫性変性（空胞変性）

①混濁腫脹よりさらに進行した状態.

②組織標本では，小胞体，リソソーム，ミトコンドリアなどが大小さまざまな大きさの空胞として認められる.

③四塩化炭素中毒時の肝細胞，低カリウム血症時の腎尿細管上皮細胞，体腔液中の中皮細胞［細胞膜小突起（bleb：ブレブ)］.

④表皮内水疱：障害された細胞が死滅する.

(3) 脂肪変性

①酸素欠乏，貧血，中毒などによる細胞障害作用により，ミトコンドリアでのエネルギー生成阻害の影響で，酸化的リン酸化の低下，脂肪酸化障害が起こることで，細胞質内に中性脂肪滴が出現する.

②細胞質内に中性脂肪の小滴がみられる.

③肝，腎，心によくみられる.

④中性脂肪の証明法 → p.233 参照.

(4) 硝子変性（硝子滴変性）

①細胞障害により蛋白質の細胞内蓄積・凝集が起った状態．中間径フィラメントの集塊．硝子はH–E染色で赤みがかった均一な物質の総称.

②細胞質内に硝子様の微細顆粒［硝子滴，硝子物：ヒアリン（hyaline)］が多数出現.

表 1-5　変性

		特徴	変性がみられる臓器・細胞
細胞質の変性	混濁腫脹	細胞膜浸透圧維持に障害が起こり，細胞が腫大する.	肝，腎，心など
	水腫性変性（空胞変性）	組織標本では，大小さまざまな空胞として認められる.	四塩化炭素中毒時の肝細胞 低 K 血症時の腎尿細管上皮細胞 体腔液中の中皮細胞の細胞膜小突起（ブレブ）
	脂肪変性	細胞質内に中性脂肪滴が出現する.	肝，腎，心
	硝子変性（硝子滴変性）	細胞障害により蛋白質の細胞内蓄積・凝集が起こった状態. 硝子は H-E 染色で赤みがかった均一な物質の総称. 細胞質内に硝子様の微細顆粒（硝子物）が多数出現する.	慢性アルコール性肝障害に認めるマロリー小体 腎尿細管上皮細胞
	糖原変性（グリコーゲン変性）	グリコーゲン（糖原）が細胞内に蓄積する状態.	糖原蓄積症：肝細胞，骨格筋，心筋 糖尿病：肝細胞，腎尿細管上皮細胞
	粘液変性	糖蛋白やムコ多糖からなる粘液が結合組織の細胞内外に蓄積する. 細胞質内に多量の粘液が貯留する.	
	Russell 小体	形質細胞内で合成された γ-グロブリンを含む蛋白質. 細胞質内に大小球形の好酸性硝子様物質として認める.	慢性炎症 多発性骨髄腫
細胞・組織の障害に伴う変化	硝子変性（硝子化）	硝子質が細胞間質，結合組織，血管壁に沈着.	慢性アルコール性肝障害に認めるマロリー小体 動脈硬化症 慢性糸球体腎炎 糖尿病のランゲルハンス島など
	アミロイド変性	β シート構造に富んだ蛋白質が直径 8〜10 nm の分岐のない微細な線維を形成，細胞外に沈着し機能障害を起こす. 偏光顕微鏡で緑色偏光を呈する.	原発性，続発性アミロイド沈着症（表 1-6）など
	類線維素変性（フィブリノイド変性）	フィブリン（線維素）を主体とする血漿蛋白や免疫複合体の沈着を認める.	アレルギー性炎 膠原病 悪性高血圧

③慢性アルコール性肝障害 → マロリー小体（→ p.114 参照）.
④腎尿細管上皮細胞にみられる（活発な尿蛋白の再吸収）.

(5) 糖原変性（グリコーゲン変性）

①グリコーゲン（糖原）が細胞内に蓄積する状態.

②糖原蓄積症：グリコーゲンを分解する酵素の欠損症. 肝細胞, 骨格筋, 心筋の細胞質内にグリコーゲンが蓄積.

③糖尿病：肝細胞の核内糖原, 尿細管上皮細胞への沈着.

④糖原（グリコーゲン）の証明 → p.237 参照.

(6) 粘液変性

①糖蛋白やムコ多糖（グリコサミノグリカン）からなる粘液が結合組織の細胞内外に蓄積することをいう.

②細胞質内に多量の粘液が貯留.

③粘液の証明法 → p.237〜238 参照.

(7) Russell（ラッセル）小体

①形質細胞内で合成された γ-グロブリンを含む蛋白質.

②細胞質内に大小球形の好酸性硝子様物質.

③電子顕微鏡で拡張した粗面小胞体の蓄積.

③慢性炎症や多発性骨髄腫に出現.

3．細胞・組織の障害に伴う変化

(1) 硝子変性（硝子化）

①硝子質（hyaline：ヒアリン）が細胞間質, 結合組織, 血管壁に沈着.

②硝子質は均質無構造で, 光沢をもつエオジン好染の硝子様物質の蛋白質.

③動脈硬化症, 瘢痕組織, 慢性糸球体腎炎, 糖尿病の膵ランゲルハンス島, 萎縮した精細管・尿細管, マロリー小体（→ p.114 参照）

(2) アミロイド変性（図 1-2）

①β シート構造に富んだ蛋白質が直径 8〜10 nm の分岐のない微細な線維（アミロイド線維）を形成, 細胞外に沈着し機能障害を起こす.

②硝子質（hyaline：ヒアリン）に似ているが, 染色性に特徴がある. 偏光顕微鏡で緑色偏光を呈する.

③全身性アミロイドーシス（原発性アミロイド沈着症, 続発性アミロイド沈着症など）（**表 1-6**）, 限局性アミロイドーシス.

④アミロイドの証明法→p.237 参照.

(3) 類線維素変性（フィブリノイド変性）

①フィブリン（線維素）を主体とする血漿蛋白や免疫複合体の沈着

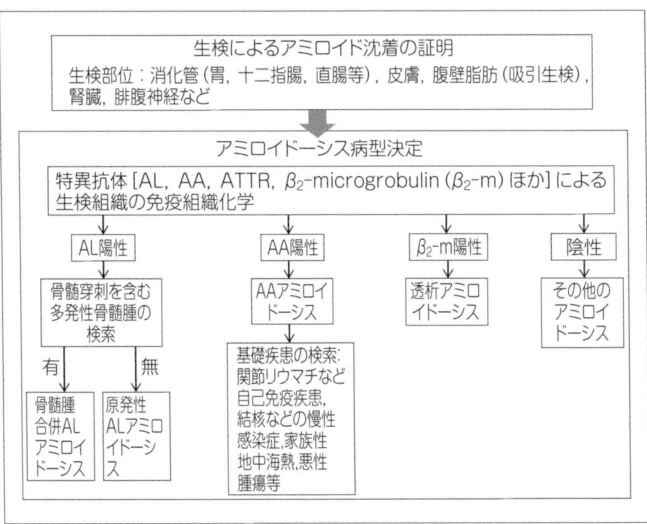

図 1-2　アミロイドーシスの病型決定
（アミロイドーシス診療ガイドライン 2010 の図 1 より抜粋，ATTR 陽性の場合を省略）

表 1-6　原発性アミロイド沈着症と続発性アミロイド沈着症

	原発性アミロイド沈着症	続発性アミロイド沈着症
アミロイド	アミロイド L（AL）蛋白	アミロイド A（AA）蛋白
原因	原因不明，家族性遺伝性	結核，慢性化膿性疾患，多発性骨髄腫，甲状腺髄様癌，リウマチ様関節炎などに伴って起こる
アミロイドの沈着部位	消化管（食道，小腸），舌，心，骨格筋，関節，脾，腎など	肝，腎，脾
疾患	全身臓器の間質，特に血管周囲に沈着→全身性アミロイドーシス	腹膜，胸膜および関節滑膜の炎症を起こし，全身に AA 蛋白の沈着を起こす→家族性地中海熱

を認める．

②類線維素（フィブリノイド）とは，膠原線維が膨化変性した線維素(フィブリン)様の無構造物質．膠原線維や血管壁に沈着する．

③アレルギー性炎や膠原病，悪性高血圧にみられる．

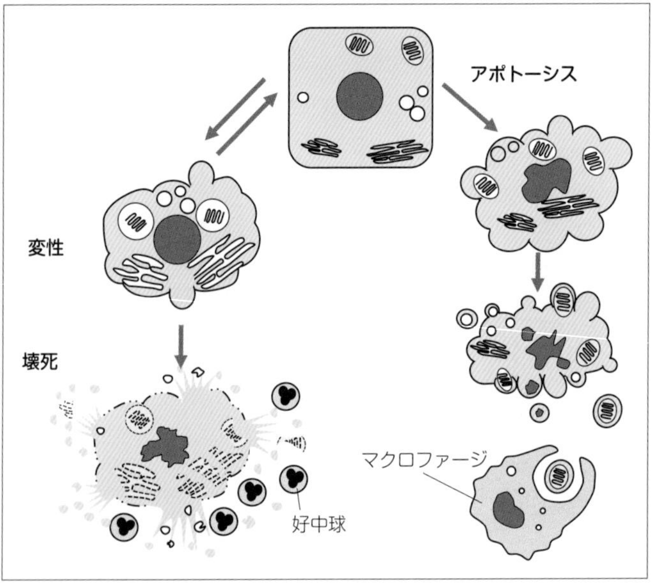

図 1-3　壊死とアポトーシス

壊死（necrosis）（図 1-1, 3）

1．定義

①生体内の細胞，組織が局所的に死滅した状態．強度の障害作用によって起こる不可逆的細胞変化．

②DNA は無秩序に切断．

2．細胞の変化

①核および細胞質の変化が起こる．

②核の変化：核濃縮（pyknosis），核崩壊（karyorrhexis），核融解（karyolysis）の順に進行．核膜濃縮 → 核の消失．

③細胞質の変化：縮小，好酸性化，顆粒状化，無構造化，細胞膜破綻．

④壊死細胞は最後に破裂し，周囲組織に炎症が起こる．

3．組織壊死の形態

(1) 凝固壊死

①局所の循環障害によって起こりやすい．

②壊死組織は硬く，もろく，灰白色無構造．

③心（心筋梗塞），腎，脾の貧血性梗塞.
④乾酪壊死：凝固した蛋白質と脂質からなる．黄色，チーズ様，結核結節にみられる.

(2) 融解壊死（液化壊死）
①組織が軟化融解・液化した状態.
例）脳梗塞（脳の動脈閉塞による脳の壊死），脳軟化症（髄質は，皮質に比して軟化傾向が強い）.

(3) 壊疽（脱疽）
①壊死組織が二次的に腐敗菌，乾燥の影響を受けたもの.
②湿性壊疽：腐敗菌の感染．融解，軟化，ガス発生（ガス壊疽）.
③乾性壊疽：水分蒸発，乾燥，ミイラ化した状態.
例）糖尿病に伴う動脈硬化のため循環障害を起こし，四肢末端が壊死に陥る.

アポトーシス（apoptosis）（図 1-3）

1．定義
①細胞は，細胞死を制御する蛋白質などを産生する遺伝子発現の調節により制御されている．この制御された細胞死の代表的なものがアポトーシスで，活性化カスパーゼによって引き起こされる.
②制御された細胞死には，ネクロプトーシス，オートファジー細胞死，ネトーシスなどがある.

2．形態的特徴
①核の変化が強く，細胞質の変化が軽い.
②核クロマチンの断片化：エンドヌクレアーゼ活性化によるヌクレオソーム単位でのDNA断片化．180〜200塩基対の倍数の大きさのDNA断片（はしご状のDNA断片化）.
③アポトーシス小体の出現：アポトーシスを起こした細胞は，断片化した核が細胞膜に包まれたアポトーシス小体を形成し，マクロファージに貪食され炎症反応を起こさない.

萎縮（atrophy）（図 1-1）

1．定義
①正常に発育した臓器，組織の細胞が縮小し，体積の減少した状態.

②細胞の数が減少し，体積の減少した状態.

⇔低形成：発育不全のため正常より小さいもの.

2．分類

(1) 生理的萎縮

①加齢に伴う全身の諸臓器の萎縮.

②閉経以降の子宮内膜・卵巣・乳腺，思春期以降の胸腺.

(2) 無為萎縮

①組織，臓器の機能が長期間制限，抑制されることによる萎縮.

②ギプス固定による手足の筋肉.

(3) 圧迫萎縮（廃用萎縮）

①機械的圧迫が持続して加えられることによる萎縮.

②大動脈瘤による脊椎骨，胸骨の萎縮，水腎症（腎盂に尿のうっ滞→腎実質萎縮），絞窄肝（帯，コルセットによる圧迫）.

(4) 神経性萎縮

①運動神経麻痺による神経支配筋肉の萎縮.

②筋萎縮性側索硬化症．進行性筋萎縮症（脊髄性・末梢神経性）.

(5) 栄養障害性萎縮

①栄養不足による萎縮.

②全身性：慢性の飢餓，結核，悪性腫瘍.

③局所性：血液供給不足.

5 肥大（hypertrophy）（図 1-1）

1．定義

①細胞の体積が増大し，組織，臓器が大きくなること.

②細胞の数は増加しない.

③肥大した臓器の機能は亢進する.

2．分類

(1) 生理的肥大

①加齢や生理的に起こる肥大.

②妊娠中の子宮の肥大，運動選手の筋肥大.

(2) 仕事肥大（作業肥大）

①臓器に過剰な負担がかかり正常以上に働いた場合に生じる肥大.

②運動選手の左心室肥大.

(3) 病的肥大

①疾患によって起こる肥大.

②肺高血圧症，肺動脈弁狭窄症 → 右心室肥大.

③慢性肺疾患（肺線維症，塵肺症など）→ 右心室肥大（肺性心）.

④高血圧症，大動脈弁狭窄症 → 左心室肥大.

(4) 代償性肥大

①対になっている臓器の 1 つが欠損，不全の場合に他の 1 つが機能代償のために肥大する.

②一側の腎の摘出，機能不全により残存腎の肥大．肝切除による残りの肝の肥大.

(5) 仮性肥大（偽肥大）

①臓器を構成する細胞の容積や数の増加ではなく，他の組織成分の増加による場合.

②筋ジストロフィの肥大した腓腹筋肉：筋組織の萎縮，脱落，脂肪組織の増加.

過形成（hyperplasia）（図 1-1）

1．定義

・細胞や線維の数が増加して組織，臓器の体積が増大したもの.

2．原因による分類

①炎症による過形成：慢性胃炎の胃粘膜肥厚，胃の過形成性ポリープ，Basedow（バセドウ）病の甲状腺腫大（濾胞上皮細胞の増殖），扁桃腺肥大など.

②ホルモンによる過形成：妊娠による乳腺の増大．前立腺肥大症*.

*前立腺肥大症は，前立腺の良性過形成によるものだが，疾患名として用いられている（前立腺肥大症診療ガイドライン）.

化生（metaplasia）（図 1-1）

1．定義

①成熟分化した上皮細胞や間葉系細胞が，異なる形態と機能をもつ他の分化した細胞に変化する現象.

②可逆的な変化.

③同系統組織内にとどまる.

2．原因

・慢性炎症，機械的刺激，ホルモン異常，生理的変化．

3．化生の例

①扁平上皮化生：気管支の線毛円柱上皮（喫煙，ビタミンA欠乏による），子宮頸部の円柱上皮（子宮頸部の外反，慢性炎症による），腎盂，膀胱の尿路上皮（慢性炎症，結石などによる）→ 扁平上皮細胞へ分化（類表皮化）．

②腸上皮化生：胃粘膜上皮 → 腸粘膜上皮へ分化．

③Barrett（バレット）上皮：胃液の食道への慢性的逆流により，下部食道が扁平上皮 → 円柱上皮へ分化．

④骨化生：組織損傷後の瘢痕（線維性結合組織）で，線維芽細胞 → 骨芽細胞に分化，骨形成．

8 再生（regeneration）（図1-1）

1．定義

①欠損した組織が，元の組織と同じ組織によって修復される現象．

②生理的には表皮，毛，子宮粘膜，血球など．

2．再生能力

一般に分化が高度な細胞，組織は再生能力が弱い．

①再生能力のないもの：神経細胞，心筋細胞．

②再生能力の弱いもの：骨格筋，平滑筋．

③再生能力の強いもの：表皮，粘膜上皮，造血器，骨・軟骨細胞，肝細胞，結合組織，末梢神経線維，神経膠細胞．

9 創傷の治癒と肉芽組織（図1-1, 4）

1．肉芽組織

①肉芽組織とは，外傷，炎症などにより組織が破壊，欠損した場合に，その障害部位を修復する幼弱な組織．

②主に線維芽細胞，組織球，毛細血管で構成される．

③異物の処理にも重要な役割をはたす．

(1) 機序

・組織障害 → 壊死 → 好中球・マクロファージによる壊死物質の分解・貪食→線維芽細胞増殖因子（fibroblast growth factor；FGF），

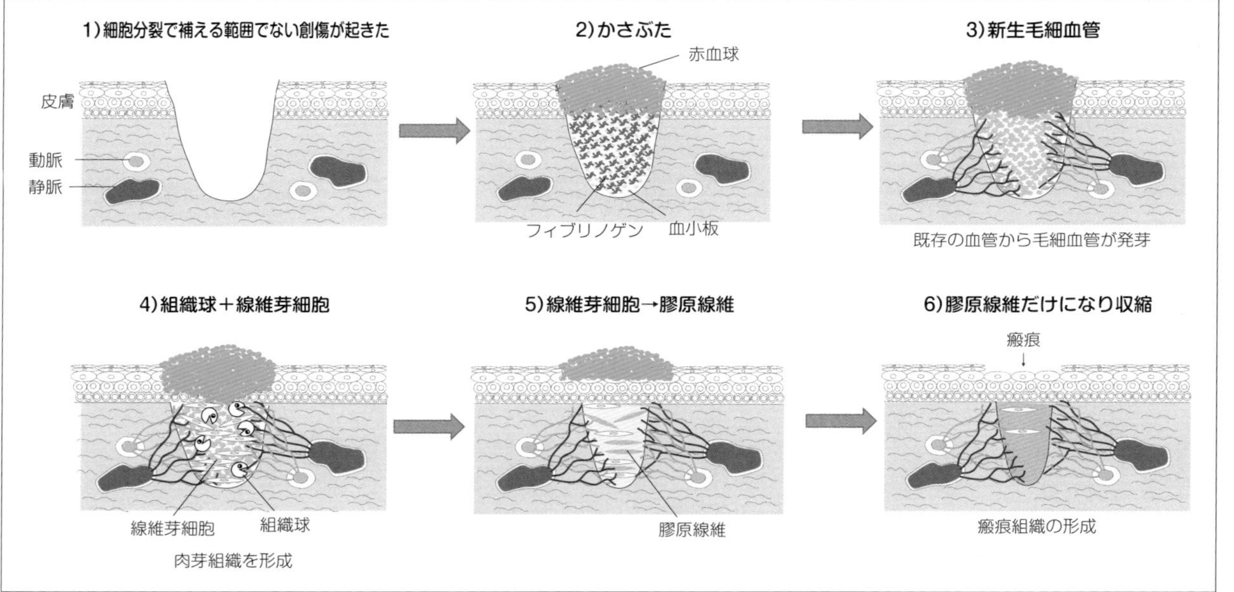
1）細胞分裂で補える範囲でない創傷が起きた
皮膚
動脈
静脈
2）かさぶた
赤血球
フィブリノゲン
血小板
3）新生毛細血管
既存の血管から毛細血管が発芽
4）組織球＋線維芽細胞
線維芽細胞
組織球
肉芽組織を形成
5）線維芽細胞→膠原線維
膠原線維
6）膠原線維だけになり収縮
瘢痕
瘢痕組織の形成

図 1-4　創傷治癒の流れ

血小板由来増殖因子（platelet-derived growth factor；PDGF），トランスフォーミング増殖因子β（transforming growth factor β；TGF）などの放出→血管新生と線維芽細胞の活性化→線維芽細胞による血管内皮細胞増殖因子（vascular endothelial growth factor；VEGF）や FGF の産生→血管新生の促進→肉芽組織の形成.

(2) 瘢痕組織

・肉芽組織が古くなって起こる変化：遊走細胞，毛細血管の減少．膠原細胞の増加．→ 肉芽組織の収縮 → 線維化し瘢痕組織になる．

(3) 中枢神経組織

・中枢神経組織（脳）では線維芽細胞の代わりに神経膠細胞（肉芽組織）→ 膠線維（瘢痕組織）で形成．

2．異物の処理

体外から入ってきた異物，体内で産生された異物（血栓や壊死組織など）を，生体の組織は隔離，排除して，無害化しようとする反応．

(1) 吸収・貪食

①マクロファージ（組織球，単球）より貪食され除去．

②ミクロファージ（多核白血球）により貪食され融解処理．

(2) 器質化

①器質化：排除できない異物は，肉芽組織の出現により吸収，線維組織に置換される．

②血栓や梗塞などの壊死組織の線維化．

(3) 被包・排除

①融解，排除が困難な異物は，周囲を肉芽組織が包囲し，線維性被膜で封じ込め生体から隔離される．

②縫合糸や寄生虫卵などの異物結節．

③異物巨細胞の出現．

④管腔により体外と連絡のある臓器では管腔を経て排出される．

セルフ・チェック

A 次の文章で正しいものに○，誤っているものに×をつけよ．

	○	×
1. 細胞や組織が可逆的な構造変化と代謝障害を呈した状態のことを壊死という．	□	□
2. 細胞や組織が不可逆的に死滅した状態を変性という．	□	□
3. 混濁腫脹とは，急性感染症時などに細胞の浸透圧の維持ができなくなり細胞が腫大した状態である．	□	□
4. 慢性アルコール性肝障害の肝組織には Russell 小体と呼ばれる好酸性の硝子様構造物がみられる．	□	□
5. 粘液変性で貯留する粘液のうち，中性のものは Alcian blue 染色によく染まる．	□	□
6. 粘液変性で貯留する粘液のうち，酸性のものは PAS 反応陽性となる．	□	□
7. 形質細胞にみられる γ-グロブリンを含む好酸性の構造物をマロリー小体という．	□	□
8. マロリー小体は慢性炎症や多発性骨髄腫で観察される．	□	□
9. アミロイドとは，α シート構造に富む直径 8～10 nm 程度の分岐の多い線維状の蛋白である．	□	□
10. 原発性アミロイド沈着症ではアミロイド A 蛋白が沈着する．	□	□
11. 続発性アミロイド沈着症ではアミロイド L 蛋白が沈着する．	□	□

A 1-×（可逆的な構造変化と代謝障害を呈した状態を変性），2-×（不可逆的に死滅した状態は壊死），3-○（ミトコンドリアが膨化することで外観は混濁してみえる．混濁腫脹が進行すると水腫性変性や空胞変性となる），4-×（マロリー小体），5-×（中性粘液は PAS 反応陽性），6-×（酸性粘液は Alcian blue 染色陽性），7-×（Russell 小体），8-×（マロリー小体は慢性アルコール性肝障害，Russell 小体は慢性炎症や多発性骨髄腫），9-×（β シート構造，分岐はない），10-×（アミロイド L 蛋白が沈着），11-×（アミロイド A 蛋白が沈着）

12. アポトーシスとは活性化カスパーゼによって引き起こされる細胞死のことである. □ □
13. 壊死は凝固壊死，融解（液化）壊死，壊疽（脱疽）の 3 つに大別される. □ □
14. 肥大は細胞の数が増加することで組織の体積が増大する. □ □
15. 過形成は細胞の体積が増加することで組織の体積が増大する. □ □
16. ピロリ菌感染などで胃粘膜上皮に杯細胞（goblet cell）が出現する変化を扁平上皮化生という. □ □
17. 慢性的に胃液の逆流が起こることで，下部食道に Barrett 上皮が出現する. □ □
18. 再生能力は組織によって異なる. □ □
19. 神経細胞や心筋細胞には再生能力がない. □ □
20. 組織の修復や異物処理時に出現する幼弱な組織を瘢痕組織という. □ □
21. 排除できない異物が線維組織に置換される過程を器質化という. □ □
22. 水腫性変性では細胞膜小突起（bleb）形成がみられる. □ □
23. 硝子滴変性は中間径フィラメントの集塊である. □ □
24. 硝子化は硝子質（ヒアリン）の集塊である. □ □
25. アポトーシスの起こった場所では炎症が起こる. □ □
26. 粘液変性は結合組織に起こる変性である. □ □
27. 結核に併発する全身性アミロイドーシスでは，アミロイド L が沈着する. □ □
28. アポトーシス核は，エンドヌクレアーゼ活性によりヌクレオソーム単位で断片化する. □ □

12-○，13-○，14-×（肥大は細胞の体積が増加），15-×（過形成は細胞の数が増加），16-×（腸上皮化生），17-○，18-○，19-○，20-×（肉芽組織），21-○，22-○，23-○，24-○，25-×，26-○，27-×（アミロイド A），28-○

29. 壊死は，核濃縮，核融解，核崩壊の順に進行する． □ □
30. 湿性壊疽は腐敗菌の感染による． □ □
31. 神経性萎縮とは神経組織が萎縮し消失する変化のことである． □ □
32. 肺性心は慢性肺疾患により発生し，右心室肥大がみられる． □ □
33. 喫煙やビタミンA欠乏では気管支に扁平上皮化生が起こる． □ □
34. 神経線維や神経膠細胞には再生能力がない． □ □
35. 子宮粘膜や血球は生理的に再生する． □ □
36. 壊死組織で壊死物質が貪食されると，血小板由来増殖因子（PDGF）の放出により血管新生が誘発されて肉芽組織が形成される． □ □
37. 中枢神経組織では神経膠細胞から膠線維が形成される． □ □
38. 肉芽組織は好中球，線維芽細胞，新生血管からなる． □ □

B

1．脂肪変性を起こしやすい臓器はどれか．2つ選べ．
- □ ① 肺
- □ ② 胃
- □ ③ 肝
- □ ④ 腎
- □ ⑤ 脾

29–×（核濃縮，核崩壊，核融解の順），30–○，31–×（筋組織），32–○，33–○，34–×（再生能力が強い），35–○，36–○，37–○，38–×（好中球ではなく組織球）

B　1–③と④

2．硝子変性が**みられない**組織はどれか．

- □ ① 糖尿病の膵ランゲルハンス島
- □ ② 慢性糸球体腎症の糸球体間質
- □ ③ 動脈硬化症の小血管壁
- □ ④ 瘢痕組織
- □ ⑤ 糖原病の肝細胞

3．変性と蓄積する物質の組合せで**誤っている**のはどれか．

- □ ① 硝子化――――ヒアリン
- □ ② 粘液変性―――糖蛋白とムコ多糖
- □ ③ Russell 小体―― γ-グロブリン
- □ ④ 硝子滴変性――アクチンフィラメント
- □ ⑤ 線維素変性――線維素と免疫複合体

4．病態と特徴的な所見の組合せで**誤っている**のはどれか．

- □ ① 肝硬変――――マロリー小体
- □ ② 胃　癌――――印環細胞
- □ ③ 慢性胃酸逆流――Barrett 上皮
- □ ④ 多発性骨髄腫――Russell 小体
- □ ⑤ 糖尿病――――乾性壊疽

5．扁平上皮化生が起こりうる部位と原因の組合せで**誤っている**のはどれか．

- □ ① 子宮頸部――慢性炎症
- □ ② 気管支―――喫　煙
- □ ③ 下部食道――慢性胃液逆流
- □ ④ 気管支―――ビタミン A 欠乏症
- □ ⑤ 腎　盂―――結　石

2-⑤（⑤：糖原変性），3-④（④：硝子滴変性―中間径フィラメント），4-①（①：マロリー小体は慢性アルコール性肝障害でみられる），5-③（③：慢性胃液逆流では Barrett 上皮）

6．萎縮するのはどれか．**2つ選べ**．
- □ ① 肺線維症時の右心室
- □ ② 思春期以降の胸腺
- □ ③ 左腎摘出後の右腎
- □ ④ 水腎症の腎実質
- □ ⑤ 慢性胃炎の胃粘膜

7．肉芽組織形成に**関与しない**のはどれか．
- □ ① 好中球
- □ ② 血管内皮細胞増殖因子（VEGF）
- □ ③ 線維芽細胞増殖因子（FGF）
- □ ④ 血小板由来増殖因子（PDGF）
- □ ⑤ 組織因子（TF）

8．肉芽組織が**関与しない**組織反応はどれか．
- □ ① 創傷治癒
- □ ② 器質化
- □ ③ 異物処理
- □ ④ 線維化
- □ ⑤ 扁平上皮化生

9．壊死の形態と疾患の組合せで**誤っている**のはどれか．
- □ ① 凝固壊死──心筋梗塞
- □ ② 乾酪壊死──結核症
- □ ③ 融解壊死──脳梗塞
- □ ④ 湿性壊疽──水腎症
- □ ⑤ 乾性壊疽──糖尿病

6-②と④（①③：肥大，⑤：過形成），7-⑤，8-⑤，9-④（④：腐敗菌感染など）

10. 肝組織のH-E染色標本を下に示す．該当する所見はどれか．

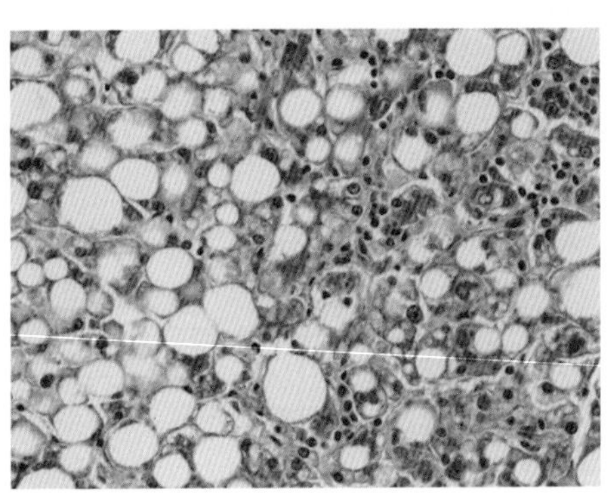

□　① 肥　大
□　② 変　性
□　③ 過形成
□　④ アポトーシス
□　⑤ 壊　死

10–②（脂肪変性）

E　代謝異常

学習の目標

- □ 糖原病
- □ 糖尿病
- □ 粥状硬化症（アテローム硬化症）
- □ 脂肪肝
- □ 痛風
- □ 黄疸
- □ リポフスチン
- □ ヘモジデリン
- □ ヘモジデローシス（血鉄症）
- □ ヘモクロマトーシス（血色症）
- □ Wilson 病

代謝の異常が，機能的ないし形態的な異常を引き起こしているもの．

酵素の遺伝子異常，生活習慣，地域，社会，環境など非遺伝的・後天的要因が原因となる．

※基礎知識は同シリーズ『臨床化学』，疾患については同シリーズ『臨床医学総論／臨床検査医学総論』を参照のこと．

1　糖質代謝異常

1．糖原病

①グリコーゲン代謝経路の先天的酵素の欠損．

②肝，腎，心，骨格筋などに糖原が蓄積（糖代謝の依存の強い臓器，中心的臓器に障害が出やすい）．

③I 型［von Gierke（フォンギールケ）病：glucose-6-phosphatase の欠損］が多い．

2．糖尿病

(1) 病態

・インスリンの欠乏，作用効果の不足に基づく慢性代謝性疾患．

(2) 分類

①一次性糖尿病：1 型（遺伝的素因），2 型（生活習慣が原因）に分類される（**表 1-7**）．

②二次性糖尿病：各種疾患，処置に続発（**表 1-8**）．

表 1-7　一次性糖尿病

	1 型（インスリン依存性糖尿病：IDDM，若年型）	2 型（インスリン非依存性糖尿病：NIDDM，成人型）
原因	遺伝的素因（HLA 型と相関）	肥満，過栄養，家族歴に関係
好発年齢	15 歳以下で発症，重症	40 歳以上で発症，軽症
病態	インスリン欠乏	インスリン分泌不全またはインスリン抵抗性
病変	膵ランゲルハンス島減少，B 細胞の減少	膵ランゲルハンス島，B 細胞の変化は少ない

表 1-8　二次性糖尿病の原因

膵性	膵炎，膵癌，外科的摘出，ヘモクロマトーシス（青銅糖尿病）
内分泌性	膵以外の内分泌疾患（島外性糖尿病）
医原性	副腎皮質ホルモンの連用（ステロイド糖尿病）
肝性	肝炎，肝硬変，脂肪肝

(3) 病変

①膵のランゲルハンス島の減少，変性.

②糖尿病腎症：腎糸球体メサンギウム細胞の結節性硬化［Kimmelstiel–Wilson（キンメルスチール・ウィルソン）病］，腎内動脈のアテローム硬化.

③動脈硬化：動脈粥状硬化症，心筋梗塞.

④糖尿病網膜症：網膜細小血管瘤の破裂，網膜出血，網膜剝離，白内障.

⑤糖尿病神経障害：四肢末端の壊疽.

2 脂質代謝異常

1．脂質異常症

①血中に持続的に脂質（中性脂肪，総コレステロール，リン脂質，遊離脂肪酸）が増加もしくは低下している状態.

②家族性，続発性がある.

③高脂血症の原因：肥満，メタボリック症候群.

④低脂血症の原因：先天性リポ蛋白形成異常，肝障害，栄養不良，消耗性疾患.

⑤中性脂肪高値，LDL–コレステロール高値，HDL–コレステロール

低値は，動脈硬化症を起こすリスク因子.

2．黄色腫症

①コレステロールなどの脂質を蓄積した組織球の集簇．腫瘍ではない.

②眼瞼に好発.

3．粥状硬化症（アテローム硬化症）

①動脈硬化症の一つ.

②動脈の血管内膜にコレステロールを含む脂質が沈着し，粥腫（アテローム）を形成する.

③アテローム潰瘍の形成，血栓形成，石灰化.

④脳血管障害のリスクが高い.

4．脂肪肝

①肝への脂肪沈着（脂肪変性）が高度かつびまん性に起こった場合を脂肪肝とする.

②肝炎→肝硬変→肝癌へと進行することがある.

5．脂肪蓄積症（リピドーシス）

①先天性脂質代謝異常：脂質の分解過程に関与する酵素の欠損.

②主として中枢神経症状，肝脾腫を呈する.

③Gaucher 病，Niemann–Pick 病．→p.8 参照.

3 蛋白質・アミノ酸代謝異常

1．アミロイドーシス

・健常者の体内には存在しない異常な線維性糖蛋白の一種であるアミロイドが沈着する → アミロイド変性（→p.14 参照）.

2．アミノ酸代謝障害

①アミノ酸代謝に関する先天性の酵素欠損.

②髄鞘形成障害を示すフェニルケトン尿症，メラニン形成が障害される白皮症（白子症，アルビノ：albinism），チロシン症，アルカプトン尿症，ホモシスチン尿症，シュウ酸症など，約 40 種類が知られている.

3．高アンモニア血症

①肝臓におけるアンモニア処理能力低下により，アンモニアが血中に増加.

②原因：肝疾患，肝不全，便秘（腸内細菌叢の変化）など.

③アンモニアの神経毒性による脳障害.

核酸代謝異常

1．高尿酸血症

核酸に由来するプリン体の代謝異常で，尿酸の血中濃度が 7 mg/dL を超えた状態.

(1) 原因

①プリン体を多く含んだ食物（ウニ，イクラ，タラコなど）の大量摂取.

②悪性腫瘍，溶血性貧血のプリン体供給過剰.

③慢性腎不全，高乳酸血症，1 型糖尿病，妊娠高血圧症による排泄低下.

(2) 合併症

①痛風：尿酸塩の針状結晶が足の親指側の中足指趾関節などに沈着（痛風結節）し，関節炎を起こす．尿酸塩結晶の周囲を異物巨細胞が取り囲む.

②腎障害（痛風腎）：尿酸の尿中排泄が増加し，腎尿細管の集合管とその周囲に尿酸結晶が沈着.

③動脈硬化症，高血圧.

生体色素代謝異常

1．ポルフィリン代謝異常

ヘム合成過程に異常があると中間産物としてポルフィリンが蓄積し，細胞障害性を示す.

①肝性ポルフィリン症：肝臓での生合成に障害がある場合．内臓や神経障害が強く重篤．急性腹部痛，神経精神症状，メラニン増加など.

②赤芽球産生性ポルフィリン症：骨髄，赤血球，歯にウロポルフィリンが蓄積.

③皮膚型ポルフィリン症：日光過敏症など．軽症.

2．ヘモグロビン代謝異常

①ポルフィリン代謝異常によるヘム合成異常.

②一酸化炭素や亜硝酸塩などの中毒で，ヘモグロビンが酸素以外と

結合する異常.

③遺伝的異常：鎌形赤血球性貧血，サラセミアなどがみられる.

④ビリルビン代謝異常から高ビリルビン血症を起こす場合.

⑤鉄分の異常沈着.

3．ビリルビン代謝異常

古くなった赤血球のヘモグロビンがヘムとグロビンに分解される経路のどこかが破綻した状態.

(1) 高ビリルビン血症

血中のビリルビンが増加した状態.

(2) 黄疸

組織にビリルビンの沈着が起こり，黄色になった状態.

a）肝前性黄疸（溶血性黄疸）

①溶血亢進によるビリルビンの過剰産生.

②溶血性貧血，新生児黄疸，胎児赤芽球症.

b）肝性黄疸［肝細胞性（肝障害性）黄疸］

①肝細胞障害による肝細胞のビリルビンの摂取，抱合，排出の障害.

②ウイルス性肝炎，中毒性肝炎など.

c）肝後性黄疸（閉塞性黄疸）

①胆道の通過障害による血中への直接ビリルビン逆流.

②胆道系の腫瘍，炎症，胆石，膵頭部の癌.

d）体質性黄疸

①先天性非溶血性黄疸で，多くは家族性に発症.

②Dubin-Johnson（デュビン・ジョンソン）症候群，Gilbert（ギルバート）病，Crigler-Najjar（クリグラー・ナジャール）症候群.

4．メラニン代謝異常

①メラニンの増加や生合成が強く活性化する.

②Addison（アジソン）病の皮膚，色素性母斑，悪性黒色腫で増加.

5．リポフスチン（消耗性色素，加齢性色素）

①リソゾームによって自己消化を受けた細胞の残余物質.

②脂質と蛋白質の結合体で，多糖類も含む細胞質内にみられる黄褐色・顆粒状色素.

③ヘモジデリンと異なり，鉄を含まない.

④リポフスチンの証明→p.241 参照.

⑤消耗性疾患，加齢，萎縮により増加.

⑥褐色萎縮：心筋，肝細胞，尿細管上皮，神経細胞に高度のリポフ

スチン沈着，臓器の変性萎縮を伴う．割面は褐色調．

6．セロイド

①リポフスチンに性状が類似．黄褐色色素．

②蛍光を有し，Ziehl-Neelsen（チール・ネルゼン）の石炭酸フクシンで赤色に染まる．

③組織崩壊がみられる場所の食細胞に沈着：肝細胞障害時のマクロファージやクッパー細胞．

6 無機物代謝異常

1．鉄代謝異常

(1) 鉄欠乏性貧血

①原因：食物摂取不足，鉄吸収障害，鉄需要増加，出血など．

②Gamna-Gandy（ガムナ・ガンディ）結節：慢性うっ血脾による鉄の高度な沈着．

(2) ヘモジデローシス（血鉄症）

①全身性ヘモジデローシス：溶血性貧血，輸血などにより全身の網内系，脾臓，骨髄，肝臓，膵臓にヘモジデリン沈着．

②局所性ヘモジデローシス：組織内出血，うっ血など局所に沈着．

③心臓病細胞（心不全細胞）：左心不全による肺うっ血で，ヘモジデリン（血鉄素）を貪食した組織球が肺胞内に出現する．→p.41～42 参照

(3) ヘモクロマトーシス（血色素症）

①鉄の沈着がマクロファージの取り込み容量を超えて，実質細胞に直接障害を与える状態．

②全身組織のヘモジデリン沈着と同時に，鉄を含まないヘモフスチンやリポフスチン様色素の沈着を伴う．

③組織障害が強く，肝硬変，膵線維症，糖尿病などを発症．

④原発性のものは家族性，遺伝性に発症する．肝硬変，糖尿病，青銅色皮膚色素沈着を主徴候とし，青銅糖尿病ともいう．

2．カルシウム代謝異常

(1) 低カルシウム血症

①原因：副甲状腺機能低下症，ビタミンD欠乏症，慢性腎不全．

②症状：テタニー（強直性筋痙攣）．

(2) 高カルシウム血症

①原因：副甲状腺機能亢進症，原発性・転移性骨腫瘍，ビタミンD過剰症.

②病変：石灰沈着（病的カルシウム沈着）

ⅰ）上皮小体（副甲状腺）機能亢進，骨腫瘍で血中 Ca 濃度が増加すると，腎，胃，肺，血管などに石灰沈着が起こる.

ⅱ）変性，壊死に陥った組織，細胞に石灰沈着：結核症の乾酪壊死巣，動脈硬化症の血管壁.

(3) 結石

①管腔を有する臓器の内腔に生じる石のような塊.

②場所により，胆石，腎結石，膀胱結石，膵石，唾石（唾液腺），糞石（腸管）などとよばれる.

3．銅代謝異常

(1) Wilson（ウィルソン）病

①銅吸収の増加，常染色体潜性遺伝（劣性遺伝）.

②病変：肝，大脳（肝レンズ核変性）などに銅が沈着．角膜に緑色の銅色素が環状に沈着［Kayser–Fleischer（カイザー・フライシャー）環］.

(2) Menkes（メンケス）病

①銅吸収障害．X 連鎖潜性遺伝（劣性遺伝）.

②銅輸送遺伝子 *ATP7A* の不活性化により，腸管での銅吸収が障害される.

③症状：中枢神経障害など.

セルフ・チェック

A　次の文章で正しいものに○，誤っているものに×をつけよ．

		○	×
1.	糖原病は先天的にグリコーゲン分解酵素が欠損した疾患である．	□	□
2.	糖尿病は病態として高血糖，糖尿，高脂血症，ケトアルカローシスを呈する．	□	□
3.	糖尿病ではランゲルハンス島の硝子変性がみられる．	□	□
4.	糖尿病では肝細胞核のグリコーゲン変性がみられる．	□	□
5.	糖尿病では心臓の結節状硬化が起こる．これをKimmelstiel–Wilson 病という．	□	□
6.	粥状硬化症では，血管壁の内膜にコレステロールを含む脂質が沈着し，粥腫が形成される．	□	□
7.	高尿酸血症は，核酸に由来するプリン体の代謝異常症である．	□	□
8.	高尿酸血症は，尿酸の血中濃度が 0.7 mg/dL 以上になる．	□	□
9.	痛風結節は尿酸塩結晶を中心として，その周囲を異物巨細胞が取り囲んでいる．	□	□
10.	溶血による黄疸を肝前性黄疸という．	□	□
11.	肝細胞障害による黄疸を肝性黄疸という．	□	□
12.	胆道通過障害による黄疸を肝後性黄疸という．	□	□
13.	Addison 病では皮膚にメラニンの異常沈着をみる．	□	□

A　1–○（肝，腎，心などにグリコーゲンが蓄積する），2–×（ケトアシドーシス），3–○，4–○，5–×（腎糸球体メサンギウム細胞の結節状硬化），6–○，7–○，8–×（7 mg/dL 以上），9–○，10–○（溶血性黄疸），11–○（肝細胞性黄疸，肝障害性黄疸），12–○（閉塞性黄疸），13–○

14. Wilson 病は，肝臓，大脳レンズ核，角膜に鉄の沈着をみる. □ □
15. 糖原病は現在 8 病型が知られている. □ □
16. 糖原病で最も多い I 型(von Gierke 病)は，glucose oxidase が欠損している. □ □
17. 1 型糖尿病はインスリン依存型で遺伝的素因によることが多い. □ □
18. 2 型糖尿病ではランゲルハンス島や B 細胞の変化が大きい. □ □
19. 糖尿病は糖質の代謝異常症であり，脂質や蛋白質は正常に代謝できる. □ □
20. 糖尿病が長く続くと網膜の小血管に微小動脈瘤が形成される. □ □
21. 脂質異常症は血中 Cho，LDL-C，HDL-C，TG の異常高値を診断基準とする. □ □
22. 粥状硬化症は動脈硬化症の一型である. □ □
23. アルビノはアミノ酸の代謝異常により起こる. □ □
24. フェニルケトン尿症では髄鞘の形成障害がみられる. □ □
25. 新生児黄疸は肝性黄疸である. □ □
26. 低カルシウム血症でテタニーが起こる. □ □
27. 銅は小腸で吸収され，フェリチンと結合して組織へ運ばれる. □ □

14-×（Wilson 病は銅が組織に蓄積する代謝異常），15-○，16-×（glucose-6-phosphatase の欠損），17-○，18-×（変化は小さい），19-×（脂質，蛋白質の代謝異常もきたす），20-○，21-×（HDL-C は低値），22-○，23-○，24-○，25-×（肝前性），26-○，27-×（セルロプラスミンと結合）

B

1．糖尿病で**みられない**のはどれか．
- □ ① ランゲルハンス島の線維化
- □ ② Kimmelstiel-Wilson 病
- □ ③ 静脈の硝子様硬化
- □ ④ 腎盂腎炎
- □ ⑤ 白内障

2．生体内色素で**ない**のはどれか．
- □ ① ヘモジデリン
- □ ② ビリルビン
- □ ③ ニッスル顆粒
- □ ④ リポフスチン
- □ ⑤ メラニン

3．疾患・病態と沈着物質の組合せで**誤っている**のはどれか．
- □ ① Wilson 病――銅
- □ ② ヘモクロマトーシス（血色素症）――ヘモジデリン
- □ ③ 褐色萎縮――リポフスチン
- □ ④ Gaucher 病――ポルフィリン
- □ ⑤ Addison 病――メラニン

4．疾患・病態とその好発部位の組合せで**誤っている**のはどれか．
- □ ① 黄色腫――眼　瞼
- □ ② 痛　風――中足指趾関節
- □ ③ 赤芽球産生性ポルフィリン症――歯
- □ ④ 結　石――胆　道
- □ ⑤ 褐色萎縮――肺

B　1–③，2–③，3–④（④：脂肪蓄積症），4–⑤（⑤：褐色萎縮は心筋などに好発）

5．高カルシウム血症の原因となりうる疾患はどれか．**2つ選べ．**

- □ ① ビタミンD過剰症
- □ ② ビタミンD欠乏症
- □ ③ 慢性腎不全
- □ ④ 副甲状腺機能亢進症
- □ ⑤ 脳腫瘍

6．心臓病細胞について正しいのはどれか．**2つ選べ．**

- □ ① 心不全に関連して出現する．
- □ ② ヘモジデローシスにおいて観察される細胞である．
- □ ③ ヘモジデリンを貪食した好中球である．
- □ ④ 心筋に出現する．
- □ ⑤ 肺の虚血時にみられる．

7．銅について**誤っている**のはどれか．

- □ ① 小腸から吸収される．
- □ ② 血中ではセルロプラスミンとして存在する．
- □ ③ 血中濃度は100 μg/mL程度である．
- □ ④ 赤血球の形成に利用される．
- □ ⑤ 銅代謝異常症にMenkes病がある．

5-①と④，6-①と②（肺うっ血時に肺で観察される組織球である），7-②（②：セルロプラスム．セルロプラスミンは銅輸送蛋白である）

F　循環障害

学習の目標

- □ 虚血
- □ 充血
- □ うっ血
- □ 出血
- □ 血栓
- □ 梗塞
- □ 貧血性梗塞（白色梗塞）
- □ 出血性梗塞（赤色梗塞）
- □ 浮腫
- □ 傍側循環
- □ ショック

1 局所の循環障害（図 1–5）

① 虚血（ischemia）

1．病態

①局所の血液量が低下した状態で，動脈血の減少による酸素欠乏.

②虚血部分の蒼白化，温度低下，実質臓器の細胞変性，壊死をきたす.

2．原因

・動脈の閉塞・狭窄，血管痙攣，腫瘍の動脈圧迫など.

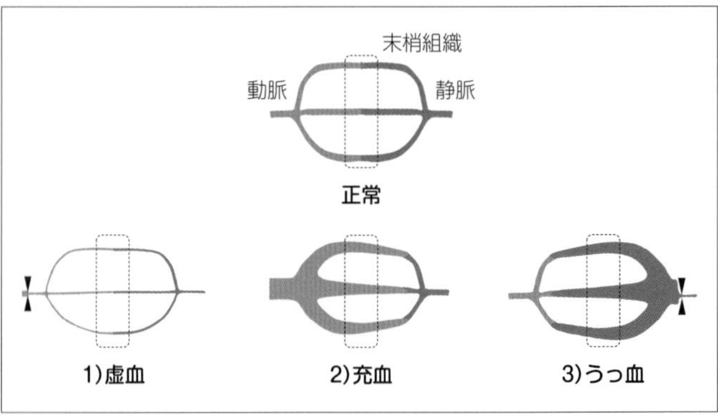

図 1–5　局所の循環障害

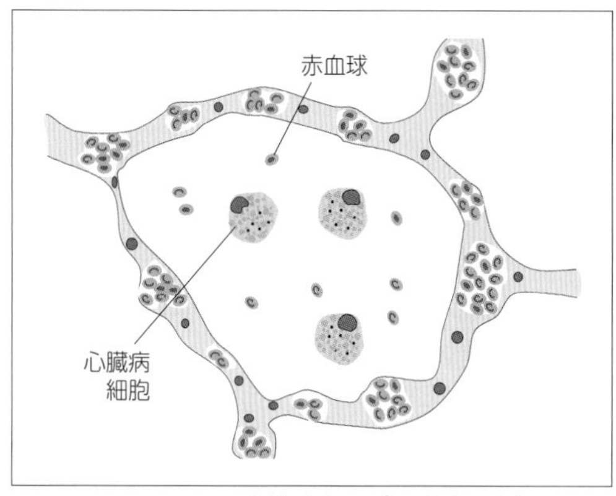

図 1-6　うっ血性肺水腫（心臓病細胞）

② 充血（hyperemia）

1．病態

①局所の動脈血液量の増加．

②充血部分は鮮紅色（発赤），やや腫脹，温度上昇（熱感）．

2．原因

・炎症，動脈拡張，臓器機能亢進など．

③ うっ血（congestion）

1．病態

①局所の静脈血液量の増加．

②静脈血のため青藍色（還元ヘモグロビンの色）．

2．原因

・静脈の狭窄・閉塞，腫瘍の静脈圧迫，心不全，呼吸不全など．

3．うっ血の種類

(1) チアノーゼ（cyanosis）

①うっ血により皮膚，口唇，爪などが暗紫色になった状態．

②うっ血が全身にみられる場合．

(2) うっ血性肺水腫（図 1-6）

①左心不全に多い（→ p.93 参照）．

②肺胞内の水腫，出血．肺胞にはリンパ管が存在しないため浮腫になりやすい．

③血管壁（肺胞壁）が線維化し，肺の褐色硬化が起こる．

④心臓病細胞（心不全細胞）の出現：肺胞内に赤血球が濾出，ヘモジデリンを食した組織球．

(3) 心臓性（うっ血性）肝硬変（cardiac cirrhosis）

①全身に著明な浮腫をきたした状態．

②類洞拡張，肝細胞変性・壊死．

③にくずく肝：肝臓のうっ血による中心帯は辺縁帯に比べ血液量が多いため赤みが強い．

④脾臓の慢性うっ血，食道・胃噴門部静脈瘤，腹壁静脈側副血行路の形成(メズサの頭 → p.47 参照)，吐血による出血死に進展する．

4 血行静止

1．病態

①小血管・毛細血管内で，赤血球が膠着し血流が停止すること．

②血栓形成の条件の一つ．

2．原因

・高度のうっ血，乾燥，高温，低温．

5 出血（hemorrhage）（図 1-7）

1．病態

・血液の全成分が血管外に出ること．

2．出血の種類

(1) 漏出性出血

①血管壁に破れがない出血．

②毛細血管の小孔の強い拡大（毛細血管壁の透過性亢進），うっ血肺，出血性素因による．

(2) 破綻性出血

①血管壁に破れがある出血．

②外傷，潰瘍形成，動脈瘤の破綻，脳出血でみられる．

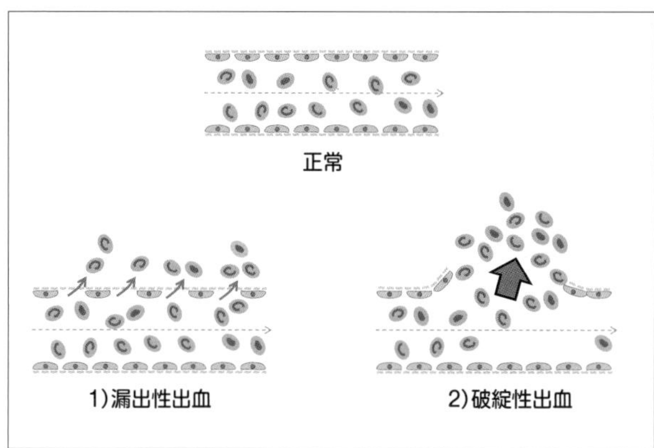

図 1-7 出血

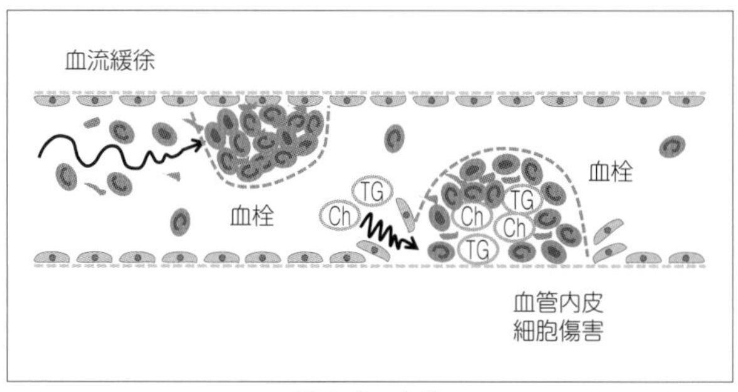

図 1-8 血栓
TG：トリグリセライド，Ch：コレステロール

⑥ 血栓症（thrombosis）（図 1-8）

1．病態

・血管内で血液凝固塊がつくられた状態.

2．病的血栓形成の 3 大要因

①血管内皮の障害：動脈硬化，局所の炎症，腫瘍.

②血流異常：うっ血による血行の停止.

③血液性状の異常：抗凝固能の低下，凝固性の亢進，血小板膠着性の増加.

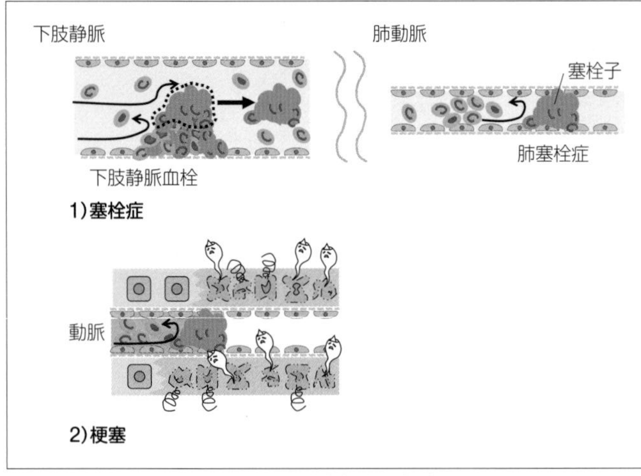

図 1-9　肺塞栓症と梗塞

⑦ 塞栓症（embolism）（図 1-9）

1．病態

①血管外から入り込んだ遊離物や，血栓の器質化の不完全により軟化して遊離した血栓が血流に運ばれ，より末梢で血管を閉塞した病態．

②この閉塞物を塞栓子という．

2．原因

①遊離した血栓の断片．

②血管内に発生した気泡：潜函病．

③血管外から入り込んだ脂肪組織や空気：外傷．

④血管を侵した悪性腫瘍組織や細菌塊．

3．塞栓症の種類

①動脈性塞栓症：脳，心，腎，脾，四肢の血管を閉塞．

②静脈性塞栓症：肺（肺動脈）を閉塞．

③奇異な塞栓症：静脈系塞栓が心奇形（心室中隔欠損）により動脈系に塞栓症を起こす．

8 梗塞（infarction）（図 1-9）

1．病態

・局所の血流障害で起こる組織の壊死のこと．

2．原因

・動脈硬化，塞栓，血栓

3．梗塞の種類

①貧血性梗塞（白色梗塞）：脳，心，腎，脾など充実性臓器にみられる動脈の閉塞．終動脈の閉塞では，閉塞部を頂点とした三角形の壊死を呈する（支配下領域の壊死）．

②出血性梗塞（赤色梗塞）：動脈血流が保たれた状態で静脈血の停滞による梗塞を起こしたもの．肺，肝，腸，精巣や卵巣の捻転．

4．転帰

①肉芽組織により器質化：瘢痕化．

②脳の壊死巣が軟化・融解：脳軟化症．

2 全身の循環障害

全身の循環器系を図 1-10 に示す．

1 浮腫（edema）

1．病態

①水分（組織液やリンパ液）が過剰に組織内や体腔内に貯留した状態．

②局所性と全身性がある．

2．原因

①毛細血管圧の上昇：全身性，局所性のうっ血，門脈圧亢進．

②血漿膠質浸透圧の低下（アルブミン減少）：慢性栄養不足（飢餓），蛋白排泄亢進（腎疾患），蛋白合成不全（肝疾患）．

③血管壁の透過性亢進：炎症，うっ血．

④リンパ管の閉塞・狭窄：手術，寄生虫（フィラリア症など）．

⑤静脈圧亢進

⑥ナトリウム蓄積

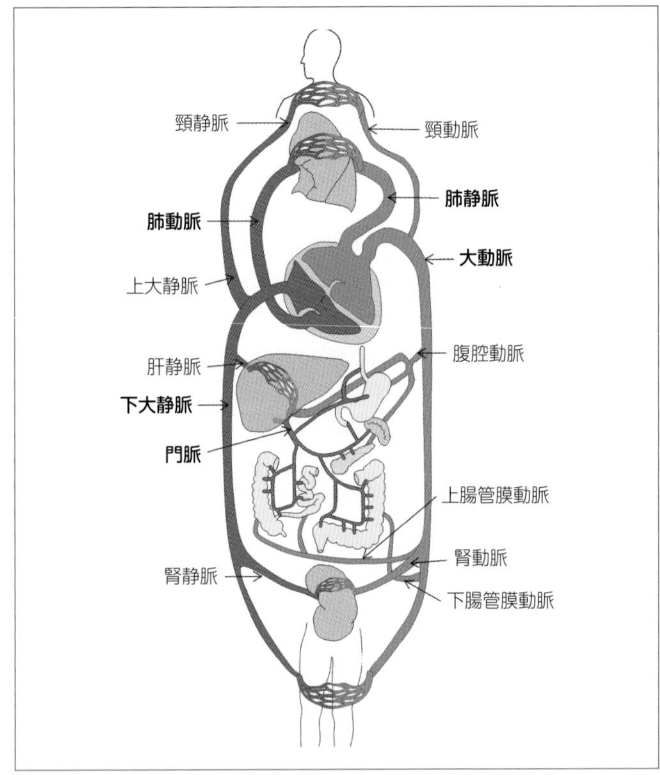

図 1-10　全身の循環器系の模式図

② 傍側循環（側副循環，短絡路）

1．定義

①吻合血管による血液の迂回路.

②血管の閉塞，狭窄により血流が途絶，通過障害を示した場合，血液は迂回路（吻合枝）を通って循環する.

2．肝硬変による門脈血の傍側循環（図 1-11）

肝硬変により肝内の血流が障害されるため，門脈圧が亢進し，以下の変化が起こる.

①食道静脈から奇静脈を経て上大静脈へ：食道静脈瘤.

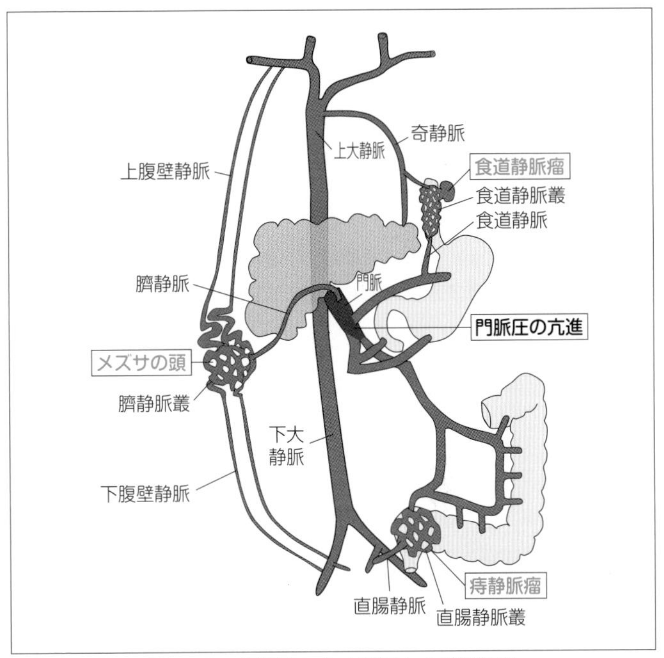

図 1-11　肝硬変による門脈血の傍側循環

②臍静脈から腹壁静脈へ：メズサの頭.

③痔静脈から下大静脈へ：痔静脈瘤.

3 ショック

1．病態

①全身で起こる循環血流量の低下のため，酸素需要がまかなえず臓器・組織の機能が障害される状態.

②症状：高度の血圧低下，冷汗，皮膚（顔面）蒼白，頻脈，無尿. 重症化すると意識障害，昏睡，死.

③短時間でショックに陥る一次性ショック，ある時間を経てから起こる二次性ショックがある.

2．原因による分類

①心原性ショック：心筋梗塞，心タンポナーデ.

②失血性ショック（低血液量性ショック）：大量の出血，嘔吐，重症熱傷など．
③敗血症性ショック（感染性ショック）：重篤な感染症．
④神経性ショック：脊髄損傷．
⑤アナフィラキシーショック：Ⅰ型アレルギー（薬剤，食物，虫刺症）．

3．形態学的変化

・心の壊死，ショック肺，肝細胞の脂肪変性，肝細胞壊死，ショック腎，大脳皮質の神経細胞の変性，播種性血管内凝固（DIC）などがある．

セルフ・チェック

A 次の文章で正しいものに○，誤っているものに×をつけよ．

	○	×
1. 局所の動脈血減少による酸素欠乏を虚血という．	□	□
2. 充血は局所の静脈血流量増加をいう．	□	□
3. 動脈血流量増加をうっ血という．	□	□
4. うっ血は酸化ヘモグロビンの色である青藍色〜青紫色を呈する．	□	□
5. うっ血では，皮膚や口唇などにチアノーゼを起こす．	□	□

A 1–○，2–×（充血は動脈血流量増加による），3–×（うっ血は静脈血流量増加による），4–×（還元ヘモグロビン），5–○

6. 心臓病細胞は虚血性肺水腫のときに出現する，ヘモジデリンを貪食した組織球である. □ □
7. 病的血栓形成の3大要因は，血管内皮の障害，血流異常，血液性状の異常である. □ □
8. 赤色血栓は線維素，白血球，血小板が主成分である. □ □
9. 白色血栓は線維素，赤血球が主成分である. □ □
10. 塞栓症で血管を塞栓する物質を塞栓子という. □ □
11. 潜函病では空気が塞栓子となる. □ □
12. 貧血性梗塞は脳，心，腎などに起こりやすい. □ □
13. 出血性梗塞は肺，肝，腸などで起こりやすい. □ □
14. 肝硬変では，食道静脈，臍静脈，痔静脈が門脈血の傍側血行路となる. □ □
15. チアノーゼは全身に虚血が起こった時にみられる所見である. □ □
16. 心臓病細胞は肺胞内に出現する. □ □
17. 充血により赤みが増した状態の肝臓を，にくずく肝という. □ □
18. 右心不全のとき，うっ血性肺水腫になりやすい. □ □
19. うっ血肺では漏出性出血をみる. □ □
20. 凝血とは死後に起こる血液凝固で，暗赤色の光沢をもつ. □ □
21. 肺で起こる梗塞は動脈性塞栓症である. □ □
22. 赤色梗塞は充実性臓器にみられる動脈の閉塞である. □ □

6–×（うっ血肺水腫のときにみられる），7–○，8–×（白色血栓），9–×（赤色血栓），10–○，11–○，12–○，13–○，14–○，15–×（チアノーゼはうっ血による），16–○，17–×（にくずく肝は肝のうっ血による），18–×（左心不全），19–○，20–○，21–×（静脈性塞栓症），22–×（白色梗塞）

23. 終動脈の貧血性梗塞では，閉塞部を頂点とする三角形の壊死巣が特徴的である．　□　□

24. 高アルブミン血症で全身性の浮腫が起こる．　□　□

25. 心性浮腫は右心不全によって引き起こされる全身性の浮腫である．　□　□

26. 痔静脈から腹壁静脈へ流れる傍側循環はメズサの頭として観察される．　□　□

27. ショックにより肺胞壁の血管内皮細胞が障害され，肺水腫や無気肺となったものをショック肺という．　□　□

B

1．虚血の原因と**ならない**のはどれか．

- □　① 血液粘度の増加
- □　② 神経性の血管痙攣
- □　③ 腫瘍による動脈圧迫
- □　④ 臓器の機能亢進
- □　⑤ 血栓による動脈狭窄

2．**誤っている**のはどれか．

- □　① 虚血とは局所の静脈血流量が増加した状態である．
- □　② 梗塞とは局所の血流障害により生じる壊死のことである．
- □　③ 浮腫とは水分が過剰に組織内に貯留した状態である．
- □　④ 出血とは血液の全成分が血管外に出ることである．
- □　⑤ 塞栓症とは血管内でつくられた血液凝固塊が末梢で血管を塞栓することである．

23-○，24-×（低アルブミン血症），25-○，26-×（臍静脈から腹壁静脈へ流れる），27-○

B　1-④（④：充血の原因），2-①（①：動脈血流量の減少）

3. 奇異な塞栓症と関係のある病態はどれか.

- □ ① 馬蹄腎
- □ ② 心室中隔欠損
- □ ③ 骨　折
- □ ④ 肺　癌
- □ ⑤ 肝硬変

4. 肝硬変における傍側循環路について経路の組合せが正しいのはどれか. **2つ選べ.**

- □ ① 食道静脈→上大静脈
- □ ② 食道静脈→下大静脈
- □ ③ 臍静脈→腹壁静脈
- □ ④ 臍静脈→門脈
- □ ⑤ 痔静脈→奇静脈

5. ショックの分類とその原因の組合せで**誤っている**のはどれか.

- □ ① 心原性ショック――――――心筋梗塞
- □ ② 神経性ショック――――――嘔　吐
- □ ③ 敗血症性ショック――――重症感染症
- □ ④ 失血性ショック――――――重症熱傷
- □ ⑤ アナフィラキシーショック――Ⅰ型アレルギー

6. ショックによる各臓器の形態学的変化で**誤っている**組合せはどれか.

- □ ① 心――――心内膜出血
- □ ② 肺――――無気肺
- □ ③ 肝――――硝子変性
- □ ④ 腎――――急性腎不全
- □ ⑤ 毛細血管――播種性血管内凝固（DIC）

3–②，4–①と③，5–②（②：失血性），6–③（③：脂肪変性）

G　炎症

学習の目標

- □ 炎症の定義
- □ 炎症メディエーター
- □ 炎症の分類
- □ 漿液性炎
- □ カタル性炎
- □ 線維素性炎
- □ 偽膜性炎
- □ 化膿性炎
- □ 出血性炎
- □ 増殖性炎
- □ 特異性炎
- □ 結核症
- □ 梅毒
- □ サルコイドーシス

1 定義

①細胞，組織，臓器になんらかの器質的変化をもたらす侵襲に対する生体の総合防御反応.

②生体侵襲，微生物侵入に対する最初の防衛反応.

③四主徴：発赤，発熱，腫脹，疼痛. これに機能障害を加えると五徴候となる.

2 原因

①生物学的病因：ウイルス，細菌などの病原微生物.

②物理的病因：機械的刺激，熱，放射線など.

③化学的病因：薬品，昆虫の毒など.

3 形態的変化と経過

1．第 1 段階

①細胞・組織が障害され，変性・壊死が起こる.

②微生物などの刺激による血漿由来因子の活性化と，肥満細胞やマクロファージ系細胞が産生する炎症メディエーターにより開始.

2．第 2 段階

①毛細血管の拡張による血流増加（炎症性充血）.

②細静脈領域に血流のうっ滞（うっ血，血行静止）.
③微小血管の透過性亢進（炎症性浮腫）により白血球が遊走.
④白血球が新たに炎症メディエーターを産生，炎症反応の増幅．その後，白血球は微生物などを貪食・排除する.

3．最終段階

①微生物などの原因が減少すると，炎症は終息へ向かう.
②白血球の消失.
③傷害された組織は肉芽組織を形成し修復される.

4 炎症反応に関与する細胞

1．血管内皮細胞

・炎症細胞と血管内皮細胞の接着は炎症反応の開始と持続に不可欠である.

2．炎症巣へ遊走する炎症細胞

①好中球：急性炎症の主役.
②好酸球：特定の炎症で出現．Ⅰ型アレルギーなどに関与.
③好塩基球：活性アミン類（ヒスタミンなど）の放出.
④リンパ球と形質細胞：免疫担当細胞.

3．組織中の炎症細胞

①組織球（マクロファージ）：細菌，異物，壊死細胞・組織の貪食.
②肥満細胞（マスト細胞）：ヒスタミン，セロトニン分泌.

5 転帰

さまざまな転帰をとる.
①壊死物質などがすべて吸収されて元通りに治癒する.
②吸収過程が不完全で線維性瘢痕となる.
③膿瘍を形成，蓄膿となる.
④炎症が局所にとどまらず周辺へ波及．脂肪織炎，蜂窩織炎，リンパ管炎，敗血症，膿血症になる.
⑤慢性炎症，寛解と再燃を繰り返す.
⑥生命維持に重要な臓器・組織の障害や全身への波及による個体の死.

 炎症メディエーター（ケミカルメディエーター）

炎症反応のカスケードを形成する物質で，血漿由来炎症メディエーターと細胞由来炎症メディエーターがある.

1．血漿由来炎症メディエーター

①キニン系（ブラジキニン，カリジン，キニン）
②補体系

2．細胞由来炎症メディエーター

①ヒスタミン，セロトニン
②アラキドン酸代謝産物
③血小板活性化因子
④一酸化窒素
⑤サイトカイン

 炎症の分類

① 急性炎症（acute inflammation）

1．急性炎症とは

①組織損傷に対する最初の生体の急速な反応.
②血管反応（障害部位への血漿成分の滲出），好中球浸潤を特徴とする.

2．急性炎症の種類

(1) 漿液性炎

①血清に近い液体成分の滲出が主体.
②アレルギー性鼻炎，漿液性硬膜炎・腹膜炎・心囊炎.
③皮膚や粘膜に限局性に貯留（水疱）：単純ヘルペス，帯状疱疹，やけど.

(2) 線維素性炎

①フィブリノゲン（線維素）を含む血漿に近い液体成分の滲出.
②絨毛心：フィブリンが高度に絨毛状に析出した心外膜炎.
③大葉性肺炎：肺胞腔内にフィブリンが大量に析出. 肺は肝臓様の外観を呈する.
④線維素性胸膜炎：漿膜面に多数の絨毛が生えたようになる.
⑤偽膜性炎：ジフテリアの気管粘膜，赤痢の大腸粘膜では線維素と

壊死組織から苔状の偽膜をつくる.

(3) 化膿性炎

①多量の好中球浸潤をきたす急性炎症極期の炎症.

②ブドウ球菌やレンサ球菌などの細菌感染.

③好中球浸潤，組織融解の程度により以下のように分けられる.

i) 膿性カタル：粘膜に限局した好中球浸潤を呈する化膿性炎. 蓄膿症.

ii) 蜂窩織炎：びまん性に拡大する好中球浸潤. 皮膚蜂窩織炎，虫垂炎.

iii) 膿瘍：組織が融解し，膿が限局して蓄積している状態. 後に瘻孔，器質化，瘢痕化を呈す.

(4) 出血性炎

①血管壁が傷害され，滲出液に多量の赤血球が含まれる炎症.

②インフルエンザ肺炎，ペスト菌，炭疽菌.

(5) 壊死性炎・壊疽性炎

①血管壁が傷害され，腐敗菌の感染による組織壊死の顕著な炎症.

②劇症肝炎，虫垂炎，扁桃炎，肺壊疽.

2 慢性炎症（chronic inflammation）

1．慢性炎症とは

①炎症の原因を完全に取り除けない場合や，障害が持続あるいは繰り返される場合に起こる.

②急性炎症より進展する場合もあるが，多くの場合，急性炎症の初期像を欠き，発症時から慢性炎症の特徴を示す.

③マクロファージ，Tリンパ球，形質細胞が重要な役割を果たす.

2．慢性炎症の種類

(1) 増殖性炎

①線維芽細胞の増殖，膠原線維の増生を特徴とする慢性炎症.

②肝硬変，肺線維症など.

③実質細胞の増殖を主体とする炎症を繁殖性炎，線維の増殖を主体とする炎症を増殖性炎と区別することもある.

④慢性非特異性炎症（広義の肉芽腫性炎）：マクロファージ，リンパ球，形質細胞を主体とする炎症細胞浸潤，線維芽細胞と新生血管の増殖からなる.

(2) 特異性炎

①組織学的に特徴のある像を呈する肉芽腫が形成される肉芽腫性炎の一つ.

②特徴的な像を呈する肉芽腫から疾患が推定できる.

③結核結節，梅毒のゴム腫，癩結節，サルコイドーシス，深在性真菌症など.

a) 結核症

①結核菌（*Mycobacterium tuberculosis*）の感染によって起こり，結核結節を形成する慢性肉芽腫性炎症.

②結核結節：3 層からなる.

　i ）内層：中心部の乾酪壊死巣.

　ii ）中層：類上皮細胞，ラングハンス巨細胞と細網線維（格子線維）.

　iii ）外層：線維芽細胞，膠原線維により肉芽腫を形成する．周囲をリンパ球が取り巻く.

③初期変化群：初感染巣と所属リンパ節巣の病変を合わせていう.

④初感染：大多数は肺の上葉，中葉の胸膜下肺実質に好発.

⑤粟粒結核症：病巣から血中に結核菌が入り，血行性に各臓器に粟粒大の結核結節を形成.

⑥病巣の転帰.

- 初期変化群の多くは吸収，線維化，石灰化して治癒する.
- 肺の大きな乾酪壊死巣は，白血球により膿性軟化し気管支より排出し空洞となる．乾酪壊死は外観・硬さがチーズに似ている.
- 脊椎の乾酪巣が軟化すると（寒）冷膿瘍をつくり，組織の中を流れ下って腸腰筋部にたまり流注膿瘍を形成.

b) 梅毒

①*Treponema pallidum* によって起こる性感染症.

②第 1 期：病原体侵入後 3 週間の潜伏期を経たもの.

③第 2 期：血行性に病原体が広がる．全身の皮膚の発疹，リンパ節腫脹.

④第 3 期：全身臓器へ波及．肝，肺，睾丸，大動脈にゴム腫を形成．結合組織のびまん性増殖（増殖性間質炎）.

⑤第 4 期：病原体が中枢神経へ波及［進行性麻痺（認知症），脊髄癆］.

⑥特異的病変：第 3 期のゴム腫とびまん性増殖性間質炎.

ⅰ）ゴム腫：ゴム様の弾力をもった肉芽種.
- 中心部の凝固壊死.
- 形質細胞が多く，類上皮細胞，リンパ球が少ない.
- 結合織性被膜が厚い．血管新生が著明.
- 肝，肺，睾丸，大動脈に形成される.

ⅱ）びまん性増殖性間質炎：肝，肺，精巣などの間質の血管周囲にリンパ球と形質細胞浸潤，線維増生 → 実質の破壊と線維化.

c）ハンセン病（癩）

①癩菌（*Mycobacterium leprae*）の感染による.
②癩腫型：癩結節は癩細胞（癩菌を貪食した組織球），形質細胞，リンパ球よりなる肉芽腫.
③類結核型：神経障害.

d）サルコイドーシス

①原因不明の全身の肉芽腫症.
②肺，リンパ節，皮膚，眼，肝に好発.
③乾酪壊死を欠く.
④類上皮細胞性肉芽腫.
⑤ラングハンス型の巨細胞の胞体内に，星芒体（asteroid body）やシャウマン体（Schaumann body）をみることがある.
⑥周囲にリンパ球，結合組織が取り巻く.

e）真菌症（深在性真菌症）

①アレルギー反応と各種真菌を主体とする肉芽腫.
②抗生剤，免疫抑制剤，抗がん剤などによる菌交代現象，細胞性免疫低下により，深在性真菌症がみられる.
③主な真菌症：カンジダ症，アスペルギルス症，放線菌症，クリプトコッカス症，ムコール菌症

f）その他

異物肉芽腫，リウマチ結節，Aschoff（アショッフ）結節（リウマチ熱：A 群溶連菌感染）

セルフ・チェック

A 次の文章で正しいものに○，誤っているものに×をつけよ．

		○	×
1.	炎症の五徴候は発赤，発熱，腫脹，疼痛，機能障害である．	□	□
2.	マクロファージは炎症メディエーターを産生する．	□	□
3.	ゴム腫には形質細胞が多く含まれる．	□	□
4.	結核結節は中心部に乾酪壊死巣，その周囲を類上皮細胞とラングハンス巨細胞が取り囲む．	□	□
5.	病巣から結核菌が入り，リンパ性に各臓器に結節を形成したものを粟粒結核症という．	□	□
6.	脊椎にできた乾酪壊死巣が軟化すると流注膿瘍となり，組織を流れ下って腸腰筋部にたまって冷膿瘍を形成する．	□	□
7.	漿液性炎では血漿に近い成分の滲出液をみる．	□	□
8.	線維素性炎では血清に近い成分の滲出液をみる．	□	□
9.	急性炎症は，血管反応とリンパ球浸潤を特徴とする．	□	□
10.	増殖性炎は，線維芽細胞の増殖と膠原線維の増生を特徴とする慢性炎症である．	□	□
11.	サルコイドーシスは類上皮細胞性肉芽腫を形成し，巨細胞の胞体内に星芒体（アステロイド体）やシャウマン体をみる．	□	□
12.	炎症を起こす原因のうち，昆虫がもつ毒は生物学的病因に分類される．	□	□

A 1-○，2-○，3-○，4-○，5-×（病巣から血中に結核菌が入り，血行性に各臓器に結節を形成する），6-×（脊椎にできた乾酪壊死巣が軟化すると冷膿瘍，組織を流れ下って腸腰筋部に溜まって流注膿瘍を形成する），7-×（漿液性炎では血清に近い成分の滲出液），8-×（線維素性炎では血漿に近い成分の滲出液），9-×（リンパ球浸潤ではなく好中球浸潤），10-○，11-○，12-×（化学的病因）

13. 血管内皮細胞は，炎症細胞と接着することで炎症反応の開始と持続に関与する. □ □
14. 肥満細胞はヒスタミンやセロトニンを産生する. □ □
15. 壊死物質が完全に吸収されることで線維性瘢痕となる. □ □
16. 大葉性肺炎は線維素性炎である. □ □
17. 結核，梅毒，癩，サルコイドーシスは特異性炎である. □ □
18. 初感染の結核は肺の下葉に好発する. □ □
19. 結核結節は 3 層からなる. □ □
20. 進行した梅毒では認知症様の症状が現れる. □ □
21. 癩病は *Mycobacterium avium* の感染による. □ □
22. 癩細胞は大型で泡沫状の組織球で，癩菌の貪食像がみられる. □ □
23. 癩結節は癩細胞，形質細胞，リンパ球よりなる. □ □
24. 深在性真菌症は健康な人にもよくみられる. □ □

B

1．次の炎症メディエーターのうち細胞由来**でない**のはどれか.
- □ ① 一酸化窒素
- □ ② サイトカイン
- □ ③ ヒスタミン
- □ ④ 補　体
- □ ⑤ アラキドン酸代謝産物

2．炎症の第一反応で炎症メディエーター産生に関与する細胞はどれか. **2 つ選べ**.
- □ ① 好中球
- □ ② マクロファージ
- □ ③ リンパ球
- □ ④ 血管内皮細胞
- □ ⑤ マスト細胞

13−○，14−○，15−×（不完全），16−○，17−○，18−×（上葉，中葉），19−○，20−○，21−×（*Mycobacterium leprae*），22−○，23−○，24−×

B 1−④（血漿由来），2−②と⑤（好中球は第二反応で関与）

3．正しい組合せはどれか．**2つ選べ**．

- □ ① 出血性炎———結合組織増生
- □ ② 化膿性炎———形質細胞浸潤
- □ ③ 増殖性炎———好中球浸潤
- □ ④ 線維素性炎——偽膜形成
- □ ⑤ 特異性炎———類上皮細胞出現

4．**誤っている**組合せはどれか．

- □ ① 壊死性炎———劇症肝炎
- □ ② 増殖性炎———急性肝炎
- □ ③ 出血性炎———虫垂炎
- □ ④ 特異性炎———梅　毒
- □ ⑤ 線維素性炎——胸膜炎

5．急性炎症に**含まれない**のはどれか．

- □ ① 化膿性炎
- □ ② 出血性炎
- □ ③ 漿液性炎
- □ ④ 線維素性炎
- □ ⑤ 増殖性炎

6．慢性炎症の組織像でしばしば認められるのはどれか．**2つ選べ**．

- □ ① マスト細胞
- □ ② 好中球
- □ ③ 形質細胞
- □ ④ リンパ球
- □ ⑤ フィブリン

3–④と⑤（①：血管壁の傷害，②：好中球浸潤，③：結合組織増生），4–③（③：化膿性炎，壊死性炎），5–⑤，6–③と④

7．滲出物中に好中球を多量に含んでいるのはどれか．**2つ選べ．**

- □　①　膿　瘍
- □　②　出血性炎
- □　③　線維素性炎
- □　④　化膿性炎
- □　⑤　漿液性炎

8．化膿性炎を引き起こす病原体はどれか．**2つ選べ．**

- □　①　*Bacillus anthracis*
- □　②　*Staphylococcus aureus*
- □　③　*Streptococcus agalactiae*
- □　④　*Treponema pallidum*
- □　⑤　*Mycobacterium leprae*

9．疾患と炎症の分類の組合せで**誤っている**のはどれか．

- □　①　ジフテリア――――――――――偽膜性炎
- □　②　蜂窩織炎―――――――――――化膿性炎
- □　③　劇症肝炎―――――――――――壊死性炎
- □　④　単純ヘルペスウイルス感染症――漿液性炎
- □　⑤　大葉性肺炎――――――――――出血性炎

10．病変と好発部位の組合せで**誤っている**のはどれか．

- □　①　初感染の結核――――――肺の上葉
- □　②　流注膿瘍――――――――腸腰筋部
- □　③　サルコイドーシス――――心　臓
- □　④　びまん性増殖性間質炎――肝　臓
- □　⑤　ゴム腫―――――――――肝　臓

7–①と④，8–②と③，9–⑤（⑤：大葉性肺炎は肺胞内にフィブリンが析出する線維素性炎），10–③（③：サルコイドーシスは肺，リンパ節などに好発）

11. サルコイドーシスでみられる肉芽腫の特徴でないのはどれか.

- □ ① 乾酪壊死巣がみられる.
- □ ② 類上皮性の肉芽腫である.
- □ ③ ラングハンス巨細胞内に星芒体やシャウマン体をみることがある.
- □ ④ 肺やリンパ節に好発する.
- □ ⑤ 周囲をリンパ球や結合組織が取り巻く.

11-①（①：結核症）

H　免疫異常

学習の目標

- □ 自然免疫反応
- □ 獲得免疫反応
- □ 免疫応答に関与する細胞
- □ アレルギー反応
- □ Ⅰ型アレルギー
- □ Ⅱ型アレルギー
- □ Ⅲ型アレルギー
- □ Ⅳ型アレルギー
- □ Ⅴ型アレルギー
- □ 免疫不全
- □ 自己免疫疾患

1 免疫反応の定義

①免疫反応とは，外部より侵入する微生物，同種細胞や体内に生じた不要産物などと特異的に反応して抗体をつくり，これら異物を効果的に排除して，生体の恒常性を維持する現象．

②特定の病原体による感染が起こる前から，身体が備えている抵抗力で非特異的な免疫反応（病原体に対して包括的な応答を行うなど）の自然免疫反応（先天性免疫）と，身体が病原体による最初の感染を受けた後，数日～数週間かけて獲得する獲得免疫反応（後天性免疫）がある．

③免疫応答に関与する細胞：**表 1–9**.

2 アレルギー

① アレルギーとは

免疫機構は，自己と非自己の鑑別認識があるが，ときに過剰防衛的に働き，自己の細胞，組織および臓器を障害することもある．これをアレルギー（allergy）（過敏症）とよぶ．

② アレルギーの分類（表 1–10）

1．Ⅰ型アレルギー（即時型，アナフィラキシー型）

①抗原に暴露後，数分～30 分くらいで発症することが多いので，即

表 1-9 免疫応答に関与する主な細胞

Tリンパ球	ヘルパーT細胞 ($CD4^+$)	B細胞の分化を助ける．細胞傷害性T細胞の発現を助ける．
	細胞傷害性T細胞 ($CD8^+$)	抗原特異的にウイルス感染細胞や癌細胞を直接傷害する．
	調節性T細胞 ($CD4^+$)	ヘルパーT細胞の活性を抑制する．
Bリンパ球		主に液性免疫に関与．形質細胞に分化する．
形質細胞		主に液性免疫に関与．免疫グロブリンを産生する．
ナチュラルキラー（NK）細胞		非特異的に標的細胞を直接傷害する．
マクロファージ		抗原提示細胞．血中では単球，組織中では組織球，免疫学では機能的にマクロファージとよぶ．
樹状細胞		抗原提示細胞
顆粒球		好中球（細菌・真菌感染に関与），好酸球（I型アレルギー，寄生虫感染に関与），好塩基球（炎症性反応に関与）

時型アレルギーともよばれる．

②花粉，ダニ，薬物などのアレルゲンで肥満細胞の表面にあるIgE Fcレセプターが架橋されると，細胞質内顆粒が脱顆粒を起こし，ヒスタミン，ロイコトリエンなどの化学伝達物質が放出される．

③平滑筋収縮，血管透過性亢進，好酸球の遊走などを起こす．

2．II型アレルギー（細胞傷害型）

・細菌や生体内の変性細胞の細胞膜にある抗原に対して，IgG，IgMクラスの抗体が結合し，マクロファージによる貪食，キラーT細胞もしくは補体系の活性化による破壊が起きる．

3．III型アレルギー（免疫複合型，アルサス型）

①IgG，IgMクラスの抗体と抗原が結合した免疫複合体が組織に沈着し，これを好中球や補体系が認識し，組織に傷害を起こす．

②血清病型：分子量の小さい免疫複合体（抗原過剰状態）が全身の毛細血管網（糸球体，皮膚，腸，関節）に沈着し，障害を起こす．

③アルサス反応型：分子量の大きい免疫複合体（抗体過剰状態）の場合，非可溶であるため形成された組織内にとどまり組織障害を起こす．

④急性期には血清中の補体価（C3，C4，CH_{50}）は低値を示す．

4．IV型アレルギー（遅延型，細胞性免疫型）

①反応開始まで24～72時間を要するので，遅延型アレルギーとも

表 1-10　アレルギーの分類

	別名	代表疾患
I型	即時型，アナフィラキシー型	アレルギー性鼻炎，外因性気管支ぜんそく，蕁麻疹，食事アレルギー，アトピー性皮膚炎，アナフィラキシーショック（急激な全身反応で，重篤な症状を伴う）など
II型	細胞傷害型	血液型不適合輸血，後天性溶血性貧血，特発性血小板減少性紫斑病，Goodpasture（グッドパスチャー）症候群，リウマチ性心筋炎，潰瘍性大腸炎など
III型	免疫複合型，アルサス型	血清病型：溶連菌感染後の糸球体腎炎，血清病，全身性エリテマトーデス，関節リウマチ，Schönlein-Henoch（シェーンライン・ヘノッホ）紫斑病など アルサス反応型：農夫症，枯草熱などの過敏性肺炎
IV型	遅延型，細胞性免疫型	ツベルクリン反応，接触性皮膚炎，Sjögren（シェーグレン）症候群，原発性胆汁性胆管炎など
V型	刺激型	抗アセチルコリンレセプター抗体による重症筋無力症，Basedow（バセドウ）病など

よばれる．

②生体の細胞内で増殖する細菌，ウイルス，真菌などを細胞ごと破壊してしまうための細胞性免疫反応．

③T_{DTH} 細胞，T_C 細胞，活性化マクロファージ，NK 細胞，LAK 細胞（lymphokine-activated killer cell）などが反応の主体．

5．V型アレルギー（刺激型）

①II型アレルギーの亜型で細胞破壊の代わりに，細胞を刺激する特異な抗原抗体反応で，自己抗体が関与する．

②I～IV型アレルギーの生体防御反応とは異なり，細胞表面上のホルモンなどのレセプターに抗レセプター抗体が結合することにより引き起こされる．

3 免疫不全

免疫機能の障害や機能不全によって発生する（**表 1-11**）．

①原発性免疫不全症候群：先天的な遺伝子の変異による．

②続発性免疫不全症候群：後天的な原因（ステロイド，免疫抑制剤，抗癌剤などの投与による副作用や，HIV 感染症など）による免疫不全症候群．

表 1–11　免疫不全

原発性免疫不全症候群	T 細胞障害群	DiGeorge 症候群など
	B 細胞障害群	X–連鎖無 γ-グロブリン血症など
	複合型（細胞性免疫と液性免疫が両方とも障害）	重症複合免疫不全症
	補体欠損型	全欠損など
	骨髄系細胞の異常	G-6-PD 欠損症，Chédiak-Higashi 症候群など
続発性免疫不全症候群	γ-グロブリン喪失	タンパク喪失性腸炎，ネフローゼ症候群など
	免疫系機能低下	加齢，栄養障害，ウイルス感染など
	免疫系の抑制	放射線照射，ステロイド，免疫抑制剤，抗癌剤など
	リンパ系組織の悪性腫瘍	Hodgkin リンパ腫，非 Hodgkin リンパ腫，多発性骨髄腫など
	その他	内分泌異常，自己免疫性疾患，後天性免疫不全症候群（AIDS）

4 自己免疫疾患

① 自己免疫疾患とは

①正常な自己の体成分に対する抗体が産生（自己免疫現象）されることによって，惹起された機能的，器質的障害．

②1 種類の細胞や組織のみに障害がみられる組織特異的自己免疫疾患，さまざまな細胞や組織が障害される全身性自己免疫性疾患（膠原病）に大別される．

② 組織特異的自己免疫疾患（表 1–12）

1．自己免疫性溶血性貧血

①赤血球表面の抗原と反応する抗体により溶血を起こす疾患．

②抗赤血球膜抗体．

③脾：腫大，細網内皮系細胞の腫大と赤血球貪食．

④骨髄：増殖性で赤色髄，赤芽球増殖巣．

2．悪性貧血

①ビタミン B_{12}の欠乏による大球性貧血．

②ビタミン B_{12}の吸収を抗内因子抗体，抗壁細胞抗体が阻害．

③慢性萎縮性胃炎．胃底腺の主細胞と壁細胞が消失．

表 1-12　組織特異的自己免疫疾患

自己免疫疾患	自己抗体
自己免疫性溶血性貧血	抗赤血球膜抗体
悪性貧血	抗内因子抗体，抗壁細胞抗体
慢性甲状腺炎（橋本病）	抗サイログロブリン抗体，抗ミクロソーム抗体
Basedow 病	抗 TSH レセプター抗体
重症筋無力症	抗アセチルコリンレセプター抗体
特発性血小板減少性紫斑病	抗血小板抗体（*Helicobacter pylori* との関連）
原発性胆汁性胆管炎	抗ミトコンドリア抗体
自己免疫性肝炎	抗核抗体
Goodpasture 症候群	抗基底膜抗体

3．慢性甲状腺炎（橋本病）

①抗サイログロブリン抗体，抗ミクロソーム抗体.
②甲状腺肥大.
③甲状腺間質にリンパ球浸潤とリンパ濾胞形成.
④甲状腺濾胞上皮の変性と濾胞の破壊.

③ 全身性自己免疫性疾患（膠原病）

1．全身性エリテマトーデス（SLE）

①若い女性に好発.
②発熱，関節痛，皮膚の紅斑，糸球体腎炎，中枢神経症状を起こす.
　レイノー現象（血管の収縮による手指が白く冷たくなる）など.
③抗核抗体（抗 DNA 抗体）.
④微小血管系：壁の膨化，フィブリノイド変性，リンパ球の浸潤.
⑤膜性糸球体腎炎（ループス腎炎）.
⑥皮膚炎（紅斑）.
⑦脾動脈周囲の同心円状線維性肥厚（onion skin 病変）.
⑧疣贅性心内膜炎（リブマン・サックス型）.

2．関節リウマチ

①寛解と再燃を繰り返し，慢性に進行する多発性関節炎.
②リウマトイド因子，抗 CCP 抗体.
③滑膜の肥厚，リンパ球・形質細胞の浸潤，フィブリノイド変性.
④リウマチ結節：中心にフィブリノイド，これを囲み類上皮細胞が放射状に配列，さらに周囲にリンパ球や線維細胞の増生.

⑤関節以外の間葉系組織（心，血管，皮膚，筋，リンパ組織，肺，虹彩）にも系統的に病変が生ずる．

3．全身性硬化症（強皮症）

①末梢血管障害と皮下，粘膜下の結合組織の線維化を特徴とする．

②抗核抗体，抗トポイソメラーゼⅠ抗体（抗 Scl–70 抗体），抗セントロメア抗体．

4．Sjögren（シェーグレン）症候群

①涙腺および唾液腺の慢性炎症によるドライアイ，ドライマウスを生じる．

②抗核抗体，抗 SS–A 抗体，抗 SS–B 抗体，リウマトイド因子など．

5．多発性筋炎，皮膚筋炎

①四肢近位筋，頸部筋に起こる筋炎で，左右対称性に筋力が低下していく．

②1/3 に悪性腫瘍（胃癌，子宮癌など）を合併する．

③抗 Jo–1 抗体．

6．血管炎症症候群

①血管壁の炎症を主病変とする．

②大血管：高安動脈炎，中血管：結節性多発動脈炎，小血管：多発血管炎性肉芽腫症など．

③抗好中球細胞質抗体（ANCA）陽性：多発血管炎性肉芽腫症（Wegener 肉芽腫症）（→p.98 参照）など．

A　次の文章で正しいものに○，誤っているものに×をつけよ．

		○	×
1.	1 次免疫応答は 2 次免疫応答よりも早く働く．	□	□
2.	キラー T 細胞は CD4$^+$T 細胞の大部分を占める．	□	□
3.	アレルギー性鼻炎は I 型アレルギー反応による．	□	□
4.	血清病，糸球体腎炎は II 型アレルギー反応による．	□	□
5.	血液型不適合輸血は III 型アレルギー反応による．	□	□
6.	ツベルクリン反応や接触性皮膚炎は IV 型アレルギーによる．	□	□
7.	全身性エリテマトーデスでは脾静脈にタマネギ様病変（onion skin 病変）をみる．	□	□
8.	橋本病では甲状腺が萎縮する．	□	□
9.	AIDS では CD8$^+$T 細胞の減少が起こる．	□	□
10.	結節性多発性動脈炎は膠原病の一種である．	□	□

A　1−×（2 次免疫応答の方が早い），2−×（CD8$^+$T 細胞），3−○，4−×（III 型），5−×（II 型），6−○，7−○，8−×（肥大），9−×（CD4$^+$T 細胞），10−○

B

1. 後天性免疫不全症候群（AIDS）に**関係がない**のはどれか．
   - □ ① HIV（human immunodeficiency virus）
   - □ ② 日和見感染
   - □ ③ B 細胞の傷害
   - □ ④ カポジ肉腫
   - □ ⑤ ニューモシスチス肺炎
2. III型アレルギーが関連している疾患はどれか．
   - □ ① 全身性エリテマトーデス
   - □ ② 自己免疫性溶血性貧血
   - □ ③ 移植片対宿主病（GVHD）
   - □ ④ アレルギー性鼻炎
   - □ ⑤ 気管支喘息
3. 膠原病**でない**のはどれか．
   - □ ① 多発性筋炎
   - □ ② 全身性エリテマトーデス
   - □ ③ 後天性免疫不全症候群（AIDS）
   - □ ④ 全身性進行性皮膚硬化症
   - □ ⑤ 関節リウマチ
4. アレルギー反応で**関連のない**組合せはどれか．
   - □ ① I 型アレルギー――気管支喘息
   - □ ② II 型アレルギー――特発性血小板減少性紫斑病
   - □ ③ III 型アレルギー――溶連菌感染後の糸球体腎炎
   - □ ④ IV 型アレルギー――血清病
   - □ ⑤ V 型アレルギー――Basedow 病

B 1-③（③：$CD4^+T$ 細胞の傷害），2-①（②③：II 型，④⑤：I 型），3-③（③：HIV 感染による），4-④（④：血清病は III 型）

I 腫瘍

学習の目標

- □ 定義
- □ 形態
- □ 組織構造
- □ 上皮性腫瘍と非上皮性腫瘍
- □ 異型性
- □ 転移
- □ 良性と悪性
- □ 良性上皮性腫瘍
- □ 良性非上皮性腫瘍
- □ 悪性上皮性腫瘍（癌腫）
- □ 悪性非上皮性腫瘍（肉腫）
- □ 脳腫瘍
- □ 白血病
- □ 混合腫瘍

1 定義

生体の正常細胞が性格を変えて，自律性をもって，過剰性・無制限に増殖するもの．

①自律性：自己生体の規制を無視．

②過剰性・無制限の増殖：正常組織をはるかに超える増殖．いったん増殖すると元に戻らない（不可逆性）．

2 組織学的分類および用語

腫瘍は，由来する組織と良・悪性の違いによって分類されている(**表1-13**)．

①良性腫瘍：細胞増殖が限定的，周囲の正常組織を破壊せずに，放置しても生命に影響を与えないもの．

②悪性腫瘍：細胞増殖が持続的で周囲の正常組織を破壊しながら増殖し，遠隔臓器に転移を起こすもの．

③上皮性腫瘍（癌腫・癌）：扁平上皮，腺上皮，尿路上皮など上皮組織に由来する悪性腫瘍．腫瘍細胞が集団をなし，その周囲を間質が囲み，蜂窩状，胞巣状構造をなす．

④非上皮性腫瘍（肉腫）：結合組織，筋組織，造血組織，神経組織，血管内皮，骨，軟骨などの細胞に由来する腫瘍．腫瘍細胞の間に間質が入り込み，蜂窩状構造をとらない．

表1-13 良性腫瘍と悪性腫瘍の一般的特徴

	良性	悪性
発育形式	圧排性増殖	浸潤性増殖
増殖速度	遅い	速い
転移	なし	多い
再発	少ない	多い
異型度	軽い	強い
分裂像	少ない	多い
全身への影響	少ない	著しい

⑤白血病：造血細胞に由来する悪性腫瘍.
⑥悪性リンパ腫：リンパ球に由来する悪性腫瘍.
⑦血腫：急性の内出血による圧の亢進のため，周囲の正常組織を圧排する凝血塊.
⑧過誤腫：正常組織に分化した細胞が過剰に形成され，腫瘍様にみえるもの.
⑨芽腫：未熟な細胞集団からなることを示す.
⑩モノクローナルな増殖：1 個の細胞の増殖集団.
⑪ポリクローナルな増殖：複数の細胞が同時に増殖した集団．過形成など.
⑫不顕性癌（非臨床癌：occult cancer）：臨床的には症状も所見もない癌．または，転移巣の症状・所見が先行し，その後の精査で見いだされる癌.
⑬臨床癌（clinical cancer）：臨床的に明らかな癌.
⑭進行癌（advanced cancer）：早期癌を超えて進行したもの.
⑮末期癌（terminal cancer）：きわめて進行し，回復不能の段階に陥ったもの.
⑯悪液質（cachexia）：末期癌で体重減少，衰弱，貧血，消耗などを示す状態.
⑰潜在癌，潜伏癌（latent cancer）：剖検で発見される癌.
⑱偶発癌（incidental cancer）：手術でわかる癌．前立腺肥大などで摘出した前立腺を病理検査をした際に癌がみつかった場合など.
⑲がん：上皮性悪性腫瘍，非上皮性悪性腫瘍をまとめて「がん」と表記することが多い.
⑳原発巣：癌の発生した部位をいう.

表 1-14 腫瘍の分類

良性上皮性腫瘍	乳頭腫，腺腫，嚢腫
良性非上皮性腫瘍	線維腫，脂肪腫，筋腫，血管腫，リンパ管腫，骨腫，軟骨腫，神経鞘腫
悪性上皮性腫瘍(癌腫・癌)	扁平上皮癌，腺癌，尿路上皮癌，未分化癌
悪性非上皮性腫瘍（肉腫）	線維肉腫，平滑筋肉腫，骨肉腫など
脳腫瘍	神経膠腫
白血病	急性・慢性白血病，骨髄異形成症候群，成人 T 細胞白血病
混合腫瘍	線維腺腫，癌肉腫（Wilms 腫瘍），奇形腫（皮様嚢腫）

3 腫瘍の分類（表 1-14）

1 良性上皮性腫瘍

1．乳頭腫

①肉眼的：乳頭に似た，表面凹凸のいぼ様隆起．

②間質が樹枝状に増殖し，表面を腫瘍細胞がおおう．

③好発部位：皮膚や喉頭（扁平上皮），膀胱（尿路上皮），大腸（円柱上皮）など．

2．腺腫

①肉眼的：結節状，ポリープ状．

②腫瘍細胞が腺上皮を模倣した配列を示す．

③好発部位：胃腸，乳腺，卵巣，甲状腺，唾液腺など．

④多形腺腫

i）肉眼的には結合織性被膜におおわれ，割面は粘液様の部分がみられる．

ii）耳下腺などの唾液腺に好発．

iii）腺上皮細胞，筋上皮様細胞，粘液状間質からなる．ときに軟骨や骨も出現．

iv）上皮性と間質成分両方の増生から混合腫瘍とよばれる．

3．嚢腫

①肉眼的：腺腫の修飾型．腺腔が分泌物の蓄積により拡大．

②貯留内容の性状で，漿液性と粘液性がある．

③卵巣に好発．

② 良性非上皮性腫瘍

発生する母組織との類似によって分類.

1. 線維腫

①充実性腫瘍であり, 紡錘形細胞と膠原線維の増生からなる.

②皮膚, 腱膜, 全身の結合組織.

2. 脂肪腫
3. 筋腫
4. 血管腫, リンパ管腫
5. 骨腫, 軟骨腫

(2〜5) 2 章−I 運動器系を参照.

6. 神経鞘腫

・末梢神経の Schwann（シュワン）細胞から発生する. 2 章−H 神経系を参照.

③ 悪性上皮性腫瘍（癌腫・癌）

1. 扁平上皮癌（図 1−12）

①重層扁平上皮に類似した組織像. 角化や細胞間橋が存在する.

②癌真珠：玉ねぎの横断面様の同心円層状構造の角化物で, 角化扁平上皮癌巣の中心部にみられる.

③好発部位：皮膚, 口腔, 喉頭, 食道, 副鼻腔, 子宮頸部など.

2. 腺癌（図 1−13）

①管腔を形成するように癌細胞が配列.

②管腔をつくらない場合でも粘液産生能を示す場合は腺癌.

③好発部位：胃, 腸, 肝, 腎, 膵, 子宮体部, 前立腺, 卵巣, 甲状腺など.

④膠様癌：粘液のなかに癌細胞巣が浮遊している状態. 胃癌が多い.

⑤印環細胞癌：癌細胞内の粘液が核を一側に圧迫. 胃, 卵巣など.

3. 尿路上皮癌

①尿路上皮（移行上皮）が発生母地.

②好発部位：膀胱, 尿管, 腎盂粘膜.

③乳頭状癌.

4. 未分化癌

・癌巣の異型性が非常に強く, いずれの上皮組織にも分化を示さないもの.

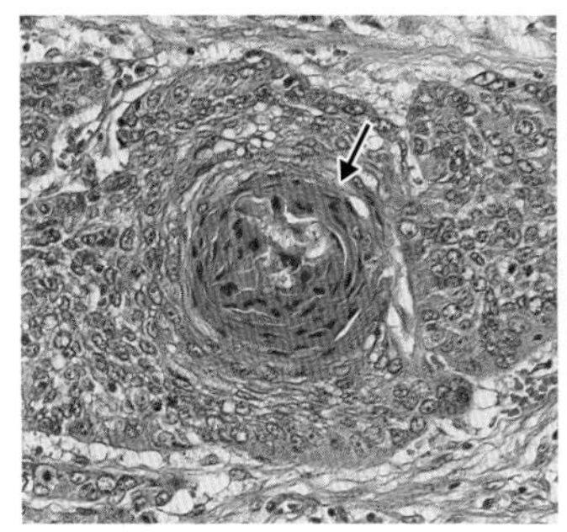

図 1-12　扁平上皮癌
矢印：癌真珠.

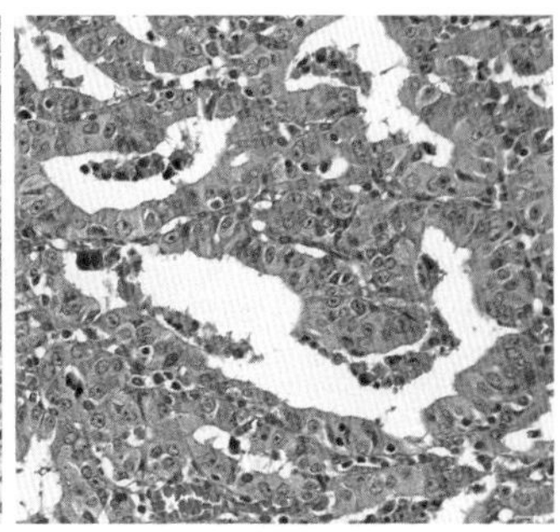

図 1-13　腺癌

④ 悪性非上皮性腫瘍（肉腫）

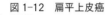

①非上皮性組織の発生起源，類似性に基づいて母組織の名に「肉腫」“sarcoma”を付す．線維肉腫，平滑筋肉腫，骨肉腫など．

②癌腫と違って，胞巣状構造を示さない．実質と間質が混じり合っている．

③転移は主に血行性転移.

④若年（小児）に多い.

⑤ 脳腫瘍

2 章-H 神経系を参照.

⑥ 白血病

2 章-D 血液・造血器系を参照.

⑦ 混合腫瘍

①腫瘍を構成する実質が 2 種以上の腫瘍細胞からなる.

②線維腺腫：線維腫と腺腫の混在.

③奇形腫：内・中・外胚葉由来の組織が混在.

④癌肉腫：癌腫と肉腫の混在.

例）Wilms（ウィルムス）腫瘍：小児腎腫瘍．腎発生過程の形態変化を模倣する．上皮成分は，尿細管や糸球体への分化を示す.

4 形態

1．肉眼的所見

(1) 形

①組織の表面に発育したものでは，疣状，ポリープ状，乳頭状，花キャベツ状など.

②組織の内部に発育したものでは，結節状，塊状，嚢胞状など.

(2) 色

①灰白色が普通.

②血液含有量が多いと赤色～暗赤色.

③脂肪腫は黄色，メラニンを有する黒色腫（メラノーマ）は黒色.

(3) 硬さ

①腫瘍実質の性状により異なるが，一般的には正常組織に比して硬い.

②骨腫，軟骨腫は骨，軟骨様の硬さ.

③脂肪腫，粘液腫は軟らかい.

④一般的に癌腫は肉腫よりも硬い.

2．組織構造

腫瘍は実質と間質からなる.

①実質：腫瘍細胞の集団.

②間質：実質を支持し栄養を与えている結合組織や血管.

③髄様癌：実質の多い軟らかい癌.

④硬（性）癌：間質の多い硬い癌.

5 異型性と組織学的分化度

腫瘍は発生母細胞に類似した組織構造，細胞形態を模倣する．悪性になるに従い類似性が乏しくなる.

1．異型性（atypia，atypism）

腫瘍の発生母組織・細胞との違い，へだたり（逸脱）をいう.

(1) 構造異型（structural atypia）

①組織構築像の乱れ
②細胞配列の乱れ
} 組織構造の規則性が失われた状態.

(2) 細胞異型（cellular atypia）

細胞の大きさ，形，クロマチンの密度や性状，核小体の状態と数，核/細胞質の容積比の所見から判断する.

①細胞：大小不同，形の不揃い（多形，多様）.

②核：大小不同，クロマチンの増量，巨核，多核.

③核・細胞質比（N/C 比）：増大.

④核小体：腫大，数の増加.

⑤異常な核分裂像.

2．組織学的分化度

①腫瘍組織に由来する正常組織の形態からどの程度逸脱した形態になっているかを表したもの.

②正常組織に近いものから高分化型(well-differentiated，grade 1)，中（等度）分化型（moderately-differentiated，grade 2)，低分化型（poorly-differetiated，grade 3）に分けられる.

6 多発癌と重複癌

①多発癌：同一臓器または同一系統の臓器に，同種の組織型の癌が複数発生すること.

②重複癌：同一臓器に組織型の違った癌が複数個発生，複数の臓器に同種の組織型の癌が発生すること.

③多重癌：多発癌と重複癌が発生した場合.

7 腫瘍の広がり方

1．腫瘍の発育

①圧排性発育：一般的に良性腫瘍はこの発育形式.

②浸潤性発育：一般的に悪性腫瘍はこの発育形式.

2．転移（metastasis）

(1) リンパ行性転移（lymphogenous metastasis）

①リンパ流での転移.

②Virchow（ウィルヒョウ）転移：胃癌細胞 → 所属リンパ節 → 胸管 → 左鎖骨上窩リンパ節に転移.

(2) 血行性転移（hematogenous metastasis）

①血流での転移.

②門脈 → 肝 → 肺，骨，脳など.

(3) 播種（dissemination）

①体腔内に散らばる転移．癌性腹膜炎，癌性胸膜炎，癌性心嚢炎．
②Krukenberg（クルーケンベルグ）腫瘍：主に胃癌細胞が胃漿膜を破る → 癌性腹膜炎 → 卵巣に転移．
③Schnitzler（シュニッツラー）転移：胃癌細胞など → 癌性腹膜炎 → ダグラス窩ないし直腸膀胱窩に転移．

(4) 転移好部位・臓器

①胃癌 → 肝への転移
②肺癌 → 脳への転移
③腎癌 → 骨や肺への転移
④前立腺癌，乳癌 → 骨への転移

8 癌の進行度

1．TNM 分類

①国際対癌連合（Union for International Cancer Control；UICC）によって定められた分類．悪性腫瘍の病期分類で，癌の進行度を判定する基準として用いられる指標の 1 つ．
②T 因子（tumor）：腫瘍（原発巣）の大きさと広がりを表す．T1～4 までの 4 段階に分けられる．
③N 因子（lymph nodes）：所属リンパ節への転移状況を表す．転移のないものを N0 とし，第一次リンパ節，第二次リンパ節への転移，周囲への浸潤の有無から N1～N3 までの段階に分ける．N0～N3 の 4 段階で示す．
④M 因子（metastasis）：遠隔転移の有無を表す．遠隔転移がなければ M0，あれば M1 となる．
⑤記述する際には T2N1M0 のように記述する．
⑥cTNM（Clinical TNM：臨床的 TNM），sTNM（Surgical TNM：手術的 TNM），pTNM（Pathological TNM：病理学的 TNM）として区別する．
⑦TNM 因子の組合せから，総合的に病期分類（stage 0～Ⅳ）を決定する．

表 1-15　ウイルスと腫瘍

ウイルス		腫瘍
DNA ウイルス	Epstein-Barr（EB）ウイルス	Burkitt（バーキット）リンパ腫
	B 型肝炎ウイルス（HBV）	肝癌
	ヒトパピローマウイルス（HPV）	子宮頸部癌
RNA ウイルス	ヒト T 細胞白血病ウイルス（HTLV-1）	成人 T 細胞白血病
	C 型肝炎ウイルス（HCV）	肝細胞癌

9 腫瘍の発生原因と機序

1．発癌の原因

発癌の原因として，化学発癌物質，放射線，紫外線，ホルモン，ウイルスが知られている．

(1) 化学発癌物質

発癌物質が細胞の DNA を化学的に修飾し，遺伝子の突然変異を起こし，細胞を癌化させる．

(2) 放射線，紫外線

これらにより DNA 損傷，突然変異を起こし，発癌を誘発する．皮膚癌や白血病が多い．

(3) ホルモン

直接 DNA 損傷を起こすことはないが，細胞増殖を亢進させ，DNA 損傷の機会を増加させる．

(4) ウイルス（表 1-15）

宿主の細胞に侵入し，宿主細胞の遺伝子変異を起こし，癌化を引き起こす場合があり，こういったウイルスを腫瘍ウイルスという．

2．発癌の多段階プロセス

①イニシエーション（initiation）：発癌物質（イニシエータ）が DNA 損傷，突然変異を起こす．1 つの細胞における 1 つの変異．癌発生の第 1 段階．

②プロモーション（promotion）：イニシエーションを受けて，変異細胞がプロモータの働きでクローン性に増殖する段階．癌発生の第 2 段階．プロモーションの刺激は，ホルモン刺激（乳腺，前立腺），胆汁酸塩の作用（大腸）などがある．

③プログレッション（progression）：増殖が自律性となる段階．

④発癌（cancer causing，carcinogenesis）：全過程の最終結果．細

表 1-16　小児に好発するがん，成人に好発するがん

小児に好発	神経芽腫，網膜芽腫，Wilms 腫瘍（腎芽腫），髄芽腫，肝芽腫，骨肉腫，軟部腫瘍，星細胞腫（脳幹，小脳）など
成人に好発	膠芽腫，髄膜腫，星細胞腫（大脳半球），肺癌，乳癌，消化器の癌など

表 1-17　代表的ながん遺伝子

癌遺伝子	主な悪性腫瘍
HRAS	膀胱癌
KRAS	大腸癌，肺癌
MYC	Burkitt リンパ腫
MYCN	神経芽腫
RET	多発性内分泌腫瘍症 type2
MET	家族性遺伝性腎癌
EGFR	肺癌
ERBB2 (*HER2*)	乳癌
CCND1 (*cyclinD1*)	マントル細胞リンパ腫

胞が浸潤や転移の能力を獲得する．

10 小児に好発するがん，成人に好発するがん

表 1-16 に示す．

11 がん遺伝子とがん抑制遺伝子

1．がん遺伝子（oncogene）（表 1-17）

①がん遺伝子は特定の蛋白質の働きを強め，細胞変異や増殖，癌化を引き起こす．

②がん遺伝子は細胞増殖のシグナル伝達に関与しており，活性化は発がんに結びつく．

2．がん抑制遺伝子（tumor suppressor gene）（表 1-18）

①がんの発生を抑える働きをする遺伝子．

②多くのがんで特異的な部位の染色体の欠失が知られ，その機能喪失により発がんに関与するとされる．

表 1-18　代表的ながん抑制遺伝子

癌抑制遺伝子	主な悪性腫瘍
TP53（*p53*）	大腸癌
CDKN2A（*p16*）	悪性黒色腫
RB	家族性網膜芽細胞腫
APC	大腸癌，胃癌
WT1	Wilms 腫瘍
BRACA1	家族性乳癌
MEN1	多発性内分泌腫瘍症 type1

表 1-19　原発不明がんの原発巣推定マーカー

マーカー（抗体）	局在	原発腫瘍
CEA	細胞質・細胞膜	大腸癌・癌一般
PSA	細胞質	前立腺癌
Uroplakin	細胞質・細胞膜	尿路上皮癌
AFP	細胞質	肝細胞癌
Glypican3	細胞質・細胞膜	肝細胞癌
CA19-9	細胞質	膵臓癌
CA125	細胞質・細胞膜	卵巣癌（漿液性腺癌）
PAX8	核	卵巣癌，腎細胞癌
TTF-1	核	肺腺癌
CDX-2	核	大腸腺癌
GATA-3/GCDFP15 (BRST-2)	核/細胞質	乳癌
Mesothelin/Calretinin	細胞質・細胞膜/核・細胞膜	中皮腫
HMB45	細胞質	悪性黒色腫

12 分子標的治療

①分子標的治療 (molecularly-targeted therapy) は，がん細胞と正常細胞の違いを，遺伝子や蛋白質から解明し，がんの増殖や転移に関係する分子を特異的に抑制することで治療する(**表 1-19, 20**).

②従来の多くの薬剤（いわゆる抗がん剤など）もその作用機序を探ると何らかの標的分子を有するが，分子標的治療薬は，がんの増殖や転移にかかわる遺伝子やその産生蛋白の機能や作用機序を考慮して設計している点で異なる.

表 1-20　腫瘍と治療薬適応判定マーカー（標的物質）および分子標的療法薬の関係

治療薬適応判定マーカー（標的物質）	細胞内局在	適応	分子標的治療薬・一般名（製品名）
HER2（human epidermal growth factor receptor 2：ヒト上皮成長因子受容体 2）	細胞膜	乳癌，胃癌	トラスツズマブ（ハーセプチン）
EGFR（epidermal growth factor receptor：上皮成長因子受容体）	細胞膜	大腸癌．現在は，非小細胞肺癌患者の分子標的治療薬（ゲフィチニブ）の適応判定において，EGFR 遺伝子変異検査が主流となっている．	セツキシマブ
KIT 蛋白（Mast/stem cell growth factor receptor：肥満/幹細胞増殖因子受容体）	細胞膜・細胞質	GIST（gastrointestinal stromal tumor：胃消化管間質系腫瘍）	イマチニブ
ALK（anaplastic lymphoma kinase：未分化リンパ腫キナーゼ，EML4-ALK 融合型チロシンキナーゼ）	細胞質・細胞膜	肺腺癌患者（ALK 陽性肺癌：通常の肺癌よりやや若い人に多い）	クリゾチニブ
CD20（L26）*	細胞膜	B 細胞性悪性リンパ腫	リツキシマブ
PD-L1（programmed cell death-ligand 1）	細胞膜	乳癌，胃癌，大腸癌，食道癌，頭頸部癌，非小細胞肺癌患者などにおける免疫チェックポイント阻害薬（がん細胞が免疫細胞にかけたブレーキを解除）の適応判定．	ニボルマブ（オプジーボ）

*B 細胞の特定の分化段階で発現する糖蛋白．

1．例）乳癌（浸潤性乳管癌）（図 1-14）

①細胞膜上にある HER2（c-erbB2）受容体を免疫組織化学的に証明（免疫染色）することで，HER2 受容体に特異的に結合する分子標的療法薬トラスツズマブを使用することが可能となる．

②患者一人ひとり治療効果のある薬剤が異なることがあるため，患者の体質やがんの種類によって使用する薬剤を選定する個別化治

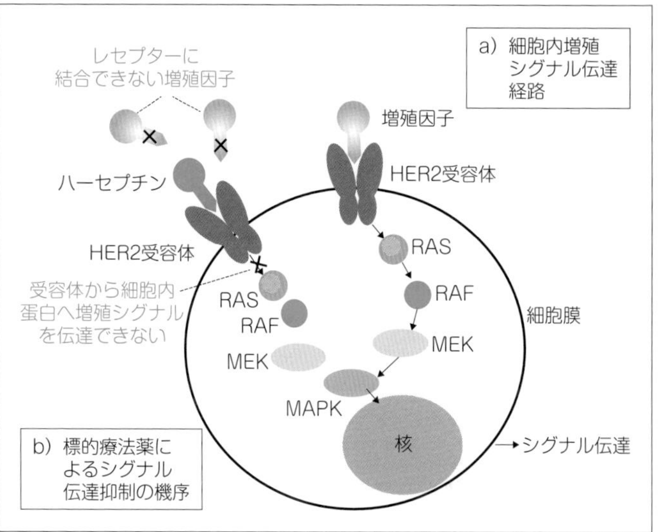

図 1-14 分子標的薬の作用機序

a) 細胞膜の受容体蛋白質にがん細胞を増殖させる因子（細胞増殖因子）が結合し，細胞内の伝達経路を経由して，DNA の複製–細胞分裂を行い，がん細胞は増殖する.
b) 標的治療薬は細胞増殖因子より先に受容体蛋白に結合して，細胞増殖因子が受容体蛋白に結合できなくし，細胞分裂シグナルをブロックするものである.

療の一つである.

③*HER2* 遺伝子の複製を直接確認する HER2–FISH 法もある（→p.280，FISH 法）.

 ホルモン療法（図 1–15，表 1–21）

①特定のホルモンによってがん細胞が増殖する腫瘍（がん）があり，ホルモンの分泌や効果を抑制する薬剤を用いる治療をホルモン療法という.

②ホルモン療法は，がん細胞を死滅させる治療ではなく，悪性細胞の増殖を抑制する補助療法の 1 つである.

③乳癌患者に対するホルモン療法は，閉経の有無により使用する薬剤が異なる.

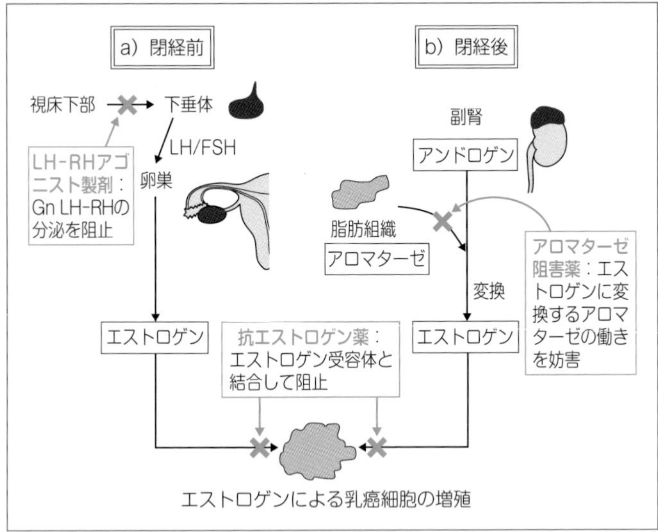

図 1-15 ホルモン療法薬の作用機序

視床下部から分泌される性腺刺激ホルモン放出ホルモン（GnLH-RH）によって，下垂体の前葉からは，性腺刺激ホルモンの黄体形成ホルモン（LH）と卵胞刺激ホルモン（FSH）が分泌される．これにより卵巣でエストロゲンが生成される．

a）閉経前：下垂体から分泌される性腺刺激ホルモン放出ホルモン（GnLH-RH）をブロックするLH-RHアゴニスト製剤，エストロゲンの作用を抑制する抗エストロゲン薬などが用いられる．

b）閉経後：閉経後は，卵巣からエストロゲンが生成されない代わりに，副腎からアンドロゲンが生成され，これが脂肪組織などに含まれるアロマターゼによってエストロゲンに変換される．このアロマターゼの働きを阻害するアロマターゼ阻害薬や抗エストロゲン薬が用いられる．

表 1-21 ホルモン療法薬適応判定マーカー

ホルモン療法薬適応判定マーカー	腫瘍	ホルモン療法薬
エストロゲンレセプター（ER） プロゲステロンレセプター（PgR）	乳癌 前立腺癌	抗エストロゲン薬 アロマターゼ阻害薬 LH-RH アゴニスト製剤

14 がん遺伝子パネル検査(がんゲノムプロファイル)

①がんに関係した多くの遺伝子の変異（塩基置換，挿入/欠失，コピー数異常および再編成など）を検出する方法である．

②1 回の検査でがん関連ドライバー遺伝子など数百種類を調べることが可能な個別化治療に欠かせない方法として近年急速に発達した技術である．

③次世代シークエンス法，マルチ遺伝子 PCR パネルなどの方法がある．

④検査は，病理医が病理標本の該当腫瘍の箇所にマーキングを行い，その部分を薄切（その後トリミング）して検査を行う．多くはアメリカへ検体を送り検査が進められる．

がん遺伝子パネル検査

がん遺伝子パネル検査[11,12]とは，がんの診断および治療，予後予測を目的として，がん細胞の体細胞変異を検出する検査である．近年，次世代シークエンスをはじめとした遺伝子異常を検出する方法が進歩を遂げている．そのため，1 回の検査で数百種類の遺伝子を調べることが可能となり，遺伝学的背景から効果が期待できる個別化治療を選択する時代となった．

がんパネル遺伝子検査に携わる臨床検査技師の役割は，遺伝子検査に適した検体の処理や核酸抽出，次世代シークエンサーのオペレーション，精度管理など多岐にわたる．また，正確な個別化治療を実施するためには，検体の取り扱いから報告書作成まで，病理医や臨床検査技師などのさまざまな医療職種がチームとして情報共有を図ることが重要となる．

感染症

国家試験出題基準の「2 病理学総論－I 感染症」については，同シリーズ『臨床微生物学』を参照のこと．

学習目標：病原微生物の種類と特徴，感染様式，感染免疫（日和見感染，菌交代現象，院内感染）

セルフ・チェック

A 次の文章で正しいものに○，誤っているものに×をつけよ．

		○	×
1.	一般に癌腫は血行性転移をしやすい．	□	□
2.	膀胱に発生する癌腫は尿路上皮癌が多い．	□	□
3.	副鼻腔癌は上顎洞に好発し，扁平上皮癌が多い．	□	□
4.	一般に腫瘍は灰白色で正常組織に比して硬い．	□	□
5.	胃癌が播種性にダグラス窩に転移したものを Schnitzler 転移という．	□	□
6.	皮様囊腫は卵巣に好発する良性の奇形腫である．	□	□
7.	一般に癌腫は肉腫よりも軟らかい．	□	□
8.	悪性腫瘍は浸潤性発育をする．	□	□
9.	乳頭癌は良性上皮性腫瘍である．	□	□
10.	腺腫は良性非上皮性腫瘍である．	□	□
11.	骨やリンパ節からは原発性の癌腫が発生する．	□	□
12.	一般に肉腫は血行性転移を起こしやすい．	□	□
13.	上皮性腫瘍は蜂窩状構造を示す．	□	□
14.	癌真珠は扁平上皮癌の際にしばしばみられる．	□	□
15.	粘液のなかに癌細胞巣が浮遊しているような癌を髄様癌という．	□	□
16.	過誤腫とは正常組織に分化した細胞が過剰に形成され，腫瘍様にみえるものである．	□	□
17.	潜在癌は剖検で発見される．	□	□
18.	胃癌が卵巣に転移したものを Virchow 転移という．	□	□
19.	Wilms 腫瘍は小児の腎に発生する悪性混合腫瘍である．	□	□
20.	脳腫瘍は神経膠腫が多く，大人では大脳に，小児では小脳に好発する．	□	□

A 1−×（リンパ行性転移），2−○，3−○，4−○，5−○，6−○，7−×（硬い），8−○，9−×（悪性上皮性腫瘍），10−×（良性上皮性腫瘍），11−×（非上皮性腫瘍が発生する），12−○，13−○，14−○，15−×（膠様癌），16−○，17−○，18−×（Krukenberg 腫瘍），19−○，20−○

B

1．悪性腫瘍の特性を示すのはどれか．

- □ ① 自律性増殖
- □ ② 過形成
- □ ③ 反応性増殖
- □ ④ 肥　大
- □ ⑤ 化　生

2．癌腫の特徴で**誤っている**のはどれか．

- □ ① 癌細胞が多量の粘液を産生する場合を膠様癌という．
- □ ② 癌腫は浸潤性に発育する．
- □ ③ 癌腫の間質が多いものを髄様癌という．
- □ ④ 癌腫は肉腫よりも硬い．
- □ ⑤ 癌腫は胞巣状構造を示す．

3．上皮性腫瘍に属するのはどれか．**2つ選べ．**

- □ ① 筋　腫
- □ ② 嚢　腫
- □ ③ 脂肪肉腫
- □ ④ 乳頭腫
- □ ⑤ 血管腫

4．非上皮性腫瘍に属するのはどれか．

- □ ① 黒色腫
- □ ② リンパ腫
- □ ③ Wilms 腫瘍
- □ ④ Bowen 病
- □ ⑤ 精上皮腫

B　1-①，2-③（③：癌腫は間質が多いものを硬（性）癌という），3-②と④，4-②

5．癌腫が発生する頻度が高い臓器はどれか．**2つ選べ．**

- □ ① 脾
- □ ② リンパ節
- □ ③ 肝
- □ ④ 筋　肉
- □ ⑤ 腎

6．正しいのはどれか．**2つ選べ．**

- □ ① 良性の非上皮性腫瘍を肉腫という．
- □ ② 良性の上皮性腫瘍を癌腫という．
- □ ③ 悪性の非上皮性腫瘍を癌腫という．
- □ ④ 悪性の非上皮性腫瘍を肉腫という．
- □ ⑤ 悪性の上皮性腫瘍を癌腫という．

7．良性腫瘍はどれか．

- □ ① 軟骨腫
- □ ② Bowen 病
- □ ③ 横紋筋肉腫
- □ ④ 神経芽細胞腫
- □ ⑤ Wilms 腫瘍

8．正しいのはどれか．**2つ選べ．**

- □ ① TNM 分類の M は遠隔転移を表す．
- □ ② 肺癌は脳転移をきたしやすい．
- □ ③ 腎癌は転移しにくい．
- □ ④ 前立腺癌は骨転移をきたしにくい．
- □ ⑤ Krukenberg 腫瘍は血行性転移をきたしたものを表す．

5−③と⑤，6−④と⑤，7−①，8−①と②

9．原発性腫瘍が尿路上皮癌であるものはどれか．2つ選べ．

□ ① 腎　盂
□ ② 膵
□ ③ 前立腺
□ ④ 子宮体部
□ ⑤ 膀　胱

10. 誤っているのはどれか．

□ ① 胃癌の血行性転移は肝臓に好発する．
□ ② 前立腺癌は腰椎に転移をきたしやすい．
□ ③ 肝癌は門脈・肝静脈に腫瘍血栓を形成する．
□ ④ 多くの乳癌は傍胸骨リンパ節に転移する．
□ ⑤ BorrmannⅣ型の胃癌は癌性腹膜炎を起こしやすい．

11. 誤っている組合せはどれか．

□ ① 多形腺腫———良性上皮性腫瘍
□ ② 骨肉腫————良性非上皮性腫瘍
□ ③ 扁平上皮癌——悪性上皮性腫瘍
□ ④ 平滑筋腫———良性非上皮性腫瘍
□ ⑤ 奇形腫————混合腫瘍

12. 正しいのはどれか．2つ選べ．

□ ① 悪性腫瘍の発育は速い．
□ ② 悪性腫瘍は転移する．
□ ③ 悪性腫瘍は圧排性に発育する．
□ ④ 良性腫瘍は可逆的発育をする．
□ ⑤ 良性腫瘍は反応性増殖をする．

9-①と⑤，10-④（③：肝（細胞）癌は転移が少ないが，門脈・肝静脈に腫瘍血栓，肺動脈腫瘍塞栓，肺への転移がある．④：乳癌では腋窩リンパ節，内胸リンパ節へ転移する経路が知られている），11-②（②：骨肉腫は悪性非上皮性腫瘍），12-①と②

13. 悪性腫瘍の特徴で正しいのはどれか．**2つ選べ．**

- □ ① 完全に被包されている．
- □ ② 再発することが少ない．
- □ ③ 浸潤性に発育する．
- □ ④ 転移を起こしやすい．
- □ ⑤ 増殖は比較的遅い．

14. 正しいのはどれか．**2つ選べ．**

- □ ① 不顕性癌とは臨床的に無症状のものをいう．
- □ ② 偶発癌とは手術などで偶発的にみつかる癌である．
- □ ③ 白血病は腫瘤を形成する．
- □ ④ 正常組織に近い癌を低分化癌とよぶ．
- □ ⑤ 過形成は一般にモノクローナルな増殖をした状態をいう．

15. 正しいのはどれか．**2つ選べ．**

- □ ① 腺腫は悪性上皮性腫瘍である．
- □ ② 脂肪腫は良性上皮性腫瘍である．
- □ ③ 線維腫は良性上皮性腫瘍である．
- □ ④ 乳頭腫は悪性非上皮性腫瘍である．
- □ ⑤ 骨肉腫は悪性非上皮性腫瘍である．

16. 悪性腫瘍の細胞学的特徴を示すのはどれか．**2つ選べ．**

- □ ① 核・細胞質比が小さい．
- □ ② 核分裂像が多く，しばしば異常な分裂像も出現する．
- □ ③ 核の大小不同が著しく，異常核や巨核も出現する．
- □ ④ 核膜が消失する．
- □ ⑤ 核が小さい．

17. がん遺伝子はどれか．**2つ選べ．**

- □ ① *TP53*〈*p53*〉
- □ ② *RB*
- □ ③ *WT1*
- □ ④ *KRAS*
- □ ⑤ *MYC*

13–③と④，14–①と②，15–③と⑤，16–②と③，17–④と⑤（①②③はがん抑制遺伝子）

2 病理学各論

A 循環器系

学習の目標

- □ 胎生循環
- □ 先天性心疾患
- □ 心肥大
- □ 心拡張
- □ 心不全
- □ 心臓の炎症
- □ 虚血性心疾患
- □ 心筋症
- □ 心臓の腫瘍
- □ 脈管系の病変

1 胎生循環（図 2-1）

①胎生循環では，肺が機能していないため，卵円孔，動脈管，静脈管（アランチウス管）の存在が必要になってくる.

②胎生期の心臓では，卵円孔は右心房から左心房へ血液を流入さ

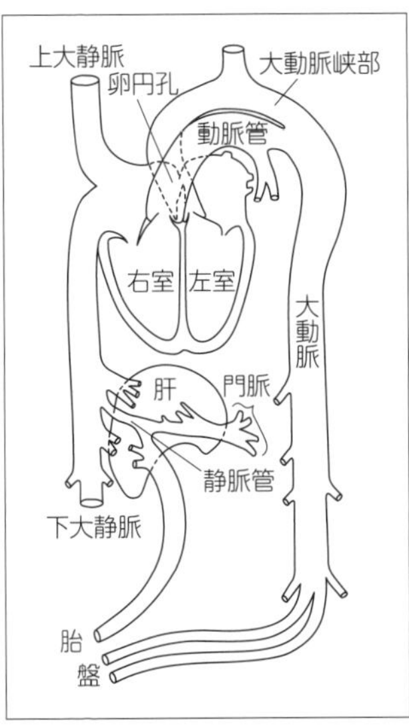

図 2-1 胎生循環
（松原 修：第 2 章病理学各論．最新臨床検査学講座 病理学/病理検査学．医歯薬出版，2016，p.55）

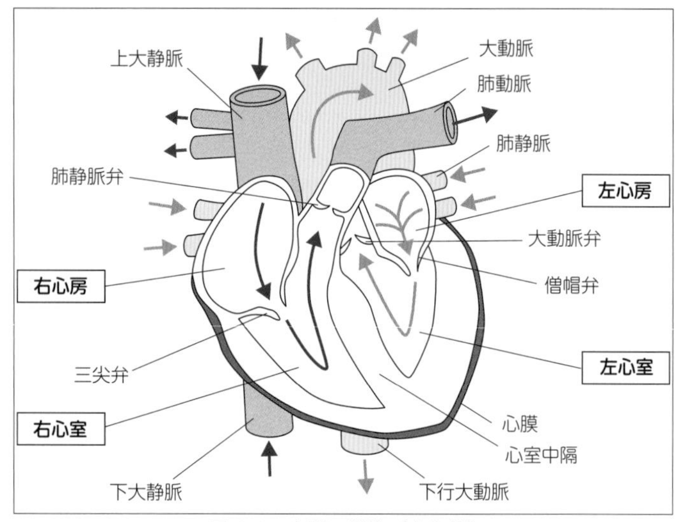

図 2-2 心臓の構造（出生後）
赤矢印：動脈血，黒矢印：静脈血.

せ，動脈管は肺動脈と大動脈にあるシャントで大動脈に血液を流す．これらにより，肺を経由せずに体循環を行っている.

③出生後は卵円孔，動脈管が閉鎖し，二大循環（肺循環，体循環）が独立する（図 2-2）.

先天性心疾患

1．心奇形がみられる疾患・病態

心奇形の真の原因は分からないが，Down 症候群や Turner 症候群，妊娠初期の風疹などのウイルス感染や薬剤服用で心奇形が多発することが知られている.

2．先天性心疾患の種類（表 2-1）

(1) Fallot（ファロー）四徴症

①心室中隔欠損
②肺動脈流出路の狭窄
③大動脈騎乗
④右心室肥大

表 2-1　先天性心疾患

シャントのないもの	大動脈狭窄症，肺動脈狭窄
左右シャントのあるもの（チアノーゼのないもの）	心房中隔欠損，Eisenmenger（アイゼンメンジャー）症候群，心室中隔欠損，動脈管開存
右左シャントのあるもの（チアノーゼのあるもの）	Fallot 四徴症，Fallot 三徴症，Fallot 五徴症

(2) Fallot 三徴症

①肺動脈流出路の狭窄

②心房中隔欠損

③右心室肥大

(3) Fallot 五徴症

・Fallot 四徴症に心房中隔欠損が加わったもの.

心肥大・心拡張と心不全（表 2-2）

1．心肥大

①心筋の量が増加した状態で，心重量の増加，心室壁の肥厚がみられる.

②肥大の形から，求心性肥大と，拡張を伴った場合の遠心性肥大に分けることができる.

ⅰ）求心性左心室肥大：高血圧症，大動脈弁狭窄などでみられる.

ⅱ）遠心性左心室肥大：大動脈弁閉鎖不全，僧帽弁閉鎖不全などでみられる.

2．心拡張

①心室，心房腔の拡張をいい，肥大を伴う場合とそうでない場合がある.

②慢性うっ血性心不全，心筋症で起こる.

3．心不全

心臓が体の要求に応じるだけの循環の駆出力を維持できない状態.

①左心不全：左心からの心拍出量の低下で左房圧が上昇し，肺の静脈や毛細血管に生じるうっ血により，呼吸困難や急性肺水腫が起きる.

②右心不全：右心からの心拍出量の低下で全身の静脈圧が上昇し，体循環の静脈や毛細血管に生じるうっ血により，肝肥大や全身

表 2-2　心臓の病変

心肥大	求心性左心室肥大，遠心性左心室肥大	
心拡張	拡張のみの場合，肥大を伴う場合	
心不全	左心不全，右心不全	
心臓の炎症	心内膜炎	疣贅性心内膜炎（リウマチ性心内膜炎），潰瘍性心内膜炎，ポリープ状潰瘍性心内膜炎（亜急性細菌性心内膜炎），非細菌性血栓性心内膜炎（消耗性心内膜炎），非定型疣贅性心内膜炎［Libman-Sacks（リブマン・サックス）心内膜炎］
	心筋炎	
	リウマチ性心疾患	リウマチ熱，リウマチ性心内膜炎，リウマチ性心筋炎
虚血性心疾患	狭心症，心筋梗塞（貫壁性梗塞，内膜下梗塞）	
心筋症	拡張型心筋症，肥大型心筋症，拘束型心筋症，不整脈源性右室心筋症，分類不能の心筋症	
腫瘍	粘液腫，中皮腫	

（特に下肢）に浮腫がみられる．

心臓の炎症（表 2-2）

1．心内膜炎

僧帽弁と大動脈弁に多く，弁膜の閉鎖縁に変化が強い．

(1) 原因となる病原微生物

①黄色ブドウ球菌（*Staphylococcus aureus*）
②緑色レンサ球菌（*Streptococcus viridans*）
③腸球菌（*Enterococcus faecalis*，*E.faecium* など）

(2) 罹患しやすい状態

①リウマチ熱で以前に傷害を受けた弁膜．
②先天性弁膜奇形，たとえば大動脈二尖弁．
③人工弁など手術操作の加わった状態．

2．心筋炎

他臓器，組織の化膿巣から血行性に運ばれてきた菌による巣状の心筋炎が最も多い．

(1) 原因

①リウマチ熱
②ウイルス：B 群コクサッキーウイルス（Coxsackievirus），インフ

ルエンザウイルス（Influenza virus），ヘルペスウイルス（Herpes virus）.

③細菌：ジフテリア菌（*Corynebacterium diphtheriae*）

④寄生虫：トキソプラズマ.

⑤原因不明：心サルコイドーシス.

(2) 症状

①心筋傷害による心不全

②刺激伝導系障害による不整脈

3．リウマチ性心疾患

(1) リウマチ熱

・A群β溶血型レンサ球菌（*Staphylococcus pyogenes* など）の感染後1〜3週間で発症する，心臓を中心とした全身性の炎症性疾患である.

(2) リウマチ性心内膜炎

①僧帽弁，大動脈弁に疣贅性心内膜炎を起こす.

②治癒期に線維化，石灰化と変形を残し，弁の狭窄や閉鎖不全などの心弁膜症をもたらす.

(3) リウマチ性心筋炎

①滲出変性期，増殖期，治癒期がみられる.

②増殖期にAschoff（アショフ）結節が出現する.

5 虚血性心疾患（表2-2）

心筋の酸素需要とその供給の不均衡によって起こる心疾患の総称で，冠動脈の粥状硬化症によって起こることが多い.

1．狭心症

①一過性の心筋虚血が起こり，発作性の激しい前胸部痛が起こる.

②安静とニトログリセリンで消失する.

2．心筋梗塞

広範な心筋の虚血性壊死を起こした状態をいう.

①貫壁性梗塞：壁の全層に及ぶもの.

②内膜下梗塞：心内膜側にぐるりと多巣性に起こるもの.

表 2-3　脈管系の病変

動脈	動脈硬化症	粥状硬化症，Mönckeberg（メンケベルク）動脈硬化症，細動脈硬化症
	動脈炎	高安動脈炎（大動脈炎症候群），巨細胞性動脈炎（側頭動脈炎），閉塞性血栓性血管炎［Buerger（バージャー）病］，川崎病（皮膚粘膜リンパ節症候群），感染性動脈炎
	動脈瘤	粥状硬化性動脈瘤，梅毒性動脈瘤，大動脈解離（解離性大動脈瘤）
静脈	静脈血栓症	肺塞栓症
リンパ管	リンパ管炎	

6 心筋症（表 2-2）

・心機能障害を伴う心筋疾患と定義された．

7 心臓の腫瘍（表 2-2）

①粘液腫は心臓原発腫瘍のなかで最も頻度が高く，左房に好発する．心内膜下の間葉系細胞起源または器質化血栓起源の説がある．
②心嚢原発の悪性腫瘍には中皮腫などがあるが，かなりまれである．

8 脈管系の病変（表 2-3）

①動脈硬化症：動脈壁の肥厚を示す状態の総称．
②動脈炎：病変部位から汎動脈炎，内膜炎，中膜炎，外膜炎に分けられる．
③動脈瘤：動脈壁の一部が脆弱になったために起こる局所的な動脈の拡張．
④静脈血栓症：血栓症は動脈より静脈に発生しやすく，肺塞栓症の原因となる．
⑤リンパ管炎：局所の炎症巣が周辺に広がる時に，所属リンパ管に細菌などが侵入し，リンパ管炎が引き起こされる．

セルフ・チェック

A 次の文章で正しいものに○，誤っているものに×をつけよ．

	○	×
1. 大動脈狭窄症はシャントがない．	□	□
2. 動脈管開存は右左シャントのあるものである．	□	□
3. 右心不全は肺の静脈や毛細血管に生じるうっ血が原因となる．	□	□
4. 心内膜炎は三尖弁と大動脈弁に多い．	□	□
5. 虚血性心疾患は，冠動脈の粥状硬化症によって起こることが多い．	□	□
6. 粘液腫は左室に好発する．	□	□
7. リウマチ熱はB群溶血性レンサ球菌感染により惹起される．	□	□

B

1．Fallot 四徴症に**含まれない**のはどれか．

□ ① 心房中隔欠損
□ ② 心室中隔欠損
□ ③ 大動脈騎乗
□ ④ 右心室肥大
□ ⑤ 肺動脈流出路の狭窄

2．胎児期に特有な循環系はどれか．**2つ選べ．**

□ ① 肺静脈
□ ② 動脈管
□ ③ 尿膜管
□ ④ 奇静脈
□ ⑤ 卵円孔

A 1−○，2−×（左右シャントのあるもの），3−×（体循環の静脈や毛細血管に生じるうっ血），4−×（僧帽弁と大動脈弁に多い），5−○，6−×（左房），7−×（A群）

B 1−①（①：Fallot 五徴症の一つ），2−②と⑤

B　呼吸器系

学習の目標

- □ 上気道の病変
- □ 気管支，肺の病変
- □ 胸膜の病変
- □ 縦隔の病変

上気道（鼻腔，副鼻腔，喉頭）の病変

下記以外の主な病変を**表 2-4** に示す．

1．多発血管炎性肉芽腫症［Wegener（ウェゲナー）肉芽腫症］

①自己免疫性疾患と考えられている．

②主に上気道や肺，腎の肉芽腫性炎症と血管炎を特徴とする．

③抗好中球細胞質抗体（PR3-ANCA もしくは c-ANCA）が高率に陽性となる．

2．鼻腔・副鼻腔癌

①上顎洞に好発するため上顎癌ともいう．

②組織学的には扁平上皮癌がほとんどである．

3．喉頭癌

①嗄声を主徴とし，上気道の悪性腫瘍のなかで最も多い．

②組織学的には扁平上皮癌がほとんどで，喫煙との相関関係が知られている．

気管支，肺の病変

気管支の分岐を**図 2-3** に示す．

1．肺気腫

①終末細気管支より末梢の拡張と壁の破壊がみられる．

表 2-4　上気道，気管・気管支の病変

上気道	鼻腔・副鼻腔	鼻炎，副鼻腔炎
	喉頭	喉頭ポリープ（喉頭結節，声帯ポリープ）
気管・気管支		慢性気管支炎，気管支喘息，気管支拡張症，びまん性汎細気管支炎

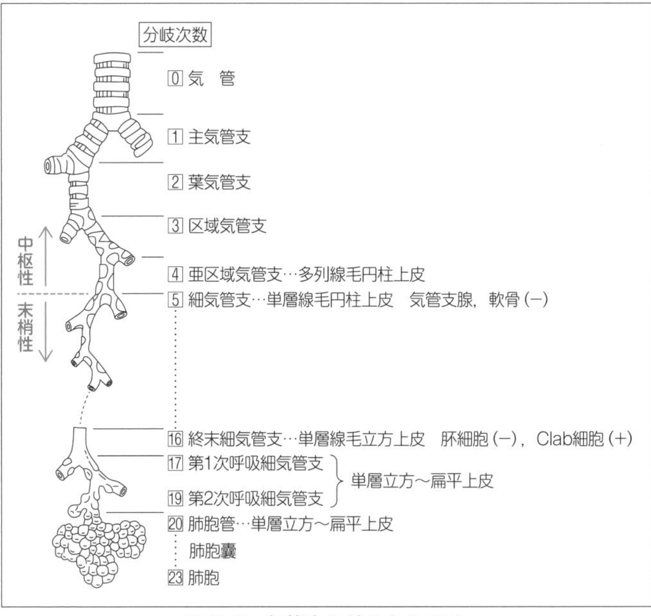

図 2-3　気管支分岐の主な区分
気管は 23 回分岐して肺胞に達する．

②気腫性嚢胞のことをブラ（bulla）といい，破れると気胸を起こす．

③慢性気管支炎を合併することが多く，あわせて慢性閉塞性肺疾患（chronic obstructive pulmonary disease；COPD）とよぶ．

2．急性肺炎

肺実質に病因微生物が入り込み，炎症をきたす疾患であり，肺炎にはさまざまな分類がある．

①大葉性肺炎：肺の 1 葉以上が占められる肺炎．肺炎球菌（*Streptococcus pneumoniae*）によるものが多い．

②気管支肺炎：細気管支炎が先行し，肺胞内へ炎症が波及したもの．肺炎球菌，インフルエンザ菌（*Haemophilus influenzae*）などのさまざまな細菌感染によって起こる．

③ウイルス性肺炎：インフルエンザウイルス（Influenza virus），コクッサッキーウイルス（Coxsakievirus）などで起こる肺炎．

④間質性肺炎：肺の間質にびまん性の炎症細胞浸潤と線維化が生じ

る肺炎．びまん性肺胞傷害（diffuse alveolar damage；DAD），放射線や薬剤，膠原病に伴うものや尿毒症などのさまざまな原因で発症する．

i）Hamman-Rich（ハーマン・リッチ）症候群：肺胞壁側に炎症が起こる．

ii）特発性間質性肺炎：原因不明のもの．臨床上重要．

⑤特殊型の肺炎：沈下型肺炎，嚥下性肺炎，出血性肺炎，原発性異型肺炎，日和見感染，グラム陰性桿菌肺炎

3．慢性肺炎

肺炎の異常な経過により，最初から肉芽腫形成が起こり，慢性の経過をとるものがみられる．

①肺結核症：結核菌（*Mycobacterium tuberculosis*）が原因．→p.56参照

②サルコイドーシス：原因不明の全身の肉芽腫症．→p.57参照

③肺真菌症：真菌が原因で起こり，強い壊死や出血を伴う．→p.57参照

4．肺腫瘍

(1) 特徴

①肺に原発する上皮性悪性腫瘍である肺癌は，わが国における悪性新生物の死亡数では1位を占める（2016年厚労省統計）．

②中高年に好発する．

③咳，呼吸困難，胸痛，体重減少などの臨床症状がみられるが，初期にはほとんどが無症状であり，胸部単純X線やCT，喀痰細胞診で発見されることが多い．

④転移は血行性，リンパ行性どちらもみられる．血行性転移は肝，脳，骨，副腎などに多く，リンパ節転移は肺門部や縦隔に多くみられる．

⑤肺癌の組織型は多彩であり，細かく分類されているが，腺癌，扁平上皮癌，小細胞癌，大細胞癌の4大組織型がある．

⑥一部の肺癌では*ALK*や*EGFR*遺伝子変異が発現していることが明らかとなり，それらに対する分子標的薬を使い治療することが近年の肺癌治療の柱の一つとなっている．

(2) 4大組織型

a）腺癌（→p.74，331参照）

①4大組織型のなかで最も発生頻度が高い悪性上皮性腫瘍で，約

40%を占める.

②男性に多くみられるが，女性の肺癌の約8割が腺癌である.

③末梢に好発し，癌細胞の腺組織の分化や粘液産生が特徴.

b）扁平上皮癌（→p.74，331参照）

①4大組織型のなかで腺癌に次いで多く発生し，約30〜40%を占める悪性上皮性腫瘍.

②肺門部，中枢気管支に好発するが，末梢での発生も増加している.

③扁平上皮癌は喫煙との相関関係が知られている.

④組織像では異型扁平上皮細胞が重層配列ないし充実性胞巣状に増生し，そのなかに角化細胞や細胞間橋がみられる．壊死を伴いやすく，癌真珠とよばれる所見を呈する.

c）小細胞癌（→p.331参照）

①4大組織型のなかで3番目に多く，約15〜25%を占める悪性上皮性腫瘍.

②予後は最も不良である.

③扁平上皮癌と同様に中枢気管支に好発するが，末梢での発生もみられ，喫煙との相関関係が知られている.

④組織学的に，小型で細胞質に乏しい癌細胞が充実性増殖した像を呈し，ときにロゼット形成を示す.

⑤壊死を伴い，神経内分泌系マーカーが陽性を示し，副甲状腺ホルモン（PTH）などのホルモン産生が多い.

d）大細胞癌

①最も発生頻度が少なく，約5〜15%を占める悪性上皮性腫瘍.

②腺癌や扁平上皮癌への分化を示さず，末梢に発生が多い.

3．その他の肺の腫瘍

①良性腫瘍：肺過誤腫，硬化性肺胞上皮腫

②悪性腫瘍：カルチノイド腫瘍，粘表皮癌，腺様嚢胞癌，肺芽細胞腫

4．転移性肺腫瘍

①肺は全身の静脈血が流れ着く臓器であり，他臓器原発の腫瘍細胞が静脈に侵襲し，肺に還流し生着，増殖することで転移する.

②肝癌，大腸癌，胃癌などの血行性転移が多い.

③血行性転移は，両側肺に多発性の転移結節をつくることが多い.

④リンパ行性転移も多く，胃癌，乳癌などが多い.

胸膜の病変

1．中皮腫

①胸膜表面をおおう中皮細胞に由来する悪性上皮性腫瘍．

②アスベスト（石綿）曝露が発癌の原因とされ，数十年の潜伏期を経て中皮腫を引き起こす．

③わが国における中皮腫の死亡数は年々増加傾向を示しており，1995 年には年間約 500 人であった死亡者数が，2008 年では 1,170 人と 10 年余りで 2 倍以上の増加を示している．

④臨床症状として胸水，胸痛，呼吸困難があげられるが，約 80％の症例では体腔液貯留を示すことが知られ，発病初期には体腔液貯留のみが出現し，画像診断では胸膜病変などの所見が明らかでないことも多い．

⑤そのため確定診断には体腔液細胞診が有効であることが多いが，炎症性疾患における反応性中皮細胞との鑑別が困難な場合が多数みられる．

⑥現在では形態学に加え，免役組織化学的検索を併用している．

⑦組織型は多彩で，大きく分けて上皮型（50～60％），肉腫型（20％），二相型（20～30％）に分類される．

⑧中皮腫患者の肺内にはアスベスト小体がみられる．→p.330 参照

縦隔の病変

1．縦隔に発生する腫瘍

①縦隔には上縦隔，前縦隔，中縦隔，後縦隔に分けることができ，それぞれで発生しやすい腫瘍が異なる．

②上縦隔では奇形腫，前縦隔では胸腺腫，胚細胞腫瘍，中縦隔ではリンパ腫，後縦隔では神経鞘腫や神経原性腫瘍などが好発する．

2．胸腺腫

①胸腺腫は縦隔腫瘍のなかで最も多い．成人以降に好発する．

②胸腺腫の約 30％に重症筋無力症が合併する．

③他にも低 γ-グロブリン血症や赤芽球癆，全身性エリテマトーデス（SLE）などが合併する．

セルフ・チェック

A 次の文章で正しいものに○，誤っているものに×をつけよ．

		○	×
1.	細気管支では気管支壁に軟骨がみられる．	□	□
2.	上気道原発の癌は腺癌が多い．	□	□
3.	多発血管炎性肉芽腫症（Wegener 肉芽腫症）では抗好中球細胞質抗体（PR3-ANCA もしくは c-ANCA）が陽性となる．	□	□
4.	気管支喘息では Charcot-Leyden 結晶がみられることがある．	□	□
5.	気管支拡張症は気管支の可逆的拡張を示す慢性炎症性疾患である．	□	□
6.	気管支肺炎は細気管支炎から波及する．	□	□
7.	結核病巣では，融解壊死のほかにラングハンス巨細胞や類上皮細胞がみられる．	□	□
8.	結核は空気感染する．	□	□
9.	原発性肺癌のなかで扁平上皮癌が最も多い．	□	□
10.	腺癌は肺の中枢に好発する．	□	□
11.	肺癌にはホルモン産生がみられるものもある．	□	□
12.	転移性肺腫瘍では肺の片側に転移結節をつくることが多い．	□	□
13.	中皮腫は発癌まで進行が早い．	□	□
14.	胸腺腫は小児に多い．	□	□

A 1-×（細気管支から軟骨成分を欠く），2-×（扁平上皮癌），3-○，4-○，5-×（不可逆的），6-○，7-×（乾酪壊死），8-○，9-×（腺癌），10-×（末梢），11-○，12-×（肺の両側），13-×（遅い．発癌までに数十年かかるとされる），14-×（成人以降に多い）

B

1．肺癌について正しいのはどれか．**2つ選べ．**
- □ ① わが国における悪性新生物の死亡数で上位に位置する．
- □ ② 腺癌は肺門部に好発する．
- □ ③ 小細胞癌は予後良好である．
- □ ④ 扁平上皮癌は喫煙者に多い．
- □ ⑤ 転移性肺癌は単発性腫瘤を形成することが多い．

2．気管支喘息について**誤っている**のはどれか．
- □ ① アレルギー性疾患である．
- □ ② アスベスト小体がみられる．
- □ ③ 喀痰には粘稠性がある．
- □ ④ 小児期に発症することが多い．
- □ ⑤ 閉塞性換気障害を示す．

3．正しいのはどれか．**2つ選べ．**
- □ ① 肺癌の組織型は4つのみである．
- □ ② 胸膜に原発する腫瘍は中皮腫である．
- □ ③ サルコイドーシスでは乾酪壊死がみられる．
- □ ④ 胸腺腫では重症筋無力症が合併する．
- □ ⑤ 転移性肺癌は胃癌，乳癌の血行性転移が多い．

4．最も因果関係の少ない組合せはどれか．
- □ ① 脳血栓――――――脳軟化症
- □ ② 慢性腎炎――――――萎縮腎
- □ ③ サルコイドーシス――肺　癌
- □ ④ 胞状奇胎――――――悪性絨毛上皮腫
- □ ⑤ 肝硬変――――――肝　癌

B　1-①と④（①：2016年で第1位，②：末梢部，③：予後不良，⑤：両側の肺に多発性に形成），2-②（②：アスベスト小体は中皮腫でみられる），3-②と④（①：多彩，③：類上皮細胞性の肉芽腫で，乾酪壊死はみられない，⑤：肝癌，大腸癌，胃癌など），4-③（③：サルコイドーシスは肉芽腫性疾患で予後良好．肺癌とは関係ない）

C　消化器系

学習の目標

- □ 口腔・歯・唾液腺の病変
- □ 食道の病変
- □ 胃・十二指腸の病変
- □ 腸（小腸，大腸，虫垂，肛門）の病変
- □ 肝臓の病変
- □ 胆嚢・胆道系の病変
- □ 膵臓の病変
- □ 腹膜の病変

1 口腔・歯・唾液腺の病変

下記以外の主な病変を**表 2-5** に示す．

1．口腔の腫瘍

①口腔内の腫瘍には乳頭腫，扁平上皮癌が主にみられる．

②口腔癌の多くは扁平上皮癌で，口腔悪性腫瘍の約 90％を占める．

③歯牙に関係した腫瘍を総じて歯原性腫瘍とよび，エナメル上皮腫などがあげられる．

2．唾液腺の腫瘍

①耳下腺に好発し，多数の組織型がみられる．

②唾液腺腫瘍の多くは良性であるが，各唾液腺によって腫瘍の発生割合は異なる．

③良性腫瘍で最も多いのが多形腺腫であり，Warthin（ワルチン）腫瘍が 2 番目に発生頻度が高い．

④悪性腫瘍では粘表皮癌，腺様嚢胞癌，唾液腺導管癌などがある．

表 2-5　口腔・歯・唾液腺の病変

	病態	疾患名	備考
口腔	奇形	唇裂，兎唇，上顎裂，口蓋裂，唇顎口蓋裂，顔裂など	
	炎症・潰瘍	口内炎，舌炎，アフタ性潰瘍	
唾液腺	炎症	流行性耳下腺炎（おたふくかぜ）	・パラミキソウイルスによる感染. ・小児や若年者に多い.
		Sjögren 症候群	→p.68 参照

表 2-6　食道の病変

病態	疾患名	備考
形成異常	食道閉鎖	
	Barrett（バレット）食道	食道下部の重層扁平上皮細胞が後天的に円柱上皮細胞に置換された状態.
	アカラシア	下部食道括約筋の機能不全によって食道が拡張する病態.
循環障害	食道静脈瘤	・肝硬変が原因の門脈圧亢進により食道静脈が拡張し，蛇行した瘤状血管として認める. ・破綻すると大量出血を起こす.
炎症・潰瘍	逆流性食道炎	・胃酸や胃内容物の逆流により，下部食道に炎症をきたす. ・逆流性食道炎の約 10% に Barrett 食道が合併する.
	Barrett 潰瘍	Barrett 食道部に潰瘍を生じたもの.
	Mallory-Weiss（マロリー・ワイス）症候群	腹圧の亢進により食道・胃接合部に縦走裂傷が生じ，大出血や穿孔を起こしたもの.

2 食道の病変

下記以外の主な病変を**表 2-6** に示す.

1．食道癌

①食道癌の約 50% は胸部中部食道（第 2 狭窄部付近）に好発し，次いで約 20% が胸部下部食道に，約 10% が腹部食道に発生する（**図 2-4**）.

②肉眼的に表在型（0 型），隆起型（1 型），潰瘍限局型（2 型），潰瘍浸潤型（3 型），びまん浸潤型（4 型），分類不能型（5 型）に分類される.

③組織学的にはほとんどが扁平上皮癌を占める．一般的に扁平上皮癌は，癌細胞の角化傾向の度合いにより高分化型，中分化型，低分化型に分けられる.

ⅰ）高分化型：癌真珠が癌胞巣中心部にみられる.

ⅱ）中分化型：癌真珠は減少するが，それぞれの細胞に角化を示すものが観察される.

ⅲ）低分化型：癌細胞が紡錘形を呈してくる.

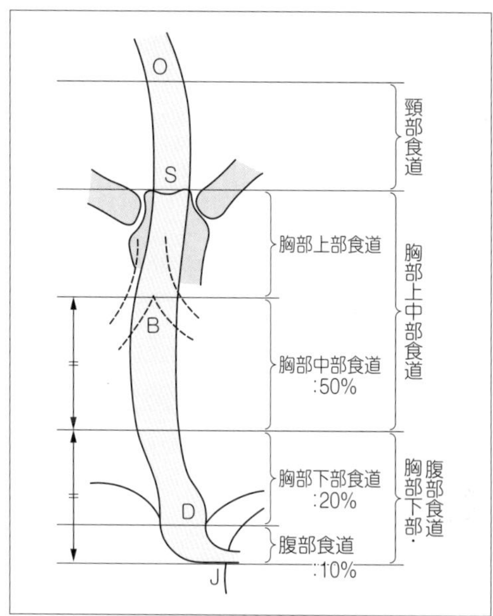

図 2-4　食道癌占拠部位

(松原　修：第 2 章病理学各論．最新臨床検査学講座　病理学/病理検査学．医歯薬出版，2016，p.81 改変)

④腺癌の発生頻度は低く，その発生母地は食道下部に発生する Barrett 食道であることが多い．

⑤食道は縦隔内諸臓器に直接接しているため，気管，気管支，肺，心嚢に直接浸潤する場合が多く，局所の進展は壁内リンパ管侵襲することが多い．

⑥血行性転移では，肝，肺，副腎が多い．

⑦早期食道癌は原発巣の壁深達度が粘膜内にとどまり，リンパ節転移の有無を問わない．表在癌は癌腫の壁深達度が粘膜下層までにとどまり，リンパ節転移の有無を問わないとされている．

3　胃・十二指腸の病変

後述以外の主な病変を表 2-7 に示す．

表 2-7 胃・十二指腸の病変

疾患			備考
胃炎	急性胃炎		
	慢性胃炎	ピロリ菌胃炎	・*Helicobacter pylori* の感染による. ・MALT リンパ腫との関連が考えられている.
		萎縮性胃炎	粘膜固有層への強い炎症細胞浸潤が特徴.
		自己免疫性胃炎	自己免疫により，胃体・底部に限局した慢性びまん性炎症が発生.
		アニサキス症	*Anisakis simplex*，*Anisakis typica* の寄生が多い.
		悪性貧血症	自己免疫による内因子分泌不全が原因.
胃炎・潰瘍関連の特殊な疾患	Zollinger-Ellison（ゾーリンジャー・エリスン）症候群		多発難治性潰瘍，胃酸分泌過多，高ガストリン血症を特徴とする.
	Mallory-Weiss（マロリー・ワイス）症候群		嘔吐後に食道に縦走裂傷が生じる病態.
ポリープ	上皮性	過形成ポリープ	胃ポリープで最も頻度が多いが，悪性化しない.
		胃底腺ポリープ	胃底腺の限局した肥厚により生じる.
		腺腫性ポリープ（管状腺腫）	真の腫瘍性病変で，ときに悪性化する.
	非上皮性	炎症性線維性ポリープ	炎症性，反応性の増殖性良性疾患.
	ポリポーシス	家族性ポリポーシス	・家族性大腸ポリポーシス患者の約半数にみられる. ・若年者に好発. ・常染色体顕性遺伝（優性遺伝）.
		Peutz-Jeghers（ポイツ・ジェガース）症候群	・皮膚・粘膜の点状色素性沈着，消化管過誤腫性ポリポーシスを合併する. ・若年者に多い. ・常染色体顕性遺伝（優性遺伝）.
		Cronkhite-Canada（クロンカイト・カナダ）症候群	・全身脱毛，皮膚色素沈着，胃腸管ポリポーシスなどを合併する. ・男性に多く，40 歳以降に好発.
		胃腸管若年性ポリポーシス	・幼児や小児に好発. ・腺窩上皮過形成と大小の嚢胞形成を伴うポリープが多発.

急性胃炎：急性かつ一過性の急性胃粘膜炎症．噴門部に多い.
慢性胃炎：粘膜の萎縮，過形成，炎症細胞浸潤，腸上皮仮性などの変化がみられる.
ポリープ：粘膜におおわれた隆起性病変を示す臨床的・肉眼的総称.
ポリポーシス：消化管に 100 個以上のポリープが多発する状態.

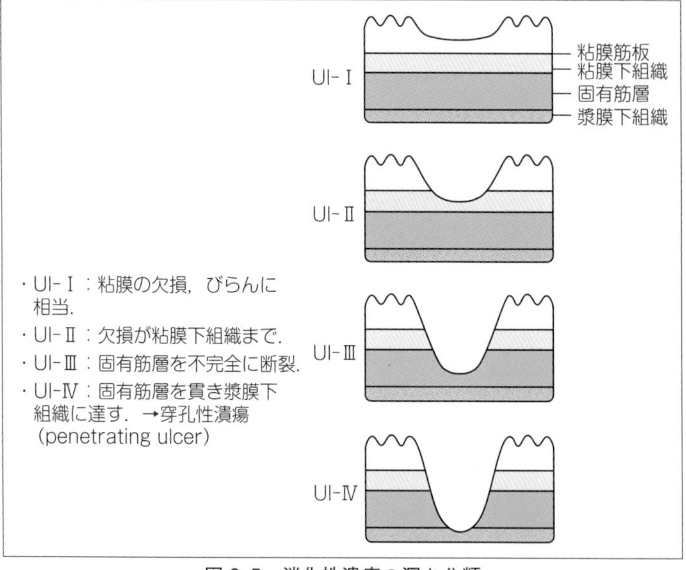

図 2–5　消化性潰瘍の深さ分類

（青笹克之（総編集）：解明病理学 第 3 版．医歯薬出版，2017，p.347 改変）

1．消化性潰瘍（胃潰瘍）

①胃液の消化作用による胃・十二指腸を中心とした消化管潰瘍．

②病理学的に潰瘍とは，組織の壊死や脱落により臓器や組織の表面が局所的に欠如し，陥凹した病変のことをいい，消化管では一般的に組織の欠損が粘膜筋板以下に及ぶものを潰瘍，粘膜のみの欠如をびらんとよぶ．

③男性に多く，胃幽門前庭部小弯側に好発する．

④遺伝的素因やストレス，生活習慣などが絡み合い発症するといわれていたが，*Helicobacter pylori* の感染を胃潰瘍で 75～80%，十二指腸潰瘍でほぼ全例に認め，本菌が主要な原因であるといわれている．また，*H. pylori* は消化性潰瘍だけでなく，胃炎や胃癌，胃の悪性リンパ腫の発生にかかわりがあると考えられている．

⑤非ステロイド性抗炎症薬の関与も原因の一つとされている．

⑥わが国では，潰瘍の深さから，Ul-Ⅰ～Ul-Ⅳに分類される（**図 2–5**）．

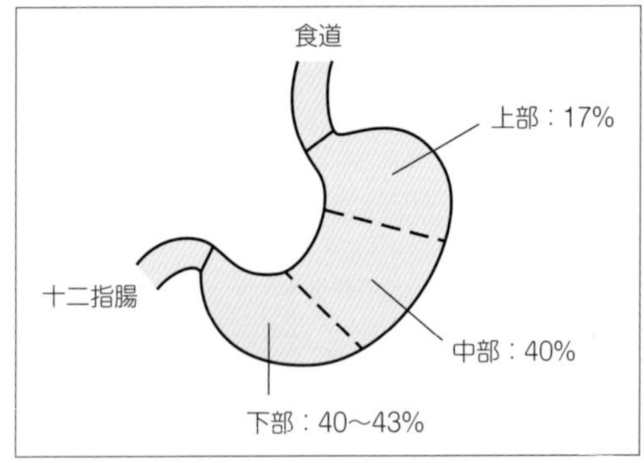

図 2-6　胃癌の占拠部位

2．胃癌

(1) 胃癌の特徴

①わが国における胃癌の罹患率および死亡率は高く，2014 年の 1 年間の胃癌死亡率は全悪性腫瘍の約 13%を占めている．

②好発年齢は 50〜60 歳代で，男女比は約 2：1 である．

③小弯上の幽門前庭部に好発する（図 2-6）．

④胃癌の発癌因子として，喫煙や食塩の過剰摂取があげられる．また，*Helicobacter pylori* の感染は，慢性胃炎，胃潰瘍とともに胃癌の最重要危険因子とされている．

⑤胃癌は，組織進達度により早期胃癌と進行胃癌に分けられる．

⑥早期胃癌：癌の局在が粘膜または粘膜下組織にとどまるもので，リンパ節転移の有無は問わないもの．

⑦進行胃癌：粘膜下組織以下に浸潤するもの．

⑧胃癌の肉眼的分類（Borrmann 分類）は，表在型（0 型），腫瘤型（1 型），潰瘍限局型（2 型），潰瘍浸潤型（3 型），びまん浸潤型（4 型），分類不能（5 型）に分類される．早期胃癌では 0 型に相当する（図 2-7）．

⑨胃癌の組織型で最も多いのが腺癌で，乳頭腺癌，管状腺癌，充実型低分化腺癌を分化型癌，印環細胞癌と非充実型低分化腺癌を未分化癌に大別することが多い．

⑩非上皮性腫瘍として消化管間質腫瘍（GIST）が重要である．GIST については後述する．

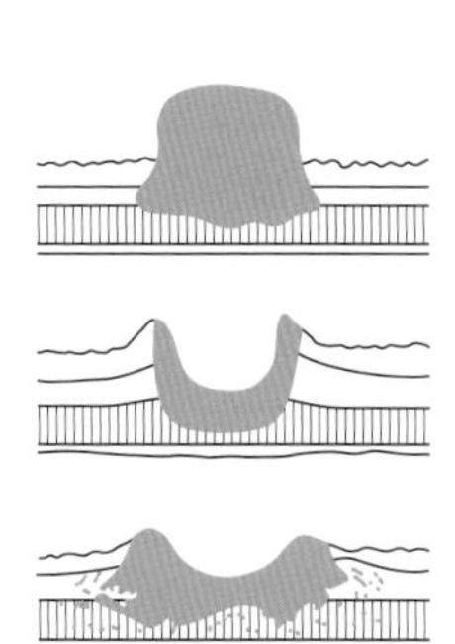

腫瘤型（1 型）：
明らかに隆起した形態を示し，周囲粘膜との境界が明瞭なもの．

潰瘍限局型（2 型）：
潰瘍を形成し，潰瘍をとりまく胃壁が肥厚し周堤と周囲粘膜との境界が比較的明瞭な周堤を形成する．

潰瘍浸潤型（3 型）：
潰瘍を形成し，潰瘍をとりまく胃壁が肥厚し周囲粘膜との境界が不明瞭な周堤を形成する．

びまん浸潤型（4 型）：
著明な潰瘍形成も周堤も無く，胃壁の肥厚・硬化を特徴とし，病巣と周囲粘膜との境界が不明瞭なもの．

分類不能（5 型）：
0〜4 型のいずれにも分類し難いもの．

図 2-7　胃癌の肉眼的分類

（胃癌取扱い規約より抜粋）

(2) 胃癌の進展様式

直接浸潤，リンパ行性転移，血行性転移，腹膜播種の 4 つがある．

①直接浸潤：膵，肝門部，十二指腸に多い．

②リンパ行性転移：傍胃リンパ節，左鎖骨上窩リンパ節（Virchow 転移）へ転移．

③血行性転移：肝，肺，骨，脳，腎へ転移．

④腹膜播種：癌性腹膜炎，両側卵巣転移（Krukenberg 腫瘍），ダグラス窩や直腸周囲への播種（Schnitzler 転移）．

(3) 胃癌のための胃生検組織診断分類（胃癌取扱い規約より）

Group X：生検組織診断ができない不適材料

Group 1：正常組織および非腫瘍性病変

Group 2：腫瘍性（腺腫または癌）か非腫瘍性か判断の困難な病変

Group 3：腺腫病変

Group 4：腫瘍と判定される病変のうち，癌が疑われる病変

Group 5：癌

3．消化管間質腫瘍（gastrointestinal stromal tumor；GIST）

①消化管間質由来の紡錘形細胞主体の腫瘍．
②受容体型チロシンキナーゼ KIT（CD117）を発現するため，多くの GIST は免疫組織化学的に c-kit（CD117）が陽性を示すことが多い．
③消化管のどの部位からでも発生するが，胃に最も多く認める．

4 腸（小腸，大腸，虫垂，肛門）の病変

大腸癌以外の主な腸の病変を表 2-8 に示す．

1．大腸癌

①50 歳代～60 歳代に多くみられ，直腸と S 状結腸に好発する．
②発癌因子として喫煙やアルコール摂取，潰瘍性大腸炎などの慢性炎症性疾患，家族性大腸腺腫症などの遺伝性疾患があげられる．
③肉眼的分類は胃癌と同様である．
④組織学的分類では，腺癌がほとんどで，乳頭腺癌，管状腺癌，低分化腺癌，粘液癌，印環細胞癌に亜分類される．
⑤組織学的進行度はⅠ，Ⅱ，Ⅲ，Ⅳ期に分類され，壁進達度，リンパ節転移，遠隔転移の程度により決定される．
⑥欧米では Dukes（デュークス）分類が用いられており，ステージ A～D に分けることができる．

ステージ A：癌が大腸壁にとどまるもの．
ステージ B：大腸壁を超えているが隣接臓器に及んでいないもの．
ステージ C：癌が隣接臓器に浸潤しているか，リンパ節転移のあるもの．
ステージ D：腹膜，肝，肺などへの遠隔転移のあるもの．

⑦5 年生存率は，ステージ A が 95%，ステージ B が 80%，ステージ C が 70%，ステージ D が 25% である．
⑧進展様式では，胃癌に比べ粘膜下層以下に進展する傾向がある．
⑨血行性転移は肝臓が多く，その他に肺や骨，脳に転移する．
⑩リンパ節転移は大腸癌手術例の約半数にみられる．
⑪大腸癌では遺伝子異常による多段階発癌がいくつも発見されている．例として *KRAS* がん遺伝子，*APC* がん抑制遺伝子，*TP53*（*p53*）がん抑制遺伝子，ミスマッチ修復遺伝子などがあげられる．

表 2-8 腸（小腸，大腸，虫垂）の病変

病態	疾患	備考
先天異常	Meckel（メッケル）憩室	胎生期に存在する卵黄腸管近位部の遺残，閉鎖不全により形成．
	先天性巨大結腸症［Hirschsprung（ヒルシュスプルング）病］	マイスナー神経叢およびアウエルバッハ神経叢における神経節細胞の先天的欠失による欠損部腸管の狭窄と近位部での二次的拡張により生じる巨大結腸症．
腸管閉塞（イレウス）	腸管閉塞（イレウス）	・腸管の通過機能が途絶され生じる疾患． ・小腸に好発．
炎症性疾患	細菌性腸炎，ウイルス性腸炎，真菌性腸炎，寄生虫性腸炎，急性虫垂炎	
	Crohn（クローン）病	・原因不明の疾患．口腔から肛門までのあらゆる消化管で発症する．その中でも特に小腸，大腸に好発する． ・10 歳代後半～20 歳代に好発． ・飛び石状病変，縦走潰瘍，敷石像の肉眼所見を呈する．
	潰瘍性大腸炎	・原因不明の非特異的炎症性疾患． ・直腸に始まる左側大腸の疾患であり，そこから連続的に口側の結腸に広がり，全大腸に広がることがある． ・好発年齢は 10 歳代～30 歳代であるが，若年者から高齢者まで発症する． ・長期経過をとるため，発癌のリスクが高い．
腫瘍様病変	過形成性ポリープ	1 cm 以下の小さなポリープで，無茎性が多く，多発することがある．
	若年性ポリープ	良性ポリープで，多くは 10 歳以下に好発する．
	炎症性線維性ポリープ	胃の項参照
遺伝性腫瘍と消化管ポリポーシス	家族性大腸腺腫症	・大腸に多数の腺腫が存在する状態である． ・多くは遺伝性で，常染色体顕性遺伝（優性遺伝）を示し，*APC* 遺伝子変異が関係している．
	Peutz-Jeghers 症候群	胃の項参照
	Cronkhite-Canada 症候群	胃の項参照
	若年性ポリポーシス	胃の項参照
	Cowden（カウデン）症候群	・消化管ポリポーシス，種々の皮膚良性病変． ・乳癌や甲状腺癌を高頻度に合併する遺伝性疾患．

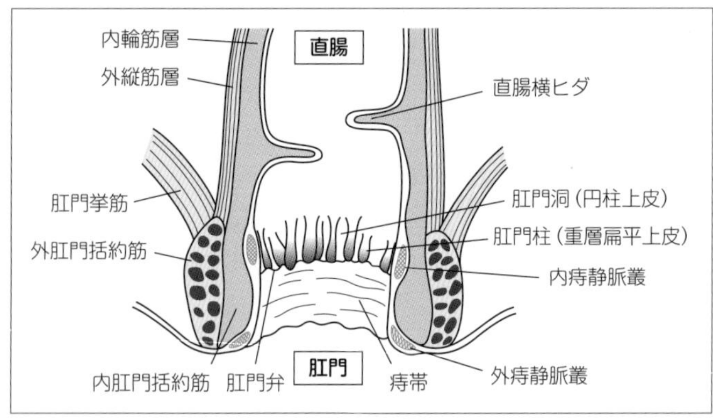

図 2-8 肛門

表 2-9 肛門の病変

非腫瘍性病変	痔瘻，痔核，肛門ポリープ，尖圭コンジローマなど
悪性腫瘍	腺癌，扁平上皮癌，腺扁平上皮癌，内分泌腫瘍，悪性黒色腫，乳房外 Paget（パジェット）病など

2．肛門の病変

肛門の模式図を**図 2-8**，主な病変を**表 2-9** に示す．

5 肝臓の病変

肝炎を**表 2-10** に示す．

1．アルコール性肝障害

①アルコールの長期にわたる多飲により，肝臓に脂肪が蓄積され（脂肪肝），肝炎や肝硬変を引き起こす．

②組織学的には，肝細胞の変性，肝細胞周囲における線維増生，マロリー小体（細胞質内に凝集した中間径フィラメント）を認める．

③アルコールを摂取しない人にも同様の病態を示すことが明らかとなり，非アルコール性脂肪肝炎（non-alcoholic steatohepatitis；NASH）とよばれる．

2．肝硬変

①原因は，主にウイルス性肝炎やアルコール性肝障害である．

表 2-10　肝炎

疾患	備考	
ウイルス性肝炎	肝炎ウイルス	・最も頻度が高い. ・肝炎ウイルスは，現在 F 型を除く A～G 型までの 6 種類が存在. ・B 型のみ DNA ウイルス. ・C 型肝炎は肝硬変，肝癌への移行率が特に高い.
	その他のウイルス	伝染性単核球症ウイルス，サイトメガロウイルス，ヘルペスウイルスなど
自己免疫性肝炎	細胞性免疫の異常によるものと考えられている．抗核抗体，抗平滑筋抗体.	
新生児肝炎	出生後数日で高度の黄疸.	
肝膿瘍	赤痢アメーバ，細菌（大腸菌，レンサ球菌，ブドウ球菌など）の感染.	
肝吸虫症	肝吸虫の感染．肝腫大.	
Weil 病	レプトスピラの感染．黄疸.	
結核，梅毒，腸チフスなどの特殊性肉芽腫症	p.56 参照	

②肝硬変は，三宅ら（1965 年）によると，肉眼的な結節形成（偽小葉），グリソン鞘間またはグリソン鞘と中心静脈間の間質性隔壁，再生結節，びまん性病変の 4 点を伴うことと定義されている.

③合併症をきたしやすく，黄疸，凝固障害，肝性脳症などの肝細胞障害，門脈高血圧症，脾腫，門脈–全身の側副循環の増大（食道静脈瘤，痔），腹水，肝細胞癌などがあげられる.

④肝硬変には特殊型肝硬変に分類されるものがあり，右心不全の持続により引き起こされるうっ血性肝硬変，抗ミトコンドリア抗体などによる自己免疫性疾患である原発性胆汁性胆管炎，日本住血吸虫や肝吸虫によって起こる寄生虫性肝硬変，肝に大量の銅が沈着することにより引き起こされる Wilson 病などが知られている.

2．肝の腫瘍

ここでは主に，肝細胞癌，肝内胆管癌，肝芽腫，転移性肝癌について述べる.

(1) 肝細胞癌

①発癌の平均年齢は 60 歳代前半であり，男女比 3：1 で男性に多い.

②ウイルス性肝炎がリスクファクターとなっており，わが国では C

型肝炎が最多で，ウイルス性肝炎から発生する肝細胞癌の約 7 割を占める．B 型肝炎では約 1〜2 割である．

③組織学的には肝細胞に類似した索状配列をとることが多く，高分化型，中分化型ではこの構造をみることが多い．低分化型では巨大な未熟細胞がみられることが多く，予後は不良である．

④肝細胞癌は肝内転移をしばしば認め，毛細血管が豊富である．

(2) 肝内胆管癌

①肝細胞癌に比べ，頻度は 1/10 と低い．

②肝内胆管癌の発癌要因は，原発性硬化性胆管炎やトロトラストなどが知られている．

③肝硬変の合併症はない．

④組織学的には胆管上皮に類似した異型腺管増殖が特徴であり，血流に乏しくリンパ節転移をしやすい．

(3) 肝芽腫

①小児に発生する腫瘍．

②壊死と出血が著明な肝細胞類似の増殖がみられる．

(4) 転移性肝癌

①腫瘍細胞が門脈を通じて肝臓に転移しやすい．そのため，消化管系腫瘍の肝転移が多い．

②消化管以外では乳癌からの転移が多い．

6 胆嚢・胆道系の病変

下記以外の主な病変を**表 2-11** に示す．

1．胆嚢癌

①女性にやや多く，60 歳以上の女性の発癌頻度が高い．

②胆石や高齢女性，食事内容，膵・胆管合流異常などが危険因子としてあげられる．

③胆嚢癌に胆石が合併する頻度は 50％以下であるが，胆石症に胆嚢癌が合併する頻度はかなり少なく約 1％以下である．

④組織学的には大部分が腺癌であり，胆嚢内腔に乳頭状あるいは結節状に増殖するもの，びまん性に壁内を増殖するものがある．

2．胆道癌

①男性にやや多く，膵・胆管合流異常，胆石，持続性胆管炎，潰瘍性大腸炎，高齢男性などが危険因子となる．

表 2-11　胆嚢・胆道系の病変

胆石症	・胆石は胆道系で生成される結石の総称. ・男女比は約 1：2 で女性に多く，40 歳代から年齢とともに増加する. ・胆石の形成には胆汁成分の変化が原因であり，コレステロール系胆石，ビリルビンカルシウム胆石が形成される. ・部位別では，胆嚢結石が約 80%，肝外胆管結石が 20%程度，肝内胆管結石が 1%程度である.
急性胆嚢炎	・90%以上に胆石を認める. ・胆嚢には粘膜筋板の欠如，固有筋層の菲薄，ロキタンスキー・アショフ洞の存在により，炎症が容易に全層に波及しやすい.
慢性胆嚢炎	慢性胆嚢炎の 95%に胆石の合併を認める．そのため，胆石による慢性的な刺激が発生要因であると考えられている.

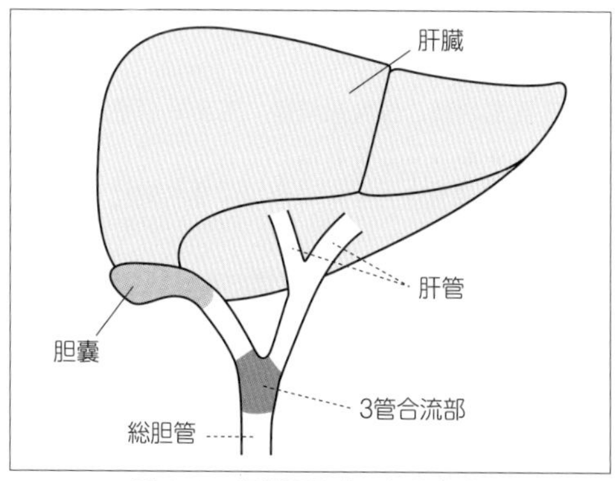

図 2-9　肝外胆管癌の好発部位

②肝外胆管癌は肝管癌，上部・中部・下部胆管癌に分けられ，3 管合流部に好発する（図 2-9）.

③組織学的には大部分が腺癌であり，胆管壁内進展が特徴的である.

7 膵臓の病変

下記以外の主な病変を表 2-12 に示す.

1．膵管癌（浸潤性膵管癌）

①膵癌の 90％以上を占める膵管上皮由来の腺癌である.

②膵は被膜を有しないため，周囲組織へ浸潤しやすい.

③組織学的には乳頭状腺癌，管状腺癌が多い.

表 2-12　膵臓の病変

急性膵炎	・男性は 50 歳代，女性は 70 歳代にピークを迎える． ・男性ではアルコール，女性では特発性や胆石が多い． ・膵酵素が活性化され，膵の自己融解を引き起こす．
慢性膵炎	・男性に多く（約 80%），その半数が 40 歳代～50 歳代に発症する． ・男性ではアルコール，女性では特発性や胆石が多い． ・慢性炎症性変化を認め，膵外・内分泌機能の低下もみられる．

④他の消化管の早期癌に比べて予後不良である．

⑤*KRAS* の点変異や変異 *TP53*（*p53*）の発現を伴うことが多い．

2．膵管内乳頭粘液性腫瘍（intraductal papillary-mucinous neoplasms；IPMNs）

①中年男性の膵頭部に好発し，粘液貯留による膵管拡張を特徴とする腫瘍．

②組織像は高乳頭増殖，低乳頭増殖，完全平坦増殖などがある（非乳頭増殖を示すものも含まれる）．

③Alcian blue 染色陽性を示す粘液性（～非粘液性）高円柱状細胞で内腔がおおわれている．

④上皮の細胞異型の程度により，膵管内乳頭粘液性腺腫（intraductal papillary-mucinous adenoma；IPMA）あるいは膵管内乳頭粘液性腺癌（intraductal papillary-mucinous carcinoma；IPMC）に分類する．

3．膵腺房細胞腫瘍

①膵癌の約 1％と頻度は低い．

②腺房細胞への分化を示す癌で，充実性に増殖する．

4．神経内分泌腫瘍

①膵ランゲルハンス島を構成する内分泌細胞由来の腫瘍で，ホルモンを産生する機能性と，産生しない非機能性がある．

②腫瘍は充実性で，黄白色髄様を呈する．

③組織学的には小型細胞が索状，腺房状などの増生をとり，毛細血管が豊富である．

④WHO 組織分類（2010 年）で神経内分泌腫瘍は，神経内分泌腫瘍（neuroendocrine tumors；NETs）と神経内分泌癌（neuroendocrine carcinoma；NECs）に分類された．

8 腹膜の病変

1．腹膜偽粘液腫

①高分化腺癌，腺腫または非腫瘍性粘液産生性細胞が腹腔症膜面で増殖し，産生された多量の粘液で腹腔内が満たされた状態をいう．

②臨床的には悪性とされる．

2．癌性腹膜炎

①癌細胞が腹腔内に播種したもの．

②原発巣は胃が多い．

日本人の死亡原因の順位

2017 年のわが国における死亡数の死因順位は，(1) 悪性新生物〈腫瘍〉，(2) 心疾患，(3) 脳血管疾患，(4) 老衰，(5) 肺炎となっており，第 1 位の悪性新生物（がん）は 2017 年の全死亡者に占める割合が 27.9%[10]で，およそ 3.5 人に 1 人ががんで死亡している状況である．がんは 1981 年以降に死因順位の第 1 位になってから一貫して増加している．近年のがんの治療には，従来の外科的治療，放射線療法に加えて，標的療法などのがんの個別化治療も行われるようになり，一定の成果を上げている．がんの前癌状態である異形成や異型性病変，がんとの鑑別が重要になっている境界病変などがあり，異形成，異型性病変での早期発見や診断精度の向上の必要性はいうまでもない．

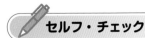

セルフ・チェック

A 次の文章で正しいものに○，誤っているものに×をつけよ．

	○	×
1. 口腔癌の多くは腺癌である．	□	□
2. 唾液腺腫瘍の多型腺腫は悪性腫瘍である．	□	□
3. 食道癌では扁平上皮癌が多い．	□	□
4. 食道癌は胸部中部・下部食道に好発する．	□	□
5. 早期食道癌は原発巣の壁深達度が粘膜下層までにとどまり，リンパ節転移の有無を問わない．	□	□
6. 胃癌は胃噴門部付近が好発部位である．	□	□
7. *Helicobacter pylori* の感染は胃癌の発癌因子である．	□	□
8. 胃の過形成ポリープは高率に癌化する．	□	□
9. 早期胃癌は，癌の局在が粘膜または粘膜下組織にとどまるもので，リンパ節転移の有無は問わない．	□	□
10. 胃癌の肉眼的分類の 1～4 型は Dukes 分類が用いられている．	□	□
11. 早期胃癌の肉眼的分類は表在型（0 型）に相当する．	□	□
12. 大腸癌は横行結腸に好発する．	□	□
13. 大腸癌では腺癌が多い．	□	□
14. 大腸癌の血行性転移は肺が最も多い．	□	□
15. 大腸癌の肉眼的分類は胃癌の分類と同様である．	□	□
16. 大腸癌は小腸癌よりも発生頻度が低い．	□	□
17. 肝細胞癌より肝内胆管癌の方が頻度は高い．	□	□
18. アルコール性肝障害では，組織学的にマロリー小体を認める．		
19. 膵癌では，膵腺房細胞癌が最も多い．	□	□
20. 膵癌は他の消化管癌に比べ，予後は良好である．	□	□

A 1-×（扁平上皮癌），2-×（良性腫瘍），3-○，4-○，5-×（壁深達度は粘膜内にとどまり，リンパ節転移の有無を問わないもの），6-×（小彎上の幽門前庭部），7-○，8-×（癌化しない．腺腫性ポリープはときに悪性化する），9-○，10-×（Borrmann 分類），11-○，12-×（S 状結腸と直腸），13-○，14-×（肝臓が最も多い），15-○（ただし，0 型の亜型は異なる），16-×，17-×（低い），18-○，19-×（膵管癌が最多），20-×（予後不良）

B

1. 肝硬変と**関係がない**のはどれか．
   - □ ① 腹　水
   - □ ② 食道静脈瘤
   - □ ③ 脾　腫
   - □ ④ くも膜下出血
   - □ ⑤ 痔

2. 肝・胆道・胆囊系疾患について**誤っている**のはどれか．
   - □ ① 脂肪肝はアルコールの多飲によって起こることが多い．
   - □ ② 肝細胞癌の原因はC型肝炎が最多である．
   - □ ③ 肝芽腫は成人に多く発症する腫瘍である．
   - □ ④ 胆石症に胆囊癌が合併する頻度はかなり少ない．
   - □ ⑤ 胆道癌は壁内進展が特徴的である．

3. 正しいのはどれか．**2つ選べ．**
   - □ ① 胃癌がリンパ行性に転移する場合，まず肝転移としてみられることが最も多い．
   - □ ② Virchow転移とは，癌細胞がリンパ行性に左鎖骨上窩リンパ節に転移した状態である．
   - □ ③ 胃癌などの片側卵巣への転移はKrukenberg腫瘍とよばれる．
   - □ ④ Schnitzler転移とは，癌細胞がダグラス窩や直腸周囲へ播種した状態である．
   - □ ⑤ 癌性腹膜炎は，胃癌などが腹膜へ血行性に転移した状態である．

B　1–④，2–③，3–②と④

4. 誤っているのはどれか.

- □ ① 消化管間質腫瘍(GIST)は免疫組織化学的にc-kit(CD117)の発現を認めることが多い.
- □ ② 消化管間質腫瘍（GIST）は胃に最も多く認められる.
- □ ③ 肝細胞癌は肝硬変を合併することが多い.
- □ ④ 家族性大腸腺腫症は常染色体潜性遺伝（劣性遺伝）を示す.
- □ ⑤ 大腸癌は遺伝子異常による多段階発癌がみられる.

5. 遺伝性疾患でないのはどれか.

- □ ① 先天性巨大結腸症
- □ ② Crohn 病
- □ ③ 家族性大腸腺腫症
- □ ④ Peutz–Jeghers 症候群
- □ ⑤ Cowden 症候群

4–④（④：常染色体顕性遺伝（優性遺伝）を示す），5–②

D　血液・造血器系

学習の目標

- □ 白血球数増減の病態像
- □ 白血病の分類
- □ 成人T細胞白血病
- □ 多発性骨髄腫
- □ 貧血の種類
- □ 出血性素因
- □ DIC
- □ Banti 症候群
- □ 脾腫をきたす疾患
- □ 胸腺腫
- □ リンパ節の非腫瘍性病変
- □ 悪性リンパ腫の分類

同シリーズ『臨床血液学』も参照のこと.

1 骨髄の病変

表 2-13 を参照.

1．成人T細胞白血病（adult T-cell leukemia；ATL）

①T 細胞性腫瘍
②20 歳以上の成人に発症.
③HTLV-1（human T-lymphotropic virus type 1）の感染と関係.
④九州，沖縄，四国南部に多い.
⑤末梢血液像で花冠状の異常リンパ球

2．多発性骨髄腫

①形質細胞性腫瘍
②高齢者の男性に多い.
③頭蓋骨の打ち抜き像・長管骨の石けん泡沫状像
④尿中 Bence Jones（ベンス・ジョーンズ）蛋白
⑤骨髄腫腎
⑥アミロイドーシスの合併

2 脾臓の病変

表 2-13，14 を参照.

表 2-13 血液・造血器系の疾患

骨髄	**白血球数増減の病態像**	白血球増加症，白血球減少症，好酸球増多症，リンパ球増多症，リンパ球減少症，核左方移動，核右方移動，類白血病反応，無顆粒細胞症（無顆粒球症）
	白血病	・急性白血病：急性骨髄性白血病（M0～M7），急性リンパ性白血病（L1～L3） ・慢性白血病：慢性骨髄性白血病，慢性リンパ性白血病 ・骨髄異形成症候群（MDS） ・成人 T 細胞白血病（ATL）
	形質細胞の障害	多発性骨髄腫，マクログロブリン血症，重鎖病
	貧血	・赤血球産生異常・低下：鉄欠乏性貧血，巨赤芽球性貧血，異常血色素症，ヘム合成障害，特発性再生不良性貧血，薬物・放射能などによる再生不良性貧血，造血空間の減少によるもの（白血病，癌の骨髄転移など） ・赤血球の破壊亢進：溶血性貧血［発作性夜間ヘモグロビン尿症，異常血色素症，ヘム合成障害，後天性溶血性貧血，Banti（バンチ）症候群］ ・赤血球の血管外喪失：出血性貧血
	出血性素因	特発性血小板減少性紫斑病（ITP），血栓性血小板減少性紫斑病（TTP），播種性血管内凝固（DIC）
脾臓	無脾症，脾のうっ血，特発性門脈高血圧症（Banti 症候群），脾腫（表 2-14）	
胸腺	胸腺のリンパ濾胞過形成，悪性腫瘍（胸腺腫，扁平上皮癌，未分化癌，胚細胞性腫瘍，リンパ腫など）	
リンパ節	**非 Hodgkin リンパ腫**	・B 細胞リンパ腫：慢性リンパ性白血病/小細胞性白血病，マントル細胞リンパ腫，濾胞性リンパ腫，節外性辺縁帯 B 細胞性リンパ腫 MALT 型（粘液関連リンパ組織リンパ腫），形質細胞性腫瘍，びまん性大細胞型 B 細胞性リンパ腫（DLBCL），Burkitt リンパ腫など ・T/NK 細胞リンパ腫：未分化大細胞型リンパ腫，鼻型節外性 NK/T 細胞リンパ腫，成人 T 細胞性白血病/リンパ腫，菌状息肉腫・セザリー症候群など
	Hodgkin リンパ腫	結節性リンパ球優位型 Hodgkin リンパ腫，古典的 Hodgkin リンパ腫

3 胸腺の病変

表 2-13 を参照.

表 2-14　脾腫をきたす疾患[4)]

A．門脈高血圧症	**C．代謝性疾患**
1. 肝硬変	1. Gaucher 病
2. 心臓弁膜症	2. Niemann-Pick 病
3. 日本住血吸虫症	3. Hand-Schüller-Christian（ハンド・シュラー・クリスチャン）病
4. 原発性肺ヘモジデリン症（IPH）	4. 糖尿病
5. Budd-Chiari（バッド・キアリ）症候群	5. アミロイドーシス
6. 門脈血栓症	**D．血液疾患**
B．感染症	1. 溶血性貧血，悪性貧血
1. 敗血症	2. 真性多血症，赤血病
2. 心内膜炎	3. 急性・慢性骨髄性白血病
3. マラリア	4. 骨髄線維症
4. カラアザール	5. 悪性細網症
5. Felty（フェルティ）症候群	**E．悪性腫瘍**
6. 粟粒結核	

4 リンパ節の病変

悪性リンパ腫は非 Hodgkin（ホジキン）リンパ腫と Hodgkin リンパ腫に大別される．

1．非 Hodgkin リンパ腫

(1) B 細胞リンパ腫（表 2-15）

①前駆細胞性リンパ腫
②慢性リンパ性白血病/小細胞性白血病
③マントル細胞リンパ腫
④濾胞性リンパ腫
⑤節外性辺縁帯 B 細胞性リンパ腫 MALT 型（粘液関連リンパ組織リンパ腫）（MALT リンパ腫）
⑥リンパ形質細胞性リンパ腫
⑦節性および脾の辺縁帯 B 細胞リンパ腫
⑧形質細胞性腫瘍
⑨びまん性大細胞型 B 細胞性リンパ腫（DLBCL）
⑩Burkitt（バーキット）リンパ腫
⑪原発性滲出液リンパ腫

(2) T/NK 細胞リンパ腫

①血管免疫芽球性 T 細胞リンパ腫
②未分化大細胞型リンパ腫

表 2-15　B 細胞性リンパ腫の悪性度

低リスクのもの（低悪性度/慢性）	慢性リンパ性白血病/小細胞性リンパ腫 リンパ形質細胞性リンパ腫 ヘアリー（有毛）細胞白血病 節性および脾の辺縁帯 B 細胞リンパ腫 MALT リンパ腫 濾胞性リンパ腫（grade 1，2，3a）
中等度リスクのもの（高悪性度）	形質細胞性腫瘍 マントル細胞リンパ腫 濾胞性リンパ腫（grade 3b） びまん性大細胞型 B 細胞性リンパ腫
高リスクのもの（高々悪性度/急性）	リンパ芽球性リンパ腫/急性リンパ芽球性白血病 Burkitt リンパ腫 形質細胞白血病

（Hiddemann, W. et al.：*Blood*, 88：4085～4089, 1996 より）

③末梢性 T 細胞リンパ腫，非特異型
④鼻型節外性 NK/T 細胞リンパ腫
⑤成人 T 細胞白血病/リンパ腫
⑥菌状息肉腫・セザリー症候群

2．Hodgkin リンパ腫

リンパ球や形質細胞，マクロファージなどに混ざって，大型の単核細胞（Hodgkin 細胞）や 2 核～多核細胞［Reed-Sternberg（リード・ステルンベルグ）細胞］がみられる．

（1）結節性リンパ球優位型 Hodgkin リンパ腫

（2）古典的 Hodgkin リンパ腫

①結節硬化型
②リンパ球豊富型
③混合細胞型
④リンパ球減少型

セルフ・チェック

A 次の文章で正しいものに○，誤っているものに×をつけよ．

	○	×
1. 骨髄の増殖能のさかんな部位を黄色髄という．	□	□
2. 白血球の核左方移動では顆粒球の増加，分節球の多分葉がみられる．	□	□
3. 急性骨髄性白血病では胞体内に Auer 小体が存在する．	□	□
4. 慢性骨髄性白血病では Ph 染色体が陽性（90％ほど）である．	□	□
5. 骨髄異形成症候群では造血幹細胞のクローン性増殖，無効造血がみられる．	□	□
6. 多発性骨髄腫では通常，骨髄腫腎，アミロイドーシスの合併はみられない．	□	□
7. 多発性骨髄腫は高齢者に多く，尿中 Bence Jones 蛋白の出現を特徴とする．	□	□
8. 再生不良性貧血では赤芽球系の増殖や髄外造血を認める．	□	□
9. 血栓性血小板減少性紫斑病の 3 主徴は溶血性貧血，血小板減少症，多彩な神経症状である．	□	□
10. 濾胞性リンパ腫の染色体異常は t(8;14)(q24;q32) であることが多い．	□	□
11. 成人 T 細胞白血病は九州，四国，太平洋沿岸，カリブ海域に多くみられる．	□	□

A 1−×（赤色髄），2−×（右方移動），3−○，4−○，5−○，6−×（みられる），7−○，8−×（認めない），9−○，10−×（Burkitt リンパ腫），11−○

12. Burkitt リンパ腫は高悪性度である. □ □
13. MALT リンパ腫は低悪性度である. □ □
14. 菌状息肉症（セザリー症候群）は末梢性 T 細胞リンパ腫である. □ □
15. マントル細胞型リンパ腫は B 細胞リンパ腫である. □ □
16. 濾胞性リンパ腫は T 細胞リンパ腫である. □ □
17. MALT リンパ腫は T 細胞リンパ腫である. □ □
18. Burkitt リンパ腫は B 細胞リンパ腫である. □ □

B

1. 多発性骨髄腫について**誤っている**のはどれか.
   - □ ① 脊椎骨は好発部位である.
   - □ ② 結節性腫瘍は骨の吸収・破壊を伴う.
   - □ ③ 結節性腫瘍の大きさは大小さまざまである.
   - □ ④ 腎糸球体の退行性変性が強い.
   - □ ⑤ 尿中 Bence Jones 蛋白陽性である.
2. 播種性血管内凝固（DIC）について**誤っている**のはどれか.
   - □ ① 血小板や凝固因子の消費亢進
   - □ ② フィブリン血栓が各臓器内微小血管へ出現
   - □ ③ 一次線溶の亢進で FDP が流血中に出現
   - □ ④ 多発性骨髄腫に合併
   - □ ⑤ 血沈の遅延

12–○, 13–○, 14–○, 15–○, 16–×（B 細胞リンパ腫）, 17–×（B 細胞リンパ腫）, 18–○

B 1–④（④：尿路上皮の退行性変性がみられる）, 2–③（③：二次線溶の亢進）

3．わが国において最も頻度の高い悪性リンパ腫はどれか．

- □　① 濾胞性リンパ腫
- □　② Burkitt リンパ腫
- □　③ びまん性大細胞型 B 細胞性リンパ腫（DLBCL）
- □　④ 成人 T 細胞白血病/リンパ腫
- □　⑤ Hodgkin リンパ腫

3–③

E　内分泌系

学習の目標

- □ 視床下部の病変
- □ 下垂体の病変
- □ 松果体の病変
- □ 甲状腺の病変
- □ 副甲状腺（上皮小体）の病変
- □ 副腎の病変

同シリーズ『臨床化学』，『臨床医学総論/臨床検査医学総論』も参照のこと．

視床下部の病変

正中線上に発生しやすい腫瘍，頭蓋咽頭腫，胚細胞腫，松果体腫，奇形腫，上皮腫，脈絡叢乳頭腫など，原発性あるいは転移性脳腫瘍で浸潤や圧迫を受けた状態，肉芽腫や炎症の波及，外傷などの病変で視床下部の病変が起こる．

下垂体の病変

表 2-16 を参照．

1．下垂体腺腫

(1) 特徴

①下垂体前葉の腺細胞に由来する良性腫瘍．

②20〜60 歳に好発し，20 歳代では女性が多いが，その他の年齢では性差はあまりない．

③免疫組織化学染色により産生ホルモンを解析することで腺腫の分類が行われている．

(2) 成長ホルモン産生腺腫

①腺腫の約 20％を占め，40〜60 歳に多く，性差はほとんどない．

②成長ホルモン過剰産生により，巨人症や末端肥大症を生じさせる．

(3) プロラクチン産生腺腫

①腺腫の約 30％を占め，女性に多く，20〜30 歳代の発症が約 7 割を占める．

表 2-16　内分泌系の病変

下垂体	前葉	・**下垂体前葉機能亢進症**：副腎皮質刺激ホルモン過剰症［Cushing（クッシング）症候群，Cushing 病，Nelson（ネルソン）症候群］，成長ホルモン過剰症（巨大症，末端肥大症） ・**下垂体前葉機能低下症**：Simmonds（シモンズ）病，Sheehan（シーハン）症候群
	後葉	中枢性尿崩症，ADH 不適合分泌症候群（SIADH）
	下垂体腺腫，下垂体癌，頭蓋咽頭腫，ラトケ嚢胞	
松果体	松果体細胞腫，松果体芽腫，胚細胞腫など	
甲状腺	・**甲状腺機能亢進症**：Basedow（バセドウ）病［Graves（グレーブス）病］，中毒性腺腫様結節（甲状腺腫），Plummer（プランマー）病 ・**甲状腺機能低下症**：クレチン症，粘液水腫 ・**甲状腺炎**：急性（化膿性）甲状腺炎，亜急性甲状腺炎，橋本病，Riedel（リーデル）甲状腺炎 ・**腺腫様甲状腺腫** ・**甲状腺の腫瘍**：濾胞腺腫，乳頭癌，濾胞癌，髄様癌，低分化癌，未分化癌	
副甲状腺（上皮小体）	・**副甲状腺機能亢進症**：原発性副甲状腺機能亢進症［多発性内分泌腫瘍症（MEN1，MEN2）*］，続発性副甲状腺機能亢進症 ・**副甲状腺機能低下症**：突発性副甲状腺機能低下症［DiGeorge（ディジョージ）症候群，多腺性自己免疫症候群 I 型，PTH 分泌異常，カルシウム受容体遺伝子異常など］，続発性副甲状腺機能低下症，偽性副甲状腺機能低下症	
副腎	・**副腎皮質機能亢進症**：Cushing 症候群（ACTH 依存性，ACTH 非依存性），原発性アルドステロン症，性ホルモン過剰 ・**副腎皮質機能低下症**：Addison（アジソン）病，急性副腎皮質機能低下症［Waterhouse-Friderichsen（ウォーターハウス・フリードリクセン）症候群］ ・**副腎髄質の腫瘍**：褐色細胞腫，神経芽腫	

*多発性内分泌腫瘍症（MEN1）：副甲状腺機能亢進症，下垂体腫瘍，膵内分泌腫瘍
*多発性内分泌腫瘍症（MEN2）：副甲状腺機能亢進症，甲状腺髄様癌，副腎褐色細胞腫

②男性では 20～60 歳代に発症する．

③プロラクチンのみを産生する．

(4) 副腎皮質刺激ホルモン産生腺腫

①腺腫の約 10％を占め，30～60 歳，女性に多い．

②Cushing 症候群を伴う機能性腺腫が約 2/3 を占める．

(5) 甲状腺刺激ホルモン産生腺腫

・腺腫の約 1％を占め，性差はなく，どの年齢でも発症する．

(6) ゴナドトロピン産生腺腫

・腺腫の約 10％を占め，卵胞刺激ホルモン（FSH）や黄体形成ホル

モン（LH）を産生する腺腫であるが，ホルモン過剰産生による臨床症状には乏しい．

(7) ナルセル腺腫

①腺腫の約 25% を占め，40〜60 歳代の中高年に好発し，やや男性に多い．

②ホルモンの産生がみられない腺腫であるため，臨床的には非機能性腺腫である．

2．下垂体癌

①下垂体腫瘍の約 0.2% を占めるきわめてまれな腫瘍で，性差や好発年齢はない．

②予後はきわめて不良で，大部分が機能性腫瘍である．

3．頭蓋咽頭腫

①原発性脳腫瘍の約 4% を占め，トルコ鞍上部に発生するものが多い．

②エナメル上皮型と乳頭型に分けられ，エナメル上皮型は 10 歳前後の小児と成人にピークを示す二峯性を示す．

4．ラトケ嚢胞

①トルコ鞍内や鞍上部に発生する嚢胞．

②ラトケ嚢の遺残物が拡張してできる．

3 松果体の病変

表 2-16 を参照．

4 甲状腺の病変

表 2-16 を参照．

1．腺腫様甲状腺腫

①最も頻度が高い結節性病変で，甲状腺全体に結節が多発する．

②病理学的には結節性過形成とされている．

③肉眼像で結節は境界が明瞭なものでも被膜を欠く．

④ヨード摂取不足，甲状腺ホルモン合成に必要な酵素の欠損により甲状腺ホルモンが不足するため生じる．

⑤各年齢層でみられるが，年齢とともに頻度は増し，女性に多い．

2．甲状腺の腫瘍

(1) 濾胞腺腫

①濾胞上皮から発生する良性腫瘍である．
②中年女性に多く，甲状腺機能亢進症をきたすことが多い．
③線維性被膜により被包され，腫瘍細胞はほぼ均一な大きさおよび形を呈し，主として濾胞状増殖を示す．
④被膜浸潤，脈管浸潤，転移はみられない．
⑤さまざまな特殊型が存在する．

(2) 乳頭癌

①甲状腺原発の悪性腫瘍のなかで最も頻度が高く，約 9 割以上を占める．
②女性に多くみられ，中年以降（20〜60 歳），他の組織型より若い人に多い．
③容易にリンパ行性転移を示し，リンパ節内や甲状腺内に転移巣を形成する．血行性転移は少ない．
④乳頭癌の特徴的な核所見として，核溝，核内細胞質封入体，すりガラス状核があげられる．
⑤さまざまな特殊型が存在する．

(3) 濾胞癌

①濾胞構造からなる悪性腫瘍で，一部に索状ないし充実性構造を伴う．
②原発性甲状腺癌中 10％弱の頻度である．
③中高年の女性に多くみられる．
④血行性転移をしやすく（肺・骨が好発部位），遠隔転移を起こしやすい．リンパ節転移はまれである．
⑤組織像では，種々の大きさの濾胞を形成し，あるいは索状に配列する．
⑥濾胞癌の診断には，被膜浸潤像，血管侵襲像，他部位への転移のうち少なくとも 1 つを形態的に満たすことが必要である．

(4) 髄様癌

①髄様癌の腫瘍細胞はカルシトニン分泌能を有し，傍濾胞細胞（外胚葉）由来とされる悪性腫瘍（C 細胞癌）．
②甲状腺癌の 5〜10％を占め，40 歳以上で女性にやや多い．
③C 細胞は正常でも癌化してもカルシトニンを産生する．
④リンパ行性や血行性転移の頻度は高い．

⑤本症の 15～30％は家族性［常染色体顕性遺伝（優性遺伝）］であり，*RET* 遺伝子の機能獲得性点突然変異がみられる．

⑥甲状腺髄様癌，副腎褐色細胞腫，家族性発症がみられるものを多発性内分泌腺腫症（multiple endocrine neoplasia）（MEN 2A 型，2B 型）とよび，MEN 2A の部分像を Sipple（シップル）症候群という．

（5）低分化癌

①乳頭癌や濾胞癌などの分化癌と未分化癌との中間的な組織形態を示す濾胞上皮細胞由来の悪性腫瘍である．

②予後もそれらの中間を示す．

（6）未分化癌

①甲状腺癌の約 1％を占める，高度な構造異型，細胞異型を示す最も予後の悪い悪性腫瘍である．

②60 歳以上の高齢の男性に発症する．

5 副甲状腺（上皮小体）の病変

表 2–16 を参照．

6 副腎の病変

表 2–16 を参照．

1．副腎髄質の腫瘍

（1）褐色細胞腫

①副腎髄質に由来する腫瘍で，傍神経節に発生するパラガングリオーマと同様の腫瘍であり，アドレナリンやノルアドレナリンなどのカテコールアミンを産生する．

②発症頻度は低く，人口の 0.001％以下のまれな腫瘍である．

③性差はなく，20～40 歳代に多い．

④ほとんどが良性だが，約 10％は悪性．

（2）神経芽腫

①本腫瘍の約 7 割が 5 歳未満の小児に発生する．

②小児の固形悪性腫瘍では，脳腫瘍に次いで多い．

セルフ・チェック

A 次のうち正しいものに○，誤っているものに×をつけよ．

	○	×
1. Simmonds 病とは分娩時の大量出血により循環不全に陥り，下垂体の壊死が生じた結果起こる汎下垂体前葉機能低下症である．	□	□
2. 中枢性尿崩症はバゾプレシンの分泌低下による．	□	□
3. クレチン症は甲状腺機能亢進症である．	□	□
4. 慢性甲状腺炎は自己免疫性疾患である．	□	□
5. 甲状腺原発の悪性腫瘍のなかで最も多いのは乳頭癌である．	□	□
6. 濾胞癌の診断には，被膜浸潤像，血管侵襲像，濾胞破壊像のうち少なくとも1つを形態的に満たすことが必要である．	□	□
7. 副甲状腺機能低下症では低 Ca 血症，高 P 血症となる．	□	□
8. Cushing 病は ACTH 非依存性 Cushing 症候群のことをいう．	□	□
9. 原発性アルドステロン症では高 K 血症がみられる．	□	□
10. Addison 病は副腎皮質機能低下症で，ACTH 分泌が減少する．	□	□

A 1–×（Sheehan 症候群の説明），2–○，3–×（甲状腺機能低下症），4–○，5–○，6–×（濾胞破壊像ではなく他部位への転移），7–○，8–×（ACTH 依存性 Cushing 症候群で，下垂体 ACTH 過剰分泌のものをいう），9–×（低 K 血症），10–×（副腎皮質機能低下症であるが，ポジティブフィードバックにより ACTH 分泌は増加する）

B

1．正しい組合せはどれか．**2つ選べ．**

- □ ① Basedow 病――甲状腺機能亢進
- □ ② Cushing 病―――下垂体機能亢進
- □ ③ 橋本病――――副甲状腺機能亢進
- □ ④ Addison 病―――副腎皮質機能亢進
- □ ⑤ Simmonds 病――副腎髄質機能亢進

2．**誤っている**のはどれか．

- □ ① 甲状腺 C 細胞はカルシトニンを産生する．
- □ ② Basedow 病は満月様顔貌が特徴的である．
- □ ③ 粘液水腫は女性に多い．
- □ ④ 橋本病は女性に多い．
- □ ⑤ Plummer 病は甲状腺機能亢進症状を発症する．

3．副甲状腺について正しいのはどれか．**2つ選べ．**

- □ ① 機能亢進では，低 Ca 血症，高 P 血症を引き起こす．
- □ ② DiGeorge 症候群は副甲状腺の自己免疫性破壊が生じる疾患である．
- □ ③ 機能低下でテタニーが起こる．
- □ ④ 副甲状腺機能低下症のなかで突発性副甲状腺機能低下症が最も多くみられる．
- □ ⑤ 偽性副甲状腺機能低下症は血中PTH濃度が上昇している．

4．副腎について**誤っている**のはどれか．

- □ ① Cushing 症候群ではMerseburgの三徴候が特徴的である．
- □ ② 原発性アルドステロン症ではテタニーがみられる．
- □ ③ Addison 病は皮膚や粘膜にメラニン沈着がみられる．
- □ ④ Waterhouse-Friderichsen 症候群は急性副腎皮質機能低下症の一つである．
- □ ⑤ 褐色細胞腫は副腎髄質に由来する腫瘍である．

B　1-①と②，2-②（②：Cushing 症候群の症状の一つ），3-③と⑤（①：高 Ca 血症，低 P 血症，②：副甲状腺の形成異常，④：続発性副甲状腺機能低下症），4-①（①：Basedow 病の特徴（甲状腺腫大，眼球突出，頻脈））

F　腎・尿路系

学習の目標

- □ 腎の形成異常
- □ 腎血管の病変
- □ 腎糸球体の病変
- □ ネフローゼ症候群
- □ 糸球体腎炎
- □ 尿細管の病変
- □ 腎間質の病変
- □ 腎不全
- □ 腎の腫瘍
- □ 腎盂・尿管・膀胱の炎症
- □ 腎盂・尿管・膀胱の腫瘍

1 腎臓の病変（表 2–17）

腎臓の構造を図 2–10 に示す.

1．糸球体腎炎

①全身性エリテマトーデス（SLE）や Goodpasture 症候群などの免疫異常を背景とした疾患や糖尿病などの代謝異常に伴う糸球体疾患を続発性糸球体腎炎といい，それ以外のほぼ腎臓のみに病変を有するものを原発性糸球体腎炎という.

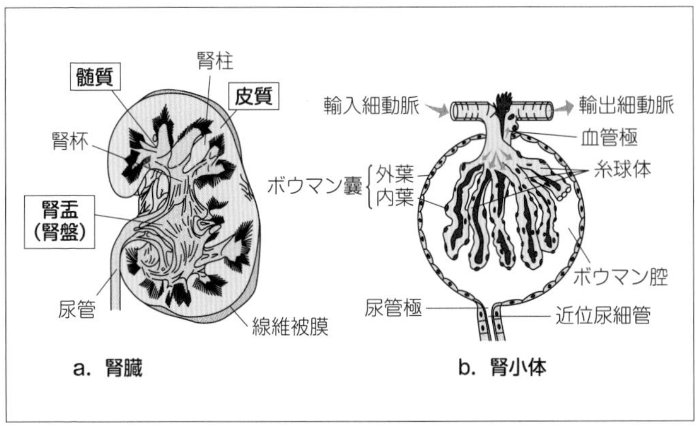

図 2–10　腎臓の構造

腎小体は皮質に分布し，1 つの腎臓に 100 万～200 万個存在する．一対の腎小体と尿細管をネフロンとよぶ.

表 2-17　腎臓の病変

腎臓の形成異常	無形成（無腎症），低形成，過剰腎，交差性位置異常，馬蹄形腎，腎の先天性嚢胞性疾患
腎血管の病変	良性腎硬化症，悪性腎硬化症，腎梗塞，腎皮質壊死
腎糸球体の病変	原発性糸球体腎炎（微小変化群，巣状分節性病変，びまん性糸球体腎炎など），続発性糸球体腎炎（糖尿病腎症，アミロイド腎症，ループス腎炎など），ネフローゼ症候群
尿細管の病変	急性尿細管壊死，骨髄腫腎，浸透圧性腎症，低カリウム血症性腎症
腎間質の病変	腎盂腎炎，腎結核，間質性腎炎
腎不全	急性腎不全，慢性腎不全
腫瘍	・良性腫瘍：乳頭状腺腫，オンコサイトーマ ・悪性腫瘍：腎細胞癌（Grawitz 腫瘍），腎芽腫（Wilms 腫瘍）など

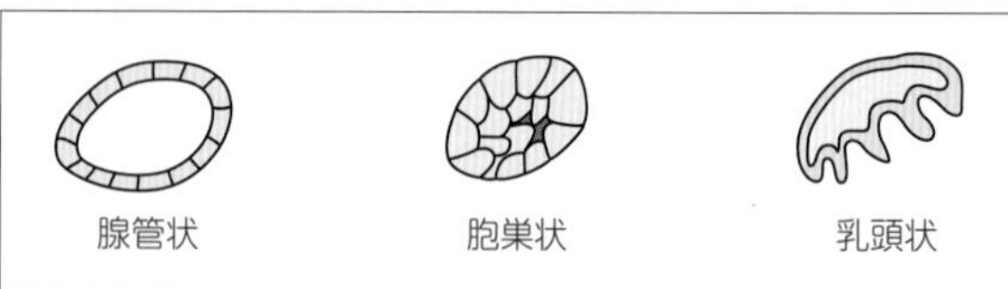

図 2-11　腎細胞癌の組織像

②原発性糸球体腎炎は，臨床症状や経過に基づき急性糸球体腎炎，急速進行性糸球体腎炎，慢性糸球体腎炎（慢性腎炎）などに大別される．

③原発性・続発性糸球体腎炎には 2 つの免疫学的発生機序が関与する．

ｉ）免疫複合体が糸球体基底膜に沈着し，補体系を活性化して引き起こす場合：急性溶連菌感染後糸球体腎炎，SLE の糸球体腎炎（ループス腎炎）など．

ii）抗糸球体基底膜抗体が直接，糸球体基底膜に結合して引き起こす場合：Goodpasture 症候群，Heymann 腎炎など．

2．腎細胞癌［Grawitz（グラヴィッツ）腫瘍］

(1) 特徴

①概念・疫学：悪性腫瘍の 1.5%（剖検），腎悪性腫瘍の 70～80% を占める．60 歳代に好発，男女比は 2：1

②症状

ｉ）3 主徴：血尿，疼痛，腎腫瘤

ii）副甲状腺ホルモン（PTH）様物質産生：高カルシウム血症
iii）ゴナドトロピン産生：女性化乳房
iv）エリスロポエチン，レニン前駆体物質産生．

③組織像：管状～乳頭状発育（**図 2-11**）に増生．基質は線維成分に乏しい．類洞様の毛細血管と密に接触．組織型は混在することが多く，優勢な組織型をもって分類．紡錘細胞癌，横紋筋肉腫様変化を認めた時は予後に影響するので，その割合を含めて所見に記載する．かなり大きく発育しても尿中に腫瘍細胞がみられることは少ない．

(2) 種類

①淡明細胞型腎細胞癌
- 繊細な血管網を背景に，淡明～好酸性細胞質を有する腫瘍細胞からなる腫瘍．
- しばしば染色体 3p 欠損があり，*VHL* 遺伝子の異常を伴うことが多い．

②多房囊胞性腎細胞癌
- 線維性皮膜でおおわれた多数の小囊胞からなる腫瘍．
- 腫瘍の進展や転移はみられない．

③乳頭状腎細胞癌
- 線維性血管性間質を中心に，立方状～円柱状腫瘍細胞の乳頭状発育を主体とする．

④嫌色素性腎細胞癌
- 細胞境界明瞭で，混濁した細胞質を有する大型腫瘍細胞よりなる腎細胞癌．

⑤集合管癌（Bellini 管癌）
- 遠位尿細管あるいは集合管から発生と考えられている．
- 腎盂開口部に近い集合管（Bellini 管）に類似した構造を呈する高度悪性腫瘍．
- 浸潤性腫瘍で，髄質中心に発育する傾向．大きくなると皮質への浸潤がみられる．
- 遺伝子異常の報告はない．
- 予後不良．

3．腎芽腫［Wilms（ウィルムス）腫瘍］

①概念・疫学：中胚葉の後腎芽組織とその発生段階にみられる上皮性および間葉系分化産物を伴った悪性混合腫瘍．5 歳以下の小児

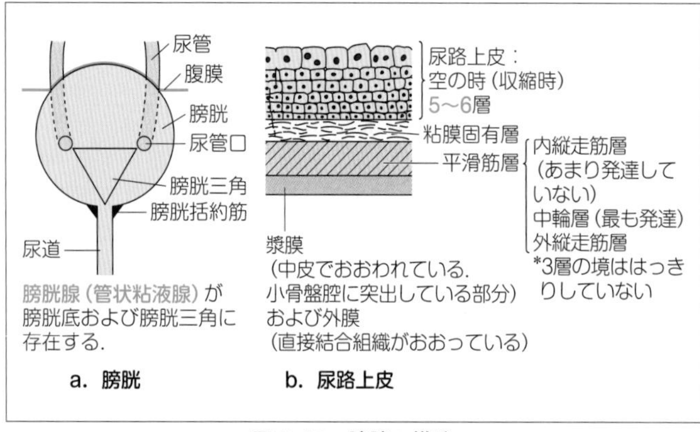

図 2-12 膀胱の構造

（70%）に多く，2 歳がピーク．性差なし．

②症状：腹部腫瘤とそれによる圧迫症状など．

③肉眼像：柔らかい灰白色の腫瘤．出血や嚢胞を伴う場合がある．

④組織像：腎原基の構成成分を含むもので，未熟な間葉系の紡錘細胞，未熟な糸球体や尿細管様構造物の増殖，横紋筋や軟骨を認める場合もある．

⑤本症の 10～20%に *WT1* 遺伝子の欠損が関与している．

 腎盂・尿管・膀胱の病変（表 2-18）

膀胱の構造を図 2-12 に示す．

1．腎盂・尿管・膀胱の腫瘍

①腎盂，尿管，膀胱とも同一の尿路上皮よりなっているため，発生する腫瘍の性状はほとんど同じである．

②発生部位により，腎盂癌，尿管癌，膀胱癌という．

③膀胱癌が圧倒的に多く，腎盂・尿管癌は少ない．

④腫瘍の種類として，尿路上皮腫瘍（90%以上），扁平上皮系腫瘍，腺系腫瘍，尿膜管に関連する腫瘍，神経内分泌腫瘍など．

2．尿路上皮系腫瘍の組織分類

(1) 非浸潤性平坦状尿路上皮腫瘍

①尿路上皮異形成

表 2-18　腎盂・尿管・膀胱の病変

炎症	急性膀胱炎（尿路感染症），慢性膀胱炎，マラコプラキア
腫瘍	・非浸潤性平坦状尿路上皮腫瘍：尿路上皮異形成，尿路上皮内癌 ・非浸潤性乳頭状尿路上皮腫瘍：尿路上皮乳頭腫，内反性乳頭腫，低異型度非浸潤性乳頭状尿路上皮癌，高異型度非浸潤性乳頭状尿路上皮癌 ・浸潤性尿路上皮癌 ・腎盂癌 ・尿管癌

②尿路上皮内癌

(2) 非浸潤性乳頭状尿路上皮腫瘍

①概念・疫学：単発性，多発性に発生．下部尿路腫瘍の 10％以下．50 歳以上の男性に多い．

②分類

i ）尿路上皮乳頭腫

ii ）内反性乳頭腫

iii ）低異型度非浸潤性乳頭状尿路上皮癌

iv ）高異型度非浸潤性乳頭状尿路上皮癌

(3) 浸潤性尿路上皮癌

①概念・疫学：50～70 歳代の男性に多い．

②症状：肉眼的血尿．

③診断：膀胱鏡，尿細胞診，膀胱粘膜生検，経尿道的腫瘍切除術（TUR-Bt）．

④原因：アニリン色素，ベンゼン，ベンチジン，サッカリンなどの化学物質，喫煙，フェナセチン，膀胱炎など

⑤肉眼的：内腔に突出して乳頭状発育をすることが多い．多中心性発生をみることも多い．

⑥組織像：尿路上皮癌がほとんど．扁平上皮や腺上皮への分化を伴うものもある．

セルフ・チェック

A 次の文章で正しいものに○，誤っているものに×をつけよ．

	○	×
1. ネフローゼ症候群では，高度なタンパク尿，脂質異常症を示す．	□	□
2. Goodpasture 症候群では抗糸球体基底膜抗体が関与する．	□	□
3. 全身性エリテマトーデス（SLE）の糸球体腎炎では抗糸球体基底膜抗体が関与する．	□	□
4. 亜急性糸球体腎炎では半月体形成がみられない．	□	□
5. 腎盂腎炎は下部尿路からの上行性感染が多い．	□	□
6. 腎機能の障害が高度になると尿毒症を生じる．	□	□
7. 腎不全では浮腫や腎萎縮，肺出血を起こす．	□	□
8. Grawitz 腫瘍は 60 歳代に好発し，男性に多い．	□	□
9. 腎芽腫（Wilms 腫瘍）は小児に多い．	□	□
10. マラコプラキアでは Michaelis–Gutmann 小体を認める．	□	□
11. 腎盂癌，尿管癌，膀胱癌では尿管癌が最も多い．	□	□
12. 浸潤性尿路上皮癌は 50～70 歳代の男性に多い．	□	□
13. 浸潤性尿管癌ではアニリン色素，ベンゼンなどの化学物質，喫煙，膀胱炎などが原因となる．	□	□
14. 尿管癌では水尿管，水腎症を起こしやすい．	□	□
15. 糸球体腎炎は高血圧の原因となる．	□	□

A 1–○，2–○，3–×（免役複合体が糸球体基底膜に沈着し，補体系を活性化して引き起こす），4–×（みられる），5–○，6–○，7–○，8–○，9–○，10–○，11–×（膀胱癌が多い），12–○，13–○，14–○，15–○

16. 腎芽腫は *BCL2* 遺伝子と関係する. □ □
17. 腎盂癌，尿管癌，膀胱癌では尿細胞診が有用である. □ □
18. 腎結核では腎実質内に多数の乾酪壊死をみとめる. □ □
19. 腎結核では腎盂・腎杯の変形と続発性尿管狭窄により水腎症を伴うことが多い. □ □

B

1．誤っているのはどれか.
- □ ① ループス腎炎は原発性糸球体腎炎に分類される.
- □ ② 腎盂腎炎は原因と経過から血行性と上行性，急性と慢性に分ける.
- □ ③ 腎動脈の動脈炎により腎梗塞が起こる.
- □ ④ 腎癌は腎尿細管上皮から発生し，Grawitz 腫瘍ともよぶ.
- □ ⑤ Wilms 腫瘍は小児にみられる悪性腫瘍で，腎芽性組織成分を含んでいる.

2．*VHL* 遺伝子異常に関係のある腫瘍はどれか.
- □ ① 腎細胞癌
- □ ② 集合管癌
- □ ③ 腎芽腫
- □ ④ 非浸潤性尿路上皮癌
- □ ⑤ 浸潤性尿路上皮癌

16-×（*WT1* 遺伝子），17-○，18-○，19-○

B 1-①（①：ループス腎炎は続発性糸球体腎炎），2-①（②：遺伝子異常の報告はなし，③：*WT1* 遺伝子異常が関与）

3．膀胱癌について**誤っている**のはどれか.

- □　① 膀胱三角部に好発する.
- □　② 腎癌の転移したものである.
- □　③ 花キャベツ様に増殖する.
- □　④ 尿路上皮癌が最も多い.
- □　⑤ 男女比は男性に多い.

4．**誤っている**組合せはどれか.

- □　① 膀胱癌――――――――――尿路上皮癌
- □　② Wilms 腫瘍――――――――腎芽腫
- □　③ Kimmelstiel-Wilson 病――糖尿病
- □　④ 萎縮腎――――――――――ネフローゼ症候群
- □　⑤ びまん性糸球体腎炎―――アレルギー

3-②（②：原発性），4-④（④：萎縮腎は動脈硬化性あるいは細胞脈硬化性に生じる）

G　生殖器系

学習の目標

- □ 精巣の病変
- □ 前立腺の病変
- □ 腟・子宮頸部の病変
- □ 子宮体部の病変
- □ 子宮筋層の病変
- □ 妊娠に関連した病変
- □ 卵巣腫瘍

1 男性生殖器の病変（表 2–19）

男性生殖器の構造を図 2–13 に示す．

① 精巣の病変

1．精巣腫瘍——胚細胞腫瘍（germ cell tumors）

(1) セミノーマ（精上皮腫）（seminoma）

①精巣の胚細胞性腫瘍のなかで最も多い（35～50％）．

②30～50 歳代に多いが，10 歳以下の児童や 70 歳以上にも認められる．

③原始胚細胞由来の悪性腫瘍．卵巣では未分化胚細胞腫（dysgermi-

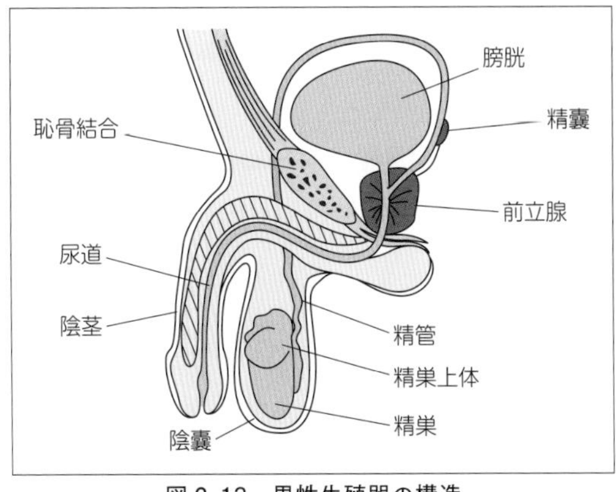

図 2–13　男性生殖器の構造

表 2-19　男性生殖器の病変

精巣	非腫瘍性病変	停留睾丸，精巣形成不全（Klinefelter 症候群），精巣炎
	腫瘍	セミノーマ（精上皮腫），胎児性癌，卵黄嚢腫，奇形腫，ライディッヒ細胞腫，セルトリ細胞腫，顆粒膜細胞腫
前立腺	非腫瘍性病変	前立腺炎，前立腺肥大症
	腫瘍	前立腺癌

noma)，頭蓋内その他で胚細胞腫（germinoma）とよばれる．悪性度は低い．

④放射線感受性が強い．

⑤免疫組織化学的に，細胞膜に胎盤性アルカリホスファターゼ（PLAP），c-kit 陽性を示す．

② 前立腺の病変

1．前立腺の腫瘍

(1) 前立腺癌

①概念・疫学：60～70 歳代に多く，加齢とともに増加傾向．

②発生：後葉か後側葉の被膜下外腺部に好発．

③診断：経直腸的針生検，穿刺吸引細胞診．前立腺癌のマーカーとして，PSA や酸ホスファターゼが有用．

④組織学的：腺癌が圧倒的に多く，腺房形成，篩状，充実性，索状構造．高分化，中分化，低分化に分類，Gleason 分類が行われる．

⑤特徴：症状が現れるのは遅く，早期診断が困難．エストロゲン療法が有効．潜在（伏）癌，不顕性癌，偶発癌．

2 女性生殖器の病変（表 2-20）

女性生殖器の構造を図 2-14 に示す．

① 外陰部の病変

1．外陰部の腫瘍

扁平上皮乳頭腫，異形成，上皮内癌，乳房外 Paget（パジェット）病，扁平上皮癌，腺癌，基底細胞癌，悪性黒色腫

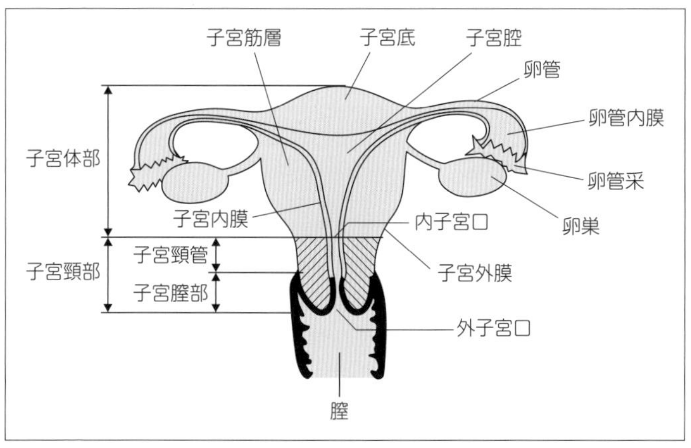

図 2-14　女性生殖器の構造

表 2-20　女性生殖器の病変

外陰部	炎症	軟性下疳，梅毒，尖圭コンジローマ，単純ヘルペス感染症，伝染性軟属腫
	腫瘍	扁平上皮乳頭腫，異形成，上皮内癌，乳房外 Paget 病，扁平上皮癌，腺癌，基底細胞癌，悪性黒色腫
腟・子宮頸部	炎症・感染症	トリコモナス腟炎，腟カンジダ症，ヘルペス感染症，クラミジア感染症，萎縮性腟炎，濾胞性頸管炎，ヒト乳頭腫ウイルス（HPV）感染症
	前癌病変・腫瘍	・腟部の腫瘍：扁平上皮癌，腺癌，悪性黒色腫（まれ） ・子宮頸部の異形成：軽度異形成（LSIL），中等度異形成（HSIL），高度異形成（HSIL），上皮内癌（HSIL） ・子宮頸部の腫瘍：扁平上皮癌，腺癌
子宮体部	非腫瘍性病変	・子宮内膜：子宮内膜炎，子宮内膜ポリープ，子宮内膜増殖症，子宮内膜異型増殖症，アリアステラ反応 ・子宮筋層：子宮平滑筋腫，子宮腺筋症，子宮平滑筋肉腫 ・子宮内膜症
	腫瘍	子宮体癌：類内膜癌，粘液性癌，漿液性癌，明細胞癌，神経内分泌腫瘍，混合癌，未分化癌/脱分化癌
妊娠に関連した病変	流産，子宮外妊娠（卵管妊娠），胞状奇胎，絨毛癌	
卵巣	腫瘍	漿液性腫瘍，粘液性腫瘍，類内膜腫瘍，明細胞腫瘍，Brenner（ブレンナー）腫瘍，性索間質性腫瘍，胚細胞性腫瘍

② 膣・子宮頸部の病変

1．膣の腫瘍

扁平上皮癌，腺癌，悪性黒色腫（まれ）

2．子宮頸部の腫瘍

(1) 扁平上皮癌

①重層扁平上皮への分化を示す浸潤癌．重層扁平上皮への分化を示す浸潤癌のうち，微小浸潤扁平上皮癌を超えるもの．

②角化型，非角化型の2型に分類される．

③子宮癌全体の90％前後．低下傾向．子宮頸部癌中95％を占める．

④早婚者，多産者に多い．未産婦に少ない．

⑤40歳代，次いで50，30歳代に好発．

(2) 腺癌

①腺への分化を示す浸潤癌のうち，微小浸潤癌を超えるものである．

②子宮頸部癌の5％．

③若年者に多い傾向（20歳代）．小児にもみられる．

③外子宮口よりポリープ状，乳頭状に突出．

④症状は不正出血，接触出血，帯下，腹痛，腰痛などがある．

⑤扁平上皮癌より予後は悪い．

③ 子宮体部の病変

1．子宮内膜症

①子宮内膜の組織が子宮外に発生する状態のこと．

②30歳代に好発．閉経期以後に自然消退するとされる．

③卵巣，卵管，子宮靭帯，腹膜，直腸などに出現する．

④子宮内膜症の一部は癌化する可能性がある．

2．子宮筋腫

①子宮の筋層から発生する良性腫瘍．

②30歳以降の未産婦に好発する．

③組織像：紡錘形の平滑筋細胞が増殖．硝子変性，粘液様変性，嚢胞変性，石灰沈着，出血，中心部壊死などを伴う．

3．子宮体癌

①子宮体部に発生する癌．

②全子宮癌の5％以下．閉経後の50〜60歳代，子宮底の後壁に好発する．未産婦や不妊症，エストロゲン療法を受けた者に多い．

4 妊娠に関連した病変

1．胞状奇胎

①絨毛における栄養膜細胞の異常増殖と間質の浮腫を特徴とする病変．肉眼的にはブドウの房状に観察される．

②1〜8％は絨毛癌になる危険性がある．

2．絨毛癌

①合胞体性絨毛細胞と細胞性絨毛細胞が増殖する悪性腫瘍．発育と転移はきわめて早い．血行性転移が早期に起きる．

②20〜30歳に好発．胞状奇胎，正常分娩，流産などの後に発生することが多い．

③肉眼的：柔らかくもろい，出血性の強い腫瘤．

5 卵巣の病変

1．上皮性腫瘍

①卵巣腫瘍のなかで最も頻度が高い．

②卵巣表層上皮，すなわち胚上皮から発生する．

③一般に腫瘍は嚢胞状．

④卵巣上皮性腫瘍では，転帰や予後に相関した3段階の分類「良性，境界悪性，悪性」に分けられている．

⑤組織型：漿液性腫瘍，粘液性腫瘍，類内膜腫瘍，明細胞腫瘍，Brenner（ブレンナー）腫瘍，性索間質性腫瘍（莢膜細胞腫，顆粒膜細胞腫），胚細胞性腫瘍［未分化胚細胞腫（精巣のseminomaに対応同格），卵黄嚢腫瘍，胎児性癌，絨毛癌，奇形腫（成熟奇形腫，未熟奇形腫），混合型胚細胞性腫瘍］

セルフ・チェック

A 次の文章で正しいものに○，誤っているものに×をつけよ．

		○	×
1.	Klinefelter 症候群の染色体は 45,X である．	□	□
2.	精上皮腫は 40 歳代前後に好発し，悪性度は低い．	□	□
3.	胎児性癌では hCG の上昇がみられる．	□	□
4.	絨毛癌では hCG の上昇がみられ，悪性度が高い．	□	□
5.	奇形腫では hCG の上昇がみられる．	□	□
6.	前立腺癌は進行した状態で見つかることが多い．	□	□
7.	前立腺癌では腺癌が圧倒的に多く，エストロゲン療法が有効である．	□	□
8.	腟カンジダ症は細菌感染により起こる．	□	□
9.	腟では悪性黒色腫がまれにみられる．	□	□
10.	子宮頸部の腫瘍では扁平上皮癌が最も多い．	□	□
11.	異形成や上皮内癌は通常，扁平円柱境界または移行帯に発生する．	□	□
12.	ヒト乳頭腫ウイルス（HPV）は異形成および扁平上皮癌の発生に関与している．	□	□
13.	アリアステラ反応とは内膜腺上皮の反応で，異型核，胞体の空胞化，乳頭状発育がみられる．	□	□
14.	子宮体癌は閉経後の 50～60 歳代，子宮底の後壁に好発する．	□	□

A 1–×（Klinefelter 症候群は 47,XXY．45,X は Turner 症候群），2–○，3–×（hCG 上昇なし，AFP 上昇），4–○，5–×（みられない），6–○，7–○，8–×（真菌感染），9–○，10–○，11–○，12–○，13–○，14–○

15. 子宮体癌はエストロゲン療法を受けると発症リスクが下がる. □ □
16. 子宮平滑筋腫は良性腫瘍である. □ □
17. 子宮内膜症は子宮靭帯，腹膜，直腸などにも出現する. □ □
18. チョコレート嚢胞は卵巣内に子宮内膜症があり，月経に伴って出血を繰り返す. □ □
19. 胞状奇胎とは絨毛細胞の増殖により，絨毛がブドウの房状になったものである. □ □
20. 子宮腺筋症とは，子宮筋層内に内膜組織が異所性に存在することをいう. □ □

B

1. 癌と最も頻度の高い組織型の組合せについて**誤っている**のはどれか.
   - □ ① 子宮頸癌———扁平上皮癌
   - □ ② 子宮体部癌——腺　癌
   - □ ③ 胃　癌————腺　癌
   - □ ④ 前立腺癌———扁平上皮癌
   - □ ⑤ 卵巣癌————腺　癌
2. 子宮内膜症がよく発生する部位で**誤っている**のはどれか.
   - □ ① 子宮筋層
   - □ ② 卵　管
   - □ ③ 卵　巣
   - □ ④ 骨
   - □ ⑤ 腹　膜

15-×（上がる），16-○，17-○，18-○，19-○，20-○

B 1-④（④：前立腺癌は腺癌），2-④

3．悪性腫瘍はどれか．**2つ選べ．**

- □　① 子宮筋腫
- □　② Krukenberg 腫瘍
- □　③ Brenner 腫瘍
- □　④ 乳腺線維腫
- □　⑤ Hodgkin リンパ腫

4．酸ホスファターゼの産生が多いのはどれか．

- □　① 陰茎癌
- □　② 前立腺癌
- □　③ 卵巣悪性腫瘍
- □　④ 子宮癌
- □　⑤ 乳　癌

3-②と⑤，4-②

H　神経系

学習の目標

- □ 神経系の基礎知識
- □ 脳血管障害
- □ 脳感染症
- □ 脱髄疾患
- □ 変性疾患
- □ 脳腫瘍
- □ 末梢神経系の病変

1　神経系の基礎知識（表 2-21，図 2-15）

1．灰白質と白質

・脳と脊髄に存在．

2．大脳皮質

・大脳半球の表面をおおっている灰白質細胞層．

3．小脳皮質

①小脳の表面をおおう薄い灰白質の層で，表層から分子層，プルキンエ細胞層および顆粒層からなる．

②深い小脳溝で分けられた部分を小脳回という．

4．神経細胞，髄鞘，軸索

①神経細胞は，神経組織を構築し機能を担っている細胞で，細胞体と多くの樹状突起，1 本の軸索から構成されている．

②髄鞘は軸索を囲んだ脂質に富む絶縁性の連続層．

③Ranvier（ランビエ）絞輪：有髄神経の髄鞘のところどころに間隔があり，跳躍伝導に関与する．

5．グリア細胞

非神経細胞性の支持細胞で，ニューロン，軸索，樹状突起を取り巻いている．

①星状膠細胞：灰白質に最も多く存在する最大の細胞．

②希突起膠細胞：中枢神経での髄鞘の形成［末梢神経線維では Schwann（シュワン）細胞が髄鞘を形成］．

③小膠細胞：中枢神経系全体にみられる単核食細胞の一種．

④上衣細胞：脳室系の壁を構成する細胞．

表 2-21　神経系

中枢神経系	脳	大脳，間脳（視床，視床下部）中脳，橋，小脳，延髄（脳幹：中脳，橋，延髄）
	脊髄	頸髄，胸髄，腰髄，仙髄，尾髄
末梢神経系	脳脊髄神経	脳神経（12 対），脊髄神経（31 対）
	自律神経	交感神経，副交感神経

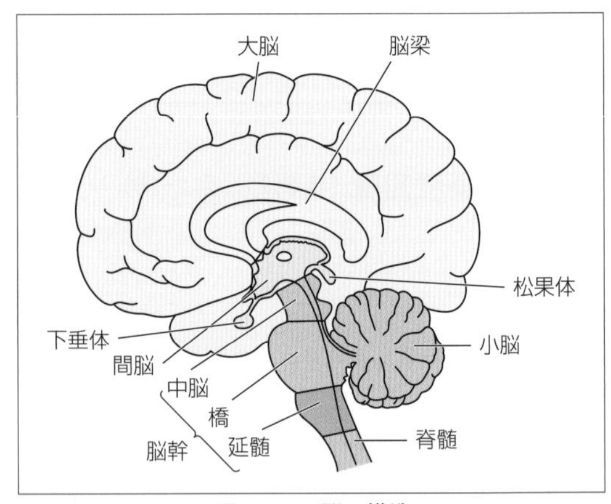

図 2-15　脳の構造

表 2-22　中枢神経系の病変

脳血管障害	脳出血，脳梗塞，一過性脳虚血発作（TIA），くも膜下出血
脳感染症	髄膜炎，脳炎，Creutzfeldt-Jakob（クロイツフェルト・ヤコブ）病

2 脳血管障害（表 2-22）

同シリーズ『臨床医学総論/臨床検査医学総論』11-A 脳血管障害を参照.

3 脳感染症（表 2-22）

同シリーズ『臨床医学総論/臨床検査医学総論』11-B 感染症を参照.

脱髄疾患

1．脱髄疾患の特徴

①脱髄疾患は髄鞘の選択的消失をきたす疾患.

②多発性硬化症や急性ウイルス感染症の後などに発症する急性散在性脳脊髄炎が代表例．ほかに，Guillain–Barré（ギラン・バレー）症候群，Devic（デヴィック）病（視神経脊髄炎）がある.

③脱髄病変は組織学的に髄鞘染色で染め出されるべき髄鞘の変性や消失，小血管周囲にリンパ球や組織球の浸潤，髄鞘崩壊産物の組織球による貪食，周辺への astrocytic gliosis がみられる.

2．多発性硬化症

①中枢神経系の脱髄疾患のなかで最も頻度が高い.

②20〜40 歳くらいに視力障害，運動麻痺，知覚障害などの症状で急に発病し，多彩な神経症状の増悪と寛解を繰り返す慢性疾患である.

③好発部位：脳室周辺，視神経，脳幹と脊髄.

④病因：疾患感受性遺伝子の関与，自己免疫異常（アレルギー），ウイルス感染など.

3．Guillain–Barré（ギラン・バレー）症候群

①先行感染後，四肢や脳神経の運動障害，腱反射の消失で急性発症し，末梢神経，神経根の節性脱髄が起こる.

②先行感染：サイトメガロウイルス，EB ウイルス，マイコプラズマ，カンピロバクター.

変性疾患

1．変性疾患の特徴

・変性疾患とは，外傷や感染症，脳血管障害などの原因がなく，中枢神経系あるいは末梢神経系のニューロンが徐々に死滅していく疾患で，発症に遺伝的素因の関与が疑われるもの.

2．Alzheimer（アルツハイマー）病

①認知機能低下を呈する大脳変性疾患.

②特徴的な神経病理学的変化を呈する認知症を，包括して Alzheimer 病という.

③病理学的特徴：脳萎縮の出現，老人斑（アミロイド，リン酸化タ

ウ蛋白)，神経原線維変化，ニューロン脱落．

3．Huntington（ハンチントン）病

①常染色体顕性遺伝（優性遺伝）を示す神経変性疾患．

②特徴：不随意運動（舞踏運動）と認知症．尾状核の萎縮が著明．

4．Parkinson（パーキンソン）病

①50 歳代後半～60 歳代に好発．

②振戦と筋硬直を主症状とする．

③中脳の黒質で生合成されるドパミンの欠乏症が本態．

④病理学的特徴：黒質，青斑核などのメラニン含有神経細胞の脱落，グリオーシス，残存細胞に Lewy（レビー）小体，淡蒼球の萎縮．

6 脳腫瘍（表 2-23）

1．脳腫瘍の特徴

①頭蓋腔内に発生する腫瘍を脳腫瘍という．

②脳腫瘍の年間発生率は人口 10 万人あたり 10～16 人．

③全腫瘍の 2.8%を占める．発症は 40～60 歳に多い．

④年齢によって脳腫瘍の種類に特徴がある．

　i ）小児には髄芽腫，頭蓋咽頭腫，胚細胞腫が好発．

　ii ）成人では髄膜腫，Schwann 細胞腫，下垂体腺腫が多い．

⑤性差：胚細胞腫，星細胞腫は男性に多く，髄膜腫，Schwann 細胞腫，下垂体腺腫は女性に多い．

⑥臨床症状：一般的には持続性の頭痛，嘔吐や脳圧亢進症状などであるが，占拠部位によりさまざまな神経症状が現れる．

⑦脳腫瘍は良性腫瘍といえども中枢神経系を圧排して生命維持に重篤な影響を与えるという特徴をもつ．

⑧原発性脳腫瘍は，WHO 分類（2016 年）によると 16 グループに分けられる．

※表 2-23 ではそのなかから代表的なものを記載した．

⑨脳には内臓原発の悪性腫瘍が血行性に転移することがある．

2．転移性脳腫瘍

①転移性脳腫瘍は原発性脳腫瘍より発生頻度が高く，特に成人では顕著．

②脳腫瘍全体の約 15%を占める．

③原発巣としては，肺癌が半数．そのあと頻度順に乳癌，大腸癌，

表 2-23 脳腫瘍

	好発年齢と好発部位	平均発症年齢（歳）	5 年生存率
星細胞腫	成人の大脳半球，小児の脳幹と小脳に発症．	37.8	75%
膠芽腫	成人の大脳半球，小児の脳幹と小脳に発症．壊死，出血を伴う．	58.8	10.10%
乏突起膠腫	成人の前頭葉に好発．	42.2	90%
毛様細胞性星細胞腫	小児，若年者の小脳，正中部（視神経，視床下部，脳幹）に好発．	21.7	92.10%
上衣腫	脳質上衣細胞に起源をもつと考えられる．小児に多い．	30.7	86.30%
髄芽腫	小脳虫部の下半部に好発．小児期の頭蓋内腫瘍の 15% を占める．	10.9	68.70%
Schwann 細胞腫（神経鞘腫）	Schwann 細胞から発生する腫瘍で，聴神経，三叉神経，脊髄神経に好発．	51.9	98.80%
髄膜腫	中高年の女性に好発．脳腫瘍全体の 22.8% を占める．くも膜細胞起源と考えられ，大脳鎌，脳底などの髄膜のある領域に発生．	58.4	97.90%
下垂体腺腫	下垂体前葉細胞起源で，脳腫瘍の 18.6% を占める．	30～50	98～99%
頭蓋咽頭腫	トルコ鞍上部に好発する良性腫瘍．	41.5	96.50%

表 2-24 末梢神経系の病変

末梢神経の病変	Waller 変性，軸索変性，節性脱髄
末梢神経障害（ニューロパチー）	Guillain-Barré 症候群，糖尿病，アミロイドーシスなど
末梢神経の腫瘍	神経鞘腫，神経線維腫，悪性 Schwann 細胞腫，von Hippel-Lindau 病

直腸癌，胃癌など．

7 末梢神経系の病変（表 2-24）

1．末梢神経の病変

(1) Waller（ワーラー）変性

末梢神経が切断され，軸索と髄鞘までが変性し，変性産物は

Schwann 細胞が貪食するという現象.

2．末梢神経障害（ニューロパチー）

①炎症性，代謝性，遺伝性などのニューロパチーがある.

②代表例として，Guillain–Barré 症候群や糖尿病，アミロイドーシスなどがある.

3．末梢神経の腫瘍

神経鞘腫，神経線維腫，悪性 Schwann 細胞腫などがある.

(1) von Hippel–Lindau（フォン ヒッペル・リンドウ）病

①小脳，網膜，腎などに腫瘍が多発する.

②3 番染色体に位置する *VHL* 遺伝子の変異による常染色体顕性遺伝（優性遺伝）疾患.

(2) 神経線維腫症 1 型［von Recklinghausen（フォン レックリングハウゼン）病］

①皮膚にカフェオレ斑が多発，末梢神経組織に神経線維腫が多発.

②17 番染色体上の *NF1* 遺伝子の変異により発症する．常染色体顕性遺伝（優性遺伝）疾患.

(3) 神経線維腫症 2 型

①10〜20 歳代にかけて，両側聴神経に神経鞘腫を発生する.

②22 番染色体に位置する *merlin* 遺伝子の変異による常染色体顕性遺伝（優性遺伝）疾患.

癌取扱い規約

癌取扱い規約は，国内の学会・研究会によって編集され，臨床医や病理専門医を始めとするがんを扱う医療従事者に欠かせない知識や約束事項を記載した書籍である．臓器ごとの悪性腫瘍に対する最新の病期分類や組織型などが記載されており，カルテの記載や病理診断などに用いられている．数年おきに改訂.

セルフ・チェック

A 次の文章で正しいものに○，誤っているものに×をつけよ．

	○	×
1. 多発性硬化症は中枢神経系の変性疾患のなかで最も頻度が高い．	□	□
2. 老人斑は Alzheimer 病の特徴的所見の 1 つである．	□	□
3. Huntington 病は常染色体顕性遺伝（優性遺伝）を示す神経変性疾患である．	□	□
4. 脳腫瘍では，組織型によって好発部位や年齢などに特徴がある．	□	□
5. 転移性脳腫瘍の原発巣は胃癌が最も多い．	□	□
6. von Hippel–Lindau 病は *VHL* 遺伝子の変異による常染色体潜性遺伝（劣性遺伝）疾患である．	□	□

B

1．脱髄疾患でないのはどれか．

□ ① Guillain–Barré 症候群
□ ② Devic 病
□ ③ 多発性硬化症
□ ④ Parkinson 病
□ ⑤ 急性散在性脳脊髄炎

A 1–×（脱髄疾患のなかで最も頻度が高い），2–○，3–○，4–○，5–×（肺癌が半数），6–×（常染色体顕性遺伝（優性遺伝）疾患），
B 1–④（④：Parkinson 病は神経変性疾患）

2．脳腫瘍について正しいのはどれか．2つ選べ．

□ ① 膠芽腫は小児に好発する．
□ ② 髄芽腫は成人に好発する．
□ ③ 髄膜腫は女性に好発する．
□ ④ 下垂体腺腫は男性に好発する．
□ ⑤ 原発性脳腫瘍より転移性脳腫瘍の方が発生頻度は高い．

3．誤っているのはどれか．

□ ① Waller 変性は末梢神経が切断され，軸索と髄鞘までが変性し，Schwann 細胞が貪食するという現象である．
□ ② 糖尿病には末梢神経障害を認めることがある．
□ ③ 神経線維腫症 1 型は皮膚にカフェオレ斑が多発する．
□ ④ 神経線維腫症 1 型，神経線維腫症 2 型はどちらも常染色体顕性遺伝（優性遺伝）である．
□ ⑤ 神経線維腫症 2 型は片側聴神経に神経鞘腫を発生する．

2-③と⑤（①：膠芽腫は成人，②：髄芽腫は小児，④：下垂体腺腫は女性に好発する），3-⑤（⑤：両側聴神経）

Ⅰ　運動器系

学習の目標

- □ 筋ジストロフィ
- □ ミオパチー
- □ 代謝性骨疾患
- □ 骨の感染症
- □ 骨腫瘍
- □ 関節リウマチ
- □ 軟部腫瘍

1 骨格筋の病変（表 2-25）

① 筋ジストロフィ

臨床的に慢性かつ進行性に経過する筋力低下と筋萎縮を特徴とする疾患であり，遺伝性で，かつ病理組織像として，骨格筋細胞の壊死と

表 2-25　運動器系の病変

骨格筋	筋ジストロフィ	Duchenne/Becker 型，肢帯型，顔面肩甲上腕型，Emery-Dreifuss（エメリー・ドレイフュス）型，先天性，筋硬直性
	ミオパチー	先天性ミオパチー，代謝性ミオパチー，ミトコンドリア病，炎症性ミオパチー，内分泌性ミオパチー，中毒性ミオパチー
骨	先天性骨系統疾患	軟骨無形成症，骨形成不全症，大理石骨症
	代謝性骨疾患	骨粗鬆症，骨軟化症・くる病
	骨壊死	
	感染症	急性化膿性骨髄炎，慢性化膿性骨髄炎，結核性骨髄炎
	骨腫瘍	・原発性良性骨腫瘍：骨軟骨腫，軟骨腫，骨巨細胞腫 ・原発性悪性骨腫瘍：骨肉腫，軟骨肉腫，脊索腫 ・転移性骨腫瘍
関節	変形性関節症，関節リウマチ，痛風	
軟部組織	感染症	壊死性筋膜炎
	軟部腫瘍	・良性腫瘍：脂肪腫，平滑筋腫，神経鞘腫，神経線維腫，血管腫，リンパ管腫 ・悪性腫瘍：脂肪肉腫，平滑筋肉腫，横紋筋肉腫，血管肉腫，滑膜肉腫，骨外性 Ewing（ユーイング）肉腫/PNET

再生の混在，筋の基本構築の乱れなどのジストロフィ変化をきたすことが特徴．肢帯型，顔面肩甲上腕型などがある．

1．Duchenne（デュシェンヌ)/Becker（ベッカー）型筋ジストロフィ

①遺伝方式：X 連鎖潜性遺伝（劣性遺伝）.

②Duchenne 型は新生男児 3,000～3,500 人に 1 人発生．Becker 型は Duchenne 型の約 1/10.

③近位筋優位に筋力低下がみられる．

④ジストロフィン遺伝子の変異による．

② ミオパチー

①ミオパチーとは，筋肉の異常により引き起こされる疾患の総称．

②症状として，骨格筋が萎縮することによる筋力低下が多い．

③先天性ミオパチー，代謝性ミオパチー，ミトコンドリア病，炎症性ミオパチー，内分泌性ミオパチー，中毒性ミオパチーがある．

2 骨の病変（表 2-25）

成人の骨は，脊椎や骨盤などを構成する体幹骨と上下肢を構成する体肢骨に分けられ，合わせて 206 個の骨がある．

① 骨腫瘍

1．原発性悪性骨腫瘍

(1) 骨肉腫

①組織学的に，悪性腫瘍細胞が腫瘍性類骨を産生するものと定義される．

②通常型骨肉腫は 10 歳代の長管骨骨幹端部に好発，大腿骨遠位部，腓骨近位部および上腕骨近位部に多い．顕著な骨膜反応を呈する．

(2) 軟骨肉腫

①軟骨形成性悪性骨腫瘍．

②通常型軟骨肉腫は中高年の骨盤，肋骨，大腿骨近位部，上腕骨近位部に好発し，男性にやや多い．

2．転移性骨腫瘍

・肺癌，前立腺癌，乳癌，腎癌の転移が多い．

関節の病変

1．変形性関節症

①関節構造組織の退行性変性による慢性進行性疾患．

②関節疾患のなかでも最も高頻度．

③高齢者に多く，加齢とともにその頻度は増加．

④男性に比べ女性の方が頻度が高い．

2．関節リウマチ（→p.67 参照）

①原因不明の全身性疾患．自己免疫性疾患．

②多発性の関節腫脹と疼痛を主症状とする．

③女性の罹患率は男性の 3〜5 倍である．

3．痛風（→p.32 参照）

①尿酸の生成・排泄異常による高尿酸血症を背景として，尿酸ナトリウム結晶が組織に沈着する．

②急性関節炎発作，腎障害，痛風結節，尿路結石の形成，心・血管障害など，多彩な臨床症状を引き起こす．

軟部組織の病変（表 2-25）

① 軟部腫瘍

1．脂肪腫

①良性軟部腫瘍のなかで最も高頻度．

②中高年の体幹部，四肢近位部および頭頸部に多く発生する．

2．脂肪肉腫

①成人軟部肉腫のなかで最も高頻度．

②中高年の四肢深部軟部組織に好発し，なかでも大腿に多い．

3．平滑筋腫

・若年成人から中年女性の後腹膜や骨盤内に，子宮とは離れて認められる．

4．平滑筋肉腫

①平滑筋への分化を示す悪性軟部腫瘍．

②全悪性軟部腫瘍の 5〜10％を占める．

③発生部位は後腹膜および骨盤，大血管，四肢の軟部組織，皮膚の真皮などがある．50〜75％が後腹膜発生．

5．横紋筋肉腫

①組織学的に 4 亜型に分類される．

②胎児型は，横紋筋肉腫のなかで最も頻度の高い亜型．大部分は 5 歳未満に発生．発生部位の約 50％は頭頂部，次いで泌尿生殖器が約 30％．

6．血管腫

・先天性あるいは小児期にみつかるものが多い．自然消褪するものが多い．

7．血管肉腫

①腫瘍細胞が血管内皮への分化を示す，まれな悪性腫瘍．

②高齢男性の頭皮に発生するものが多い．

8．滑膜肉腫

①若年者あるいは若年成人に多い．

②大腿と膝周辺の深部軟部組織に好発．滑膜組織とはまったく関係ない．

セルフ・チェック

A 次の文章で正しいものに○，誤っているものに×をつけよ．

	○	×
1. Duchenne/Becker 型筋ジストロフィーは X 連鎖潜性遺伝（劣性遺伝）である．	□	□
2. 筋硬直性ジストロフィーは通常 10 歳代以降に全身の筋力低下・筋萎縮，筋強直現象を呈する．	□	□
3. 成人の骨は 206 個ある．	□	□
4. 骨粗鬆症の原因として低栄養がある．	□	□
5. 骨軟化症が成人に発生した場合，くる病とよぶ．	□	□
6. 急性化膿性骨髄炎は男児に多い傾向にある．	□	□
7. 骨巨細胞腫は 20〜30 歳代に好発する．	□	□
8. 脊索腫は仙尾骨椎体に好発する．	□	□
9. 変性性関節症は男性に多い．	□	□
10. 骨外性 Ewing 肉腫/PNET の多くが高齢者に発生する．	□	□

B

1. 誤っているのはどれか．
   - □ ① 骨粗鬆症の原因の一つに肝硬変がある．
   - □ ② 骨軟化症の原因の一つにビタミン C 欠乏がある．
   - □ ③ 急性化膿性骨髄炎は小児に多い．
   - □ ④ 骨肉腫は骨膜反応を呈する．
   - □ ⑤ 脊索腫は低悪性度腫瘍である．

A 1-○，2-○，3-○，4-○，5-×（小児に発生した場合），6-○，7-○，8-○，9-×（女性に多い），10-×（30 歳未満に発生）

B 1-②（②：ビタミン D 欠乏）

J 感覚器系

学習の目標

- □ 視覚器の病変
- □ 聴覚器の病変

視覚器の病変

1．角膜

①角膜炎：細菌，ウイルス，真菌，原虫の感染により，炎症，潰瘍形成が起こることがある．

②角膜変性：角膜炎，角膜内皮障害，眼内炎により角膜の変性が引き起こされる．

2．房室

①白内障：糖尿病，ビタミン不足，遺伝性疾患，薬物などの原因により，水晶体が白濁した状態．老化により生じる場合は，老人性白内障という．

②緑内障：視野欠損と視神経萎縮をきたす症候群をさし，大部分の症例では高眼圧を示す．

聴覚器の病変

①耳茸：鼓膜の穿孔部から外耳道の方へ突出したポリープ．慢性中耳炎の合併症でみられる．

②真珠腫：鼓膜の穿孔部から外耳道の扁平上皮組織が中耳腔へ連続して入り込み，剥離したケラチンが層状に蓄積してできる．

③耳垢腺腫

④傍神経節腫

⑤扁平上皮癌：外耳道の入り口付近に発生しやすい，中耳内や乳様突起洞にもまれにみられる．

セルフ・チェック

A 次の文章で正しいものに○，誤っているものに×をつけよ．

	○	×
1. 悪性黒色腫は眼瞼や結膜，ブドウ膜などから発生する．	□	□
2. 白内障はビタミン不足に起因する．	□	□
3. 緑内障の大部分の症例で低眼圧を示す．	□	□
4. 傍神経節腫は血管に富む．	□	□
5. 扁平上皮癌は外耳道の入り口付近に発生しやすい．	□	□

A 1-○，2-○，3-×（高眼圧），4-○，5-○

K　皮膚および付属器

学習の目標

- □ 皮膚病変の肉眼的変化
- □ 非感染性皮膚炎（皮膚症）
- □ 感染性皮膚炎
- □ 腫瘍・腫瘍性病変

皮膚病変の肉眼的変化

表 2-26 に示す.

皮膚の病変（表 2-27）

① 皮膚の腫瘍・腫瘍性病変

1．悪性黒色腫

①皮膚メラノサイト由来の悪性腫瘍.

②皮膚の他，眼球脈絡膜，口腔内，肛門などの陰部などのメラノサイトが存在する部位にも発生する．高悪性度.

表 2-26　皮膚病変の肉眼的変化

原発疹	斑，丘疹，結節，水疱，膿胞，嚢腫，膨疹
続発疹	鱗屑，痂皮，びらん，潰瘍，膿瘍，亀裂，瘢痕，胼胝〈べんち〉，萎縮

表 2-27　皮膚・付属器の病変

感染性皮膚炎	ウイルス性皮膚炎	単純性疱疹（ヘルペスウイルス感染症），ポックスウイルス感染症，ヒト乳頭腫ウイルス（HPV）感染症，尖圭コンジローマ
	感染性肉芽腫性皮膚炎	皮膚結核症，ハンセン病，梅毒
	真菌性皮膚炎	皮膚カンジダ症，白癬症
非感染性皮膚炎（皮膚症）	湿疹様病変	接触性皮膚炎，アトピー性皮膚炎
	水疱性病変	尋常性天疱瘡
	膠原病による皮膚病変	全身性エリテマトーデス
腫瘍・腫瘍性病変	悪性黒色腫，Bowen 病，乳房外 Paget（パジェット）病，有棘細胞癌（扁平上皮癌），基底細胞癌（上皮腫）	

2．Bowen（ボーエン）病

①慢性湿疹様病変で，高齢者の体幹部皮膚に好発する表皮内癌．

②放置すると浸潤癌（有棘細胞癌）となる．

セルフ・チェック

A 次の文章で正しいものに○，誤っているものに×をつけよ．

	○	×
1. 尖圭コンジローマは感染性肉芽腫性皮膚炎である．	□	□
2. 全身性エリテマトーデスは顔の蝶形紅斑を特徴とする．	□	□
3. 悪性黒色腫は低悪性度腫瘍である．	□	□
4. 有棘細胞癌の発生母地として Bowen 病がある．	□	□
5. 乳房外 Paget 病は痂疲を伴う難治性湿疹様病変である．	□	□

B

1. 感染性肉芽腫性皮膚炎として正しいのはどれか．2 つ選べ．
   - □ ① 単純性疱疹
   - □ ② ハンセン病
   - □ ③ 梅　毒
   - □ ④ 皮膚カンジダ症
   - □ ⑤ 尖圭コンジローマ
2. 誤っているのはどれか．
   - □ ① 全身性エリテマトーデスは抗 DNA 抗体陽性である．
   - □ ② 悪性黒色腫はメラノサイト由来の悪性腫瘍である．
   - □ ③ Bowen 病は浸潤癌である．
   - □ ④ 水疱性皮膚炎には尋常性天疱瘡がある．
   - □ ⑤ 真菌性皮膚炎には白癬症がある．

A 1−×（ウイルス性皮膚炎），2−○，3−×（高悪性度），4−○，5−○

B 1−②と③，2−③（③：Bowen 病は表皮内癌）

L　乳腺

学習の目標

- □ 乳腺の非腫瘍性病変
- □ 乳腺の良性腫瘍
- □ 乳癌

乳腺の病変（表 2–28）

乳腺の構造を図 2–16 に示す.

① 乳腺の非腫瘍性病変

1．乳腺症

①概念・疫学：30～50 歳代（閉経後は著しく少ない）にみられる

表 2–28　乳腺の病変

非腫瘍性病変	乳腺炎，乳腺症，女性化乳房
腫瘍	・良性腫瘍：線維腺腫，巨大線維腺腫，乳管内乳頭腫 ・悪性腫瘍：乳癌（非浸潤癌，浸潤癌），Paget（パジェット）病

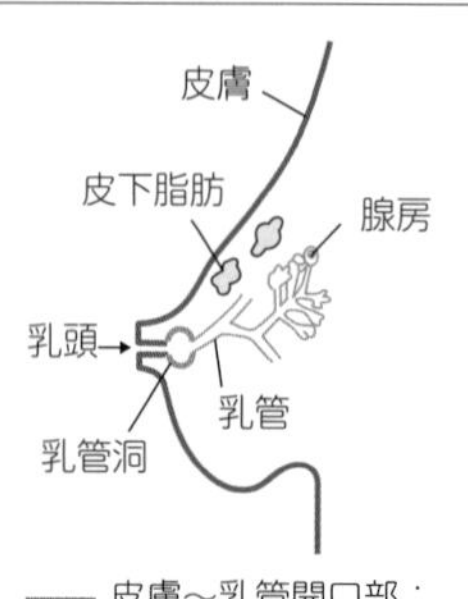

a．乳房の構造

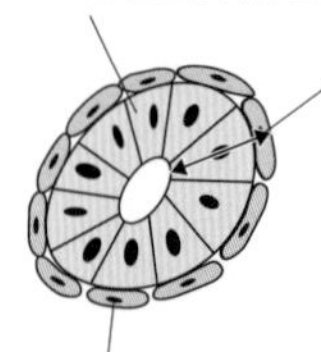

b．乳管の構造

図 2–16　乳腺の構造

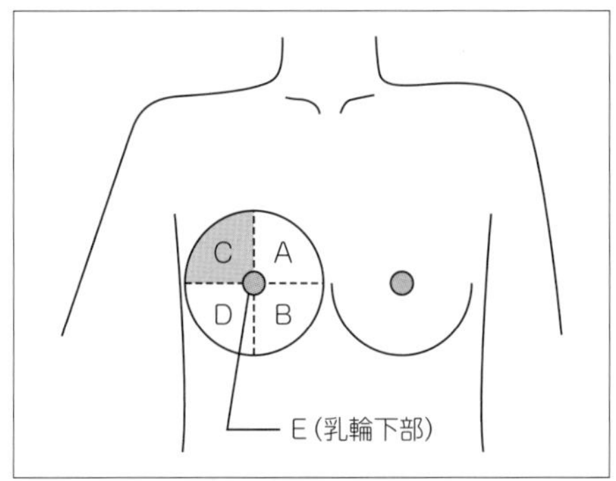

図 2-17　乳癌の好発部位
乳癌は C 領域に好発する.

非炎症性非腫瘍性増殖性病変.

②肉眼的：境界不明瞭な結節，大小の嚢胞をみることが多い.

③組織学的：増生，化生と退行性変化が複雑に混合し，多彩な像がみられる.

④構成病変：嚢胞，乳管乳頭腫症，小葉増生，閉塞性腺増生症，硬化性腺増生症，アポクリン化生，線維腺腫症.

2 乳癌

①概念・疫学：女性の癌死亡率のうち約 9% を占める. 45〜50 歳に好発. 好発部位は外側上四分円（C 領域）（**図 2-17**）. 更年期前後，未婚，不妊，肥満，未出産，不規則授乳者に多い. 悪性腫瘍のなかで比較的予後がよく，5 年生存率よりも 10 年生存率がよく用いられる.

②肉眼的：大きいものは可動性がなく，乳房の変形，皮膚の陥凹をつくる. 割面は黄白色〜灰白色，硬く，周囲への浸潤性のものが多い.

③組織学的：非浸潤癌と浸潤癌に分ける.

ⅰ）非浸潤癌：癌細胞が乳管および小葉内に限局，基底膜を破っていないもの（非浸潤性乳管癌，ductal carcinoma *in situ*；DCIS).

ⅱ）浸潤癌：**表 2-29** に特徴を示す.

④転移：リンパ節，脳，骨への転移が多い.

表 2-29　浸潤癌の特徴

	進展形式	分化度	リンパ節転移	予後
乳頭腺管癌	管内進展	高い	低率	良好
充実腺管癌	管外圧排性	中から低い	中間	中間
硬癌	管外浸潤性	低い	高率	不良

セルフ・チェック

A　次の文章で正しいものに○，誤っているものに×をつけよ．

	○	×
1. 乳腺症は炎症性病変である．	□	□
2. 乳腺症では境界不明瞭な結節がみられる．	□	□
3. 女性化乳房では腺房の形成はみられない．	□	□
4. 線維腺腫では 20～30 歳代に好発，境界明瞭な腫瘤を認める．	□	□
5. 乳癌は C 領域に好発する．	□	□
6. 乳癌は他の癌に比べて比較的予後不良である．	□	□
7. 乳頭腺管癌は硬癌に比べ予後良好である．	□	□
8. 乳癌の大きいものには可動性がある．	□	□
9. 乳房の内側上四分円は C 領域である．	□	□
10. 外陰部，肛門周囲で乳房外 Paget 病がみられる．	□	□

A　1-×（非炎症性），2-○，3-○，4-○，5-○，6-×（比較的予後良好），7-○，8-×（ない），9-×（A 領域），10-○

B

1．乳癌について正しいのはどれか．
- □ ① 両側性に発症することが多い．
- □ ② 遠隔転移臓器としては骨が多い．
- □ ③ ウイルス感染が発症に関係している．
- □ ④ 癌のなかでも予後が悪い癌に分類される．
- □ ⑤ 乳房の A 領域に発生することが最も多い．

2．正しいのはどれか．**2 つ選べ．**
- □ ① 乳腺の Paget 病は良性腫瘍である．
- □ ② アポクリン化生を示す乳腺は癌化しやすい．
- □ ③ 乳癌の診断には穿刺吸引細胞診が用いられる．
- □ ④ 乳腺症は非腫瘍性病変である．
- □ ⑤ 乳腺の線維腺腫は悪性化しやすい．

B　1-②（⑤：乳房の C 領域が最多），2-③と④

3 病理組織標本作製法

A 検体の種類

学習の目標

- □ 生検材料
- □ 生検の対象臓器
- □ 手術材料
- □ 術中迅速組織検査材料
- □ 細胞診材料
- □ 剖検材料

生体組織検査材料（生検材料）

病変部より針や鉗子で採取した微小組織片で病理診断を行うのが目的である．その結果をもとに，臨床医が外科的療法（手術），化学療法，放射線療法などの治療方針を決定する．

①針生検の対象臓器：肝臓，腎臓，乳腺，前立腺，肺（末梢部），骨髄など

②内視鏡的生検の対象臓器：消化管，肺（中心部）

③パンチ生検の対象臓器：皮膚，子宮頸部

手術組織検査材料（手術材料）

治療方針の決定や患者予後の推定のために，手術で摘出された臓器．生検での病理診断を確認するだけでなく，病変の深部および周囲への進展，血管・リンパ管侵襲の有無を調べ，これらの結果をもとに病気の進行度が決定される．

術中迅速組織検査材料

手術中に採取した微小組織片．ただちに標本を作製して病理診断を行う．手術中に腫瘍の原発巣，組織型や進行度を知り，腫瘍の切除範囲などの術式決定にかかわる情報を得る．

4 細胞学的検査材料（細胞診材料）

擦過物，喀痰，液状検体や穿刺吸引検体から，腫瘍細胞，感染細胞などについて評価・診断する検査である．

5 病理解剖学的検査材料（剖検材料）

病気で死亡した患者から取り出された諸臓器の肉眼的および組織学的な検索を行い，直接死因や治療効果などを明らかにすることを目的として行われる．病理解剖の結果は臨床病理検討会（clinicopathological conference；CPC）で討議される．

病理医と臨床検査技師の連携

病理検査室では，生検や手術材料の病理組織検査や，婦人科材料や喀痰などを対象とした細胞診検査を行っている．この病理組織検査と細胞診検査は，専門の病理医による確定診断によって，治療方針の選択がなされている．

治療の基礎となる正確で迅速な病理診断を行うためには，病理医と臨床検査技師の連携が重要である．たとえば，病理組織標本作製の基本となるホルマリン固定において，病理医と臨床検査技師が新たな医学知識を積み重ねて連携することにより，各病院で異なる組成や時間を検討して採用している．また，臨床検査技師は主に標本作製業務を担っており，病理医が確定診断に導くための特殊染色や免疫組織化学染色技術の研磨，研究や学会活動での新たな知識の習得を積極的に行っている．

セルフ・チェック

B

1．針生検を行うのはどれか．**2** つ選べ．
- □ ① 前立腺
- □ ② 皮　膚
- □ ③ 甲状腺
- □ ④ 膀　胱
- □ ⑤ 胃

2．パンチ生検を行うのはどれか．
- □ ① 前立腺
- □ ② 腎　臓
- □ ③ 気　管
- □ ④ 子宮頸部
- □ ⑤ 肝　臓

3．内視鏡生検を行うのはどれか．**2** つ選べ．
- □ ① 気　管
- □ ② 皮　膚
- □ ③ 甲状腺
- □ ④ 子宮頸部
- □ ⑤ 膀　胱

B　1-①と③，2-④，3-①と⑤

B　標本作製法

学習の目標

- □ パラフィン
- □ セロイジン
- □ カーボワックス
- □ 水溶性包埋剤
- □ エポキシ（エポン）樹脂

標本作製法の種類

目的に従って適切な包埋剤に基づいた標本作製法を選択する（**表 3-1**）．最も広く行われているのはパラフィン包埋法である．

表 3-1　標本作製法

目　的	包埋剤	特　徴
病理組織検査全般	パラフィン	非水溶性包埋剤を用いた冷蔵固化による標本作製法．組織片の永久的保存に最適で，1〜10 μm の薄切切片を作製できる．脱水や熱処理などによって失活する物質がある．
脳や心臓の全体像の観察	セロイジン	非水溶性包埋剤を用いた常温固化による標本作製法．熱処理は不要のため，収縮・硬化がない．10 μm 以下の薄切切片が作製できず，また標本作製に 1 カ月以上を要する．
脂質，酵素などの検出	カーボワックス	水溶性包埋剤を用いた冷蔵固化による標本作製法．脱水や熱処理が不要のため，保存性が低い物質の検出に適する．
迅速診断標本作製や脂質，酵素などの検出	PVA（ポリビニルアルコール，製品名：OCT コンパウンドなど） ゼラチン	水溶性包埋剤を用いた凍結固化による標本作製法．脱水や熱処理が不要のため，保存性が低い物質の検出に適し，15 分程度で標本を作製できる．
細胞内小器官の観察	エポキシ（エポン）樹脂	非水溶性包埋剤を用いた熱重合固化による標本作製法．透過型電子顕微鏡用（1 μm 以下）の超薄切片作製に用いる．

C　パラフィン包埋標本

学習の目標

- □ 固定
- □ 固定液の種類と組成
- □ 切り出し
- □ 脱灰
- □ 脱水
- □ 脱アルコール
- □ パラフィン包埋
- □ 薄切

パラフィンは組織片の乾燥を防いで永久的に保存でき，薄切に適度な硬度が得られるため，切片の厚さ調整がしやすい利点がある．一方で，パラフィンは非水溶性（疎水性），非アルコール溶性のため，パラフィン包埋前に，脱水，脱アルコール，加熱（パラフィン浸透）工程が必要となる．

欠点として，脂肪成分の溶出，酵素や一部の抗原蛋白の失活が生じること，組織片が収縮することがある．

1 標本作製工程

1．通常の組織片

固定→水洗→切り出し→脱水（脱脂）→脱アルコール→パラフィン包埋→薄切

2．脱灰を要する組織片

固定→水洗→切り出し→脱水（脱脂）→脱灰→脱水→脱アルコール→パラフィン包埋→薄切

2 固定

① 固定の目的

固定とは速やかに組織の腐敗を防止し，生体に近い状態で保存する目的で行われる．その他に望まれる性能として，以下があげられる．

①組織に硬さ（硬度）をもたせること．

②細胞内外の物質（蛋白質，多糖類，脂質など）の移動，拡散を防

ぐこと.

③病原微生物を死滅できること.

④臓器の色を変えないこと.

⑤安価であること.

2 固定の原理

1．架橋固定

①蛋白質との化学反応によってメチレン架橋を形成する.

②アルデヒド類（ホルマリンなど），オスミウム酸，過マンガン酸カリウムがある.

2．凝固固定

①疎水結合を破壊し，蛋白質の周囲にある水を除去し，蛋白質とは化学反応を起こさない.

②エタノール，アセトン，酢酸，ピクリン酸や昇汞（塩化第二水銀）がある.

3 固定の実際

1．固定液の選択

①染色目的物に適した固定液を選択する必要がある.

②組織診においてはホルマリン以外の選択肢はない.

2．組織片の大きさ

①通常は大きさを調整せずに固定液に浸漬する.

②小さいほどよく，5 mm 以下が望ましい.

3．液量

・多いほどよい．通常は 10～20 倍量.

4．浸漬時間

①固定液の種類，臓器の大きさによって異なる.

②ホルマリン固定液は半日～5 日間.

③ホルマリン以外の固定液はほとんどが 12 時間以内で済む.

5．浸透速度

①固定液の浸透速度（浸透距離）は浸漬時間と正比例しないが，おおよその目安は下記の通り.

・エタノール液，ブアン液，カルノア液：約 1 mm/時間

・ホルマリン液：約 0.7 mm/時間

・グルタールアルデヒド液：約 0.5 mm/時間

表 3–2 検体の変形防止と固定促進法

大脳	糸を脳底動脈の下にくぐらせ，吊るした状態で固定液に浸ける.
消化管（胃など）	内腔を開き，コルク板やゴム板に虫ピンで貼り付け，固定液に浸ける.
肺	気管支内に固定液を注入してから固定液に浸ける.
肝臓，腎臓，脾臓	固定液の浸透が悪いため，割を入れてから固定液に浸ける.

6．温度

①常温.

②失活しやすい物質を検出する場合は 4℃.

③固定時間を短縮する場合は，37℃に加温する.

7．注意点

①長時間浸漬すると組織の収縮や染色性の低下が生じる.

②ホルマリン固定の場合は，ホルマリン色素の沈着が起きる.

③組織片を水洗してから固定すると，組織片が膨化変性するので，水洗せずに固定液に浸漬する.

8．固定の促進法

①固定液を振盪する.

②真空吸引する（脱気を行う）.

③組織片の厚さを薄くする.

④固定液を加温する(高温にしすぎると組織硬化が起こるので注意).

9．検体の変形防止

変形しやすい臓器などは**表 3–2** のような対処をする.

4 固定液の種類と組成

1．ホルマリン全般

(1) 特徴

①浸透力が強いこと，無色透明のため着色が起きないことから，H–E 染色標本を作製するための第一選択の固定液である.

②特殊染色の鍍銀染色，脂肪染色用としても推奨される.

(2) ホルマリン原液（100%ホルマリン）

①ホルムアルデヒドガスを約 37%含む水溶液.

②固定液として使用する際は 10～20%に希釈する．原液を固定液として用いると，組織表面が硬化して浸透できないので必ず希釈する.

③pH は 3.2．ホルムアルデヒドは光による酸化でギ酸を生じ，酸性

化しやすい.

(3) 市販名

①局方ホルマリン：安定化剤（にごり防止）として10〜15%のメタノールが添加されている.

②試薬ホルマリン：5〜10%のメタノールを含む.

(4) 健康被害

①ホルマリン蒸気は強い刺激性があり，気道や皮膚の粘膜，眼球結膜に傷害を起こす.

②発がん性が指摘されている.

(5) 法律上の取り扱い

①毒物及び劇物取締法では，医薬用外劇物に指定されている.

②労働安全衛生法による特定化学物質障害予防規則では，特定第2類物質に指定されている.

(6) 換気

①ホルマリン蒸気は空気より重いので下方から吸引できる換気設備またはドラフトが必要である.

②労働安全衛生法において作業環境中の管理濃度は0.1 ppm（0.00001%）と定められている.

(7) 消毒剤としての効力

①細菌（結核菌，芽胞も含む），真菌，ウイルスなど，すべての微生物は固定によって不活化される.

②ただし，プリオン蛋白（Creutzfeldt-Jakob病）だけは不活化できない.

(8) 核酸（DNA，RNA）の保存性

①組織内のDNAやRNAは固定しても保存されている.

②ただし，組織片を遺伝子検査（PCR法，fluorescence *in situ* hybridization；FISH法）に用いる際は中性緩衝ホルマリンを用い，固定時間48時間以内を厳守する.

(9) 生体内色素の色調の変化

・胆汁酸（ビリルビン）の緑色調が増強する.

2．酸性ホルマリン液（10%）

(1) 調製方法

①ホルマリン原液を水で10倍希釈して作製したもの.

②10%濃度は約3.7%のホルムアルデヒド水溶液.

(2) 特徴

①ホルマリン液のなかで浸透力が最も強い.

②ホルマリン色素の沈着が著しく，浸透圧による組織傷害が生じる.

(3) ホルマリン色素

・組織片を長期間の酸性ホルマリン液（pH3.0～5.0）で固定すると，標本組織上に黒褐色調の粒子が沈着する.

(4) ホルマリン色素の除去法

アルカリ溶液とエタノールの混合液で除去できる.

①Kardasewitsch（カルダセウィッチ）法：アンモニアと 70％エタノールの混合液に浸漬する.

②Verocay（ベロケイ）法：水酸化カリウムと 80％エタノールの混合液に浸漬する.

3．中性ホルマリン液（10％）

(1) 調製方法

・炭酸カルシウムや炭酸マグネシウムをホルマリン原液に加え，振盪後の上清を使用する.

(2) 特徴

①ホルマリン色素の沈着を防ぐ.

②浸透圧による組織傷害が生じる.

③pH の変化が大きい.

④未使用の溶液は遮光（褐色）ビンに保存する.

4．等張ホルマリン液（10％）

(1) 調製方法

・中性ホルマリンに塩化ナトリウムを加えて等張にした後に，水で 10 倍希釈する.

(2) 特徴

①ホルマリン色素の沈着が起こりにくい.

②浸透圧による組織傷害が少ない.

③pH の変化が大きい.

5．中性緩衝ホルマリン液（10％）

(1) 調製方法

・原液をリン酸緩衝液（リン酸ナトリウム）の成分で 10 倍希釈する.

(2) 特徴

①固定液として最も優れる.

②ホルマリン色素の沈着が起こりにくい．

③浸透圧による組織傷害が少ない．

④pH の変化が少ない．

⑤日常的な病理診断や遺伝子検査で必須の固定液である．

6．グルタールアルデヒド液（2～4%）

(1) 用途・特徴

①電子顕微鏡用標本の前固定液である．

②固定力が最も強く，浸透速度が最も遅い．

(2) 固定時間

・4℃で 1～2 時間．

7．オスミウム酸（四酸化オスミウム）液（1～2%）

(1) 用途・特徴

①電子顕微鏡用標本の後固定液である．

②組織を黒変させる．

(2) 固定時間

・4℃で 1～2 時間．

8．エタノール液（100%）

(1) 用途・特徴

①水溶性物質（グリコーゲン，尿酸など）の固定に優れる．

②脂肪の固定には適さない．

③組織が収縮しやすい．

(2) 固定時間

・1～4 時間．

9．カルノア（Carnoy）液

(1) 用途

①水溶性物質（グリコーゲン，尿酸など）の固定に優れる．

②脂肪の固定には適さない．

(2) 調製方法

・エタノール，クロロホルム，酢酸で 6：3：1 である．

(3) 固定時間

・1～4 時間．

10．ブアン（Bouin）液

(1) 用途

①内分泌組織の固定に優れる．

②弱い脱灰能力を有するので，胎児組織にも用いられる．

表 3-3 重クロム酸系固定液

	重クロム酸カリウム	昇汞（塩化第二水銀）	ホルムアルデヒド
ミュラー（Müller）液	＋	－	－
オルト（Ortho）液	＋	－	＋
ヘリー（Helly）液	＋	＋	＋
ツェンカー（Zenker）液	＋	＋	－
マキシモウ（Maximow）液	＋	＋	＋

（2）調製方法

・ピクリン酸，ホルマリン，酢酸で 15：5：1 である.

（3）固定時間

・2～3 時間.

11. ザンボーニ（Zamboni）液

（1）特徴

①ポリペプチドホルモン抗原の保存に優れる.

②免疫組織化学染色用の固定液である.

（2）調製方法

・ピクリン酸，パラホルムアルデヒドを混合する.

12. PLP（periodate-lysine-paraformaldehyde）液

（1）特徴

①糖蛋白系抗原（CEA など）の保存に優れる.

②免疫組織化学染色用の固定液である.

③糖鎖構造を破壊するのでレクチンなどの検出はできない.

（2）調製方法

・メタ過ヨウ素酸ナトリウム，リジン，パラホルムアルデヒドを混合する.

13. 4%パラホルムアルデヒド（paraformaldehyde；PFA）液

（1）特徴

①蛋白系抗原の保存に優れる.

②免疫組織化学染色用の固定液である.

14. 重クロム酸系固定液

（1）特徴

①強い蛋白凝固作用があるので，染色性が非常に良好である.

②劇物を含むため，廃棄処理が困難である.

（2）組成（表 3-3）

臓器の写真撮影と切り出し

摘出された臓器の病変の特徴の確認，切り出し図の作成，切り出し部位の記録のために，マクロ像（肉眼所見）の写真撮影を行う．

切り出しでは，切り出し図に基づき，取扱い規約に準じて組織材料を適当な大きさに切り分けが行われる．

1．切り出し方法

①ホルマリン固定が済んだ組織材料を水洗後，各種溶液が浸透しやすいように，鋭利なメスやナイフ，使用済みミクロトーム替刃，安全カミソリなどを用いて切り分ける．

②組織の厚さは 5 mm 以下が望ましい．

2．切り出しの注意点

・ハサミで切り出しすると組織の挫滅が生じることがあるので使用しない．

脱灰

骨のような硬組織はそのままでは薄切が非常に困難である．薄切を容易にするため，包埋に先立って石灰成分（Ca^{2+}）を取り除く操作を脱灰法という．

1 対象

①正常：骨

②病変：大動脈粥状硬化症，陳旧性結核

2 脱灰の準備

①脱灰は組織の膨化，溶解などの傷害や核の染色性低下が起こりやすい．必ず脱灰液に浸ける前に十分にホルマリンで固定する．

②脱灰時間を短縮化するために，5 mm 以下に小さく切り出し，浸透性を高めるために十分に脱脂しておく必要がある．

表 3–4　脱灰の温度

温度	処理時間	特徴
37℃	短時間	核の染色性が低下し，組織傷害が著しい.
4℃	長時間	核の染色性の低下や組織傷害は少ない.

③ 処理方法

1．脱灰液量

・組織片体積の 100 倍量以上.

2．脱灰液濃度

・5～10%.

3．脱灰至適温度（表 3–4）

①酸脱灰液：約 15℃（常温）.

②EDTA 液：約 30℃.

4．組織片の位置

・液の上層におく.

5．脱灰液の交換頻度

・1 回/1 日：濃度の変更はない.

6．促進法

①脱灰容器を振盪する.

②脱灰液中にイオン交換樹脂を入れ，溶出した Ca^{2+} を吸着させる.

7．注意点

①酸溶液に長時間浸漬しないこと．核染色性，抗原性や核酸（DNA や RNA）の保存性が低下する．免疫組織学染色や遺伝子検査では EDTA 液を用いること.

②酸溶液による脱灰中は容器を密閉しないこと．多量の炭酸ガスが発生し，容器破損の原因となる.

③酸溶液で脱灰直後に組織片を水洗しないこと．組織膨化の原因となる.

④ 脱灰液の種類（表 3–5）

⑤ 脱灰の後処理

脱灰液種によって後処理の方法は異なる.

表 3-5　各種脱灰液の特徴

		脱灰液	濃度または組成	特徴
酸による脱灰法	有機酸	ギ酸液	5～10%	脱灰時間は無機酸より長いが，組織傷害や染色性への影響が少ない．
		トリクロロ酢酸液		ギ酸よりpHが低いため，脱灰力が強いが，組織傷害や染色性への影響が大きい．
	無機酸	塩酸液		脱灰力は強いが，組織傷害と染色性低下が著しいため，単独では使われない．
		硝酸液		脱灰力は塩酸より弱いが，組織傷害と染色性低下が認められる．
	迅速脱灰法	プランク・リクロ（Plank–Rychlo）液	塩酸 ギ酸 塩化アルミニウム	脱灰速度がきわめて速く，10 mm^{3}の組織片は24時間以内に脱灰できる．過脱灰による染色性低下が生じやすいため，4℃で緩やかに脱灰することが推奨されている．
中性脱灰法		EDTA（エチレンジアミン四酢酸）液	10%	至適温度は30℃． 脱灰速度が遅い． 染色性が良い． 免疫組織学染色や遺伝子検査で用いる．

※硫酸は組織傷害が強すぎて脱灰に用いられない．

1．中和が必要な脱灰法

(1) 対象脱灰液

①塩酸液

②硝酸液

③プランク・リクロ（Plank–Rychlo）液

(2) 方法

・5%硫酸ナトリウム，硫酸リチウム，ミョウバンなどの中和剤に浸漬し，中和後，水洗し脱水する．

2．中和が不要な脱灰法

(1) 対象脱灰液

①ギ酸液

②トリクロロ酢酸液

③EDTA（エチレンジアミン四酢酸）液

(2) 方法

①70%エタノールに浸漬後，脱水へ戻る．

②EDTAを使用した場合は水洗後，脱水へ戻る．

脱水

パラフィンは非水溶性のため，本工程で水に親和性のあるアルコールなどを用いて脱水を行う．本工程では同時に脂質の除去も行っている．

1．溶液

①エタノール
②メタノール

2．方法

従来は①の方法で行っていたが，近年は②の方法が推奨されている．ただし，固定が不十分であることが予想されるときは①の方法で行う．

①低濃度から高濃度（70%，80%，90%，95%，99.5%，無水アルコールの順）へ順次浸漬する．
②無水アルコール５槽以上（最終槽は，さらに無水化したもの）に浸漬する．

3．脱水と脱脂の能力

①脱水能力：メタノール＞エタノール
②脱脂能力：エタノール＞メタノール

4．注意点

・脱水が不完全な組織片は，最終的にパラフィン浸透が不良となり，崩れた切片となる．

5．無水アルコールの作製法

・水分を吸着するモレキュラーシーブまたは無水硫酸銅をアルコールにしばらく浸けると無水化する．

脱アルコール

パラフィンは非アルコール溶性のため，本工程でアルコールとパラフィンの両方に親和性のある溶液を用いて行う．

1．溶液

中間剤，仲介剤，置換剤ともよばれる．

①キシレン
②クロロホルム
③ツェーデル油

④ベンゼン

2．注意点

・脱アルコール剤が白濁する原因は，組織片の脱水不良である．

パラフィン包埋

パラフィンには融点が45～52℃の軟パラフィンと54～60℃の硬パラフィンがあるが，厳密な温度境界はない．現在は硬パラフィンのみが使用されているため，両者の用語を区別しない．

1．方法

(1) パラフィン浸透

・約60℃で加熱溶解したパラフィンに数時間浸漬して脱アルコール剤を除去し，パラフィンを浸透させる．本工程が組織の収縮率が最も高い．

(2) パラフィン包埋

①薄切する面を下側にして，包埋皿に組織片を沈める．

②包埋カセットを上部にセットし0℃の冷却板上でパラフィンを硬化させる．

2．包埋ブロックの良否

①良：パラフィンが半透明で，組織片の薄切面が表面に出ている．

②不良：ひび割れ，パラフィン不足，薄切面の組織片が表面に出ていない際は，再包埋が必要である．

3．注意点

・包埋ブロック作製後，表面に凹みが生じた場合は，パラフィン浸透時の脱アルコール剤の除去が不完全なことが原因である．

薄切

1．ミクロトームの種類（表3-6）

2．ミクロトーム関連の設定角度

(1) 刃角

①替え刃の先端の角度．

②刃角が大きい（35度）と切れ味は悪いが，耐久性が高い．

③刃角が小さい（22度）と切れ味は良いが，刃こぼれして傷つきやすい．

表 3-6　ミクロトームの種類

分類		原理	用途	引き角	逃げ角
滑走式	ユング (Jung) 型	組織ブロックを固定し，滑走路上でミクロトーム刀を動かす．	パラフィン切片	45 度	2〜5 度
	シャンツェ (Schanze)型	ユング型に比べて小型	パラフィン切片		
	テトランダー (Tetrander) 型	ユング型に比べて大型	大型のセロイジン切片とパラフィン切片		
回転式	ミノー (Minot) 型	ミクロトーム刀は上に向けて垂直に固定し，回転ハンドルを回し，組織片を上下させて薄切する．	パラフィン切片 凍結切片 超薄切片 連続切片作製に優れる．	90 度	

(2) 逃げ角（図 3-1）

①組織薄切面と刃面とがなす角度である．

②逃げ角の大きさは，ブロックへの刃の切り込みやすさに関係しており，約 2〜5 度に調整する．

(3) 引き角（図 3-2）

①ユング型の引き角は刀台滑走路に対して刃が交わる角度であり，45 度で用いる．ミクロトームを上から観察した際の角度である．

②ミノー型は，試料と刃が交わる角度で 90 度である．

③引き角が小さいほど，薄切切片の歪みが強くなる．

3．実際の操作

(1) 刀台で行う操作

- 逃げ角，引き角の設定．

(2) 試料台で行う操作

- 切片厚の設定，包埋カセットの固定，包埋ブロック表面の角度調整．

4．切片厚

通常は 3〜4 μm であるが，染色法によって変更する．

(1) 厚い切片（5〜8 μm）を用意すべき染色

①渡辺の鍍銀染色

②神経組織染色（Klüver–Barrera 染色，Bodian 染色など）

(2) 薄い切片（1 μm）を用意するべき染色

- 過ヨウ素酸メセナミン硝酸銀（PAM）染色

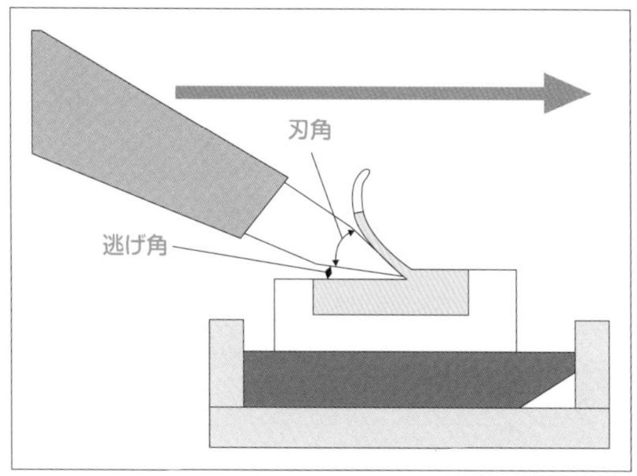

図 3-1　逃げ角

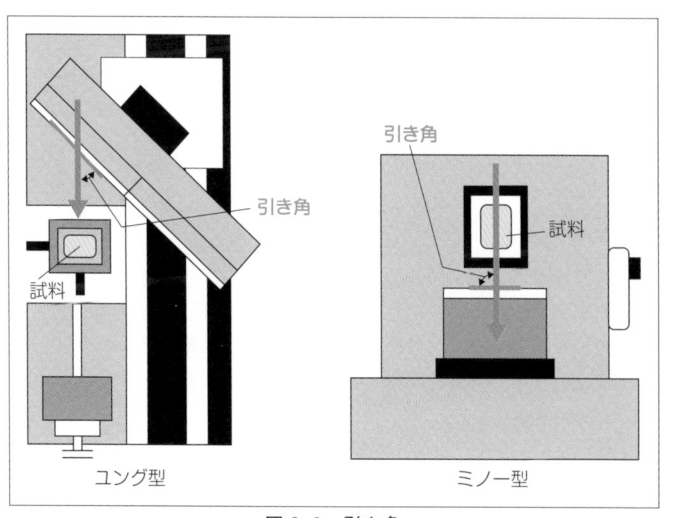

図 3-2　引き角

5．パラフィン切片薄切の失敗原因と対策（表 3-7）

6．薄切後の処理

薄切切片はスライドガラス上にのせて，伸展器で伸展，恒温器などで乾燥を行う．

表 3-7 パラフィン切片薄切の失敗原因と対策

現象	原因	対策
薄切切片が作れない.	ミクロトーム刀の滑走速度が速すぎる.	遅くする.
	ブロックが温まり，軟らかくなっている.	ブロックを冷やす.
ミクロトーム刀に薄切切片が貼り付く.	ミクロトーム刀に静電気が帯電している.	ブロック表面に「ハァー」と息をかけてから薄切する.
薄切切片に縦キズ（メスの走行に従って切片の縦全長にわたり毎回出現する傷）が入る.	刃こぼれしている.	刃の位置を替える．または交換する.
	組織片内に石灰化などの硬い部分がある.	刃の位置を替える．表面脱灰する.
薄切切片にチャター（刃線に平行に生じる横波）が生じる.	ブロックおよびミクロトーム刃の固定が不十分なため振動している.	各部位の固定を完全にする.
	ブロックを冷却し過ぎている.	しばらく放置して室温に近づける.
	子宮，甲状腺，骨などの硬組織	滑走速度を遅くする.
薄切切片の厚さにムラが生じる.	ミクロトーム刀の滑走速度が一定でないか，途中で止めている.	一定の速度で滑走させる．また途中で止めない.
薄切切片が崩れる.	固定，脱水，脱脂，脱アルコール，パラフィン浸透が不十分である.	各工程を十分に行う.
染色標本の一部が欠けている.	面出し（粗削り）が不十分である.	十分に面出ししてから本薄切する.

(1) スライドガラス

①脱脂済みのきれいなスライドガラスを用いる.

②切片が剥離しやすい染色（鍍銀染色や免疫組織化学染色など）を行う場合は，剥離防止剤（MAS，シラン）が塗布されたスライドガラスを用いる.

(2) 伸展

①薄切切片は，スライドガラス上にのせて水分がある状態で，約50℃（パラフィン融点よりも10～15℃低い温度）の伸展器上で薄切片を伸展させる.

②温度が高いほど切片は広がりやすい.

(3) 乾燥

①約60℃のパラフィン溶融器内で約1時間乾燥させる（37℃の恒温器に一晩入れてもよい）.

②乾燥を怠ると染色中に切片が剥がれる.

(4) ブロックの保存

・ブロック表面にパラフィンを塗り，常温で保存する．

セルフ・チェック

A 次の文章で正しいものに○，誤っているものに×をつけよ．

○ ×

〈固定〉

1. ホルマリンの原液は10%のホルムアルデヒド水溶液である．　□ □
2. 重クロム酸カリウム系固定液でホルムアルデヒドを含むのは，ヘリー〈Helly〉液，ツェンカー〈Zenker〉液である．　□ □
3. 局方ホルマリンには10〜15%のエタノールを含む．　□ □
4. 重クロム酸カリウムが含まれる複合固定液は，ミュラー〈Müller〉液，オルト〈Ortho〉液，ヘリー〈Helly〉液，ツェンカー〈Zenker〉液である．　□ □
5. 重クロム酸カリウム系固定液で塩化第二水銀を含むのは，オルト〈Ortho〉液，ヘリー〈Helly〉液である．　□ □
6. ホルマリン色素は酸性溶液とエタノールの混合液で除去できる．　□ □
7. 中性ホルマリンは塩化ナトリウムで作製する．　□ □
8. 酸性ホルマリン液に長時間に浸けるとホルマリン色素が沈着しやすくなる．　□ □
9. ブアン〈Bouin〉液はエタノールとクロロホルムと酢酸からなる．　□ □
10. 10%ホルマリン液は3.7%ホルムアルデヒド水溶液である．　□ □

A 1−×（37%のホルムアルデヒド水溶液），2−×（塩化第二水銀を含む固定液），3−×（メタノールを含む），4−○，5−×（ホルムアルデヒドを含む），6−×（アルカリ溶液とエタノールの混合液），7−×（炭酸カルシウムで作製），8−○，9−×（カルノア液の組成），10−○

11. オスミウム酸（四酸化オスミウム）で固定すると組織が黒変する． □ □
12. ホルマリン固定によってプリオン蛋白は失活する． □ □
13. 細菌，ウイルスのすべてはホルマリン固定で感染性が失われる． □ □
14. ホルマリンは酸化すると酢酸を生じる． □ □
15. PLP 液はピクリン酸とパラホルムアルデヒドからなる． □ □
16. 水溶性物質（グリコーゲン，尿酸）の固定に適するのはホルマリンである． □ □
17. ホルマリン固定で，生体内色素の胆汁色素は緑色調が増す． □ □
18. 脂肪の固定にはホルマリン液が適し，アルコールが主成分の固定液は適さない． □ □
19. ザンボーニ〈Zamboni〉液は糖鎖抗原を破壊するが，糖蛋白抗原の保存に優れる． □ □
20. 等張ホルマリンは中性ホルマリンに炭酸カルシウムを加えて作製する． □ □
21. ホルマリンはカルボキシル基に結合することにより，メチレン架橋を形成する． □ □
22. ホルマリン原液の pH は中性である． □ □
23. ザンボーニ〈Zamboni〉液はメタ過ヨウ素酸ナトリウムとリジンとパラホルムアルデヒドからなる． □ □
24. 中性緩衝ホルマリンはリン酸緩衝液（リン酸ナトリウム）の成分で調製する． □ □
25. ホルマリンは医薬用毒物，特定第 2 類物質に指定される． □ □
26. 酸性ホルマリン液に長時間に浸けると核の染色性が高まる． □ □
27. ホルマリン固定組織から DNA を抽出できる． □ □

11-○，12-×（失活しない），13-○，14-×（ギ酸を生じる），15-×（ザンボーニ液の組成），16-×（100％エタノール液，カルノア液），17-○，18-○，19-×（PLP 液の特性），20-×（塩化ナトリウムを加える），21-×（アミノ基に結合），22-×（酸性：pH3.2），23-×（PLP 液の組成），24-○，25-×（医薬用劇物），26-×（染色性は低下），27-○

28. カルノア〈Carnoy〉液はピクリン酸とホルマリンと酢酸からなる. □ □
29. ホルマリンは発がん性が指摘される. □ □
30. ホルマリン蒸気は空気より軽い. □ □
31. グルタールアルデヒド固定液は固定力が弱く, 浸透速度が速い. □ □
32. 内分泌組織の固定に適するのはブアン〈Bouin〉液とザンボーニ〈Zamboni〉液である. □ □

〈脱灰〉

33. 酸脱灰後に中和しない時は, ただちに水洗する. □ □
34. プランク・リクロ〈Plank–Rychlo〉法は脱灰にかかる時間が長い. □ □
35. 塩酸液, 硝酸液, プランク・リクロ〈Plank–Rychlo〉法による脱灰後は組織片の中和が不要である. □ □
36. 酸脱灰液で脱灰すると核の染色性が低下し, 抗原性も低下する. □ □
37. 粥状硬化症の動脈は脱灰の対象である. □ □
38. ギ酸液, トリクロロ酢酸液, EDTA 液による脱灰後は組織片の中和が必要である. □ □
39. 脱灰中, 酸脱灰液は 1 日に 1 回は交換する. □ □
40. EDTA 脱灰液は至適温度が 15℃である. □ □
41. 酸脱灰液の濃度は 50%である. □ □
42. 酸脱灰液を加温すると短時間で脱灰が済むが, 組織損傷が強い. □ □
43. 酸脱灰液で脱灰中は炭酸ガスが発生するので容器を密閉してはならない. □ □
44. 酸脱灰液の至適温度は 30℃である. □ □
45. 酸脱灰液による脱灰後の中和には, チオ硫酸ナトリウム液が用いられる. □ □

28–×（ブアン液の組成）, 29–○, 30–×（空気より重い）, 31–×（固定力が強く, 浸透速度が遅い）, 32–○, 33–×（70%エタノールに浸漬する）, 34–×（短い）, 35–×（中和が必要）, 36–○, 37–○, 38–×（中和は不要）, 39–○, 40–×（至適温度は 30℃）, 41–×（5～10%）, 42–○, 43–○, 44–×（15℃）, 45–×（硫酸ナトリウム）

46. プランク・リクロ〈Plank-Rychlo〉法の組成は，酢酸・硝酸・塩化アルミニウムである． □ □
47. 脱灰中，骨組織は下層に置く． □ □
48. EDTA 脱灰液は他の脱灰液に比べて染色性が最も悪く，脱灰速度が最も速い． □ □

〈脱水～パラフィン包埋〉

49. 脱水剤の別名は仲介剤・中間剤・置換剤である． □ □
50. 脱水の際は最初から無水エタノールに浸漬してよい． □ □
51. 脱アルコール剤にはキシレン，クロロホルムがある． □ □
52. パラフィンの融点は 37℃である． □ □
53. 無水エタノールはエタノール（99.5%）にモレキュラーシーブや無水硫酸銅を添加して作製する． □ □

〈薄切〉

54. 薄切切片の伸展後の乾燥温度は 37～60℃である． □ □
55. パラフィンの連続切片作製に適するミクロトームはミノー型である． □ □
56. ミノー型のミクロトーム刀の引き角は 90 度である． □ □
57. パラフィン包埋ブロックの組織中に石灰化があると，薄切切片に直線のキズが入る． □ □
58. パラフィン包埋ブロックの替え刃にキズがあると，薄切切片にチャターが生じる． □ □
59. 脱脂不足，パラフィン浸透不足の包埋ブロックは薄切時に切片が崩れやすい． □ □
60. 軟組織の薄切時，チャターが生じやすい． □ □
61. 刀が移動して薄切するのはミノー型である． □ □
62. パラフィン切片作製に用いる回転式ミクロトームはユング型である． □ □
63. ユング型のミクロトーム刀の引き角は 5 度で，その設定は刀台で行う． □ □

46-×（ギ酸・塩酸・塩化アルミニウム），47-×（上層に置く），48-×（染色性が良く，脱灰速度は遅い），49-×（脱水剤でなく脱アルコール剤），50-○，51-○，52-×（60℃），53-○，54-○，55-○，56-○，57-○，58-×（直線のキズが生じる），59-○，60-×（硬組織の薄切時），61-×（ユング型），62-×（ミノー型），63-×（45 度）

64. 包埋ブロックが移動して薄切するのはユング型である. □ □
65. 薄切時, 刃やブロックの固定が不完全だとチャターが生じやすい. □ □
66. ミクロトーム刀の逃げ角は45度で, その設定は試料台で行う. □ □
67. パラフィンブロックは冷やすと硬化し, 薄切しやすい. □ □
68. ミクロトームの刃角が大きくなると切れ味がよくなる. □ □
69. 薄切切片の伸展温度は約60℃である. □ □
70. パラフィン切片作製に用いる滑走式ミクロトームはミノー型である. □ □

B

1. ホルマリンについて正しいのはどれか.
   - □ ① 蛋白質のカルボキシル基を架橋する.
   - □ ② 局方ホルマリンはメタノールを含まない.
   - □ ③ 特定第2類物質である.
   - □ ④ 固定組織から核酸は抽出できない.
   - □ ⑤ 原液のままで固定液として使用できる.
2. ホルマリンについて正しいのはどれか. **2つ選べ.**
   - □ ① 分子式は CH_2O である.
   - □ ② 医薬用外劇物に指定されている.
   - □ ③ pHは弱アルカリ性である.
   - □ ④ 酸化により酢酸が生じる
   - □ ⑤ 水溶性物質の保持に優れる.

64−×（ミノー型）, 65−○, 66−×（逃げ角は5度, 刀台で設定）, 67−○, 68−×（刃角が小さくなると切れ味がよくなる）, 69−×（約40〜50℃）, 70−×（ユング型）

B 1−③, 2−①と②

3．凝固固定を原理とする固定液はどれか．**2つ選べ．**

- □ ① ホルムアルデヒド
- □ ② 過マンガン酸カリウム液
- □ ③ メタノール
- □ ④ エタノール
- □ ⑤ オスミウム酸

4．エタノールを含む固定液はどれか．

- □ ① ミュラー〈Müller〉液
- □ ② ツェンカー〈Zenker〉液
- □ ③ オルト〈Ortho〉液
- □ ④ カルノア〈Carnoy〉液
- □ ⑤ ブアン〈Bouin〉液

5．重クロム酸カリウムを含むのはどれか．**2つ選べ．**

- □ ① ミュラー〈Müller〉液
- □ ② カルノア〈Carnoy〉液
- □ ③ ヘリー〈Helly〉液
- □ ④ ブアン〈Bouin〉液
- □ ⑤ ロスマン〈Rossman〉液

6．ピクリン酸を含む固定液はどれか．**2つ選べ．**

- □ ① ブアン〈Bouin〉液
- □ ② 中性緩衝ホルマリン液
- □ ③ PLP液
- □ ④ ザンボーニ〈Zamboni〉液
- □ ⑤ マキシモウ〈Maximow〉液

3–③と④，4–④，5–①と③（⑤：100％エタノール飽和ピクリン酸＋中性ホルマリン），6–①と④

7．酢酸を含む固定液はどれか．**2つ選べ．**
- □ ① ブアン〈Bouin〉液
- □ ② PLP 液
- □ ③ ザンボーニ〈Zamboni〉液
- □ ④ スーサ〈Susa〉液
- □ ⑤ 酸性ホルマリン液

8．固定液と試薬の組合せで正しいのはどれか．**2つ選べ．**
- □ ① 中性緩衝ホルマリン液——炭酸マグネシウム
- □ ② ヘリー〈Helly〉液——ホルムアルデヒド
- □ ③ カルノア〈Carnoy〉液——アルコール
- □ ④ ブアン〈Bouin〉液——クロロホルム
- □ ⑤ ザンボーニ〈Zamboni〉液——メタ過ヨウ素酸ナトリウム

9．固定力が最も強いのはどれか．
- □ ① ブアン〈Bouin〉液
- □ ② グルタールアルデヒド液
- □ ③ ザンボーニ〈Zamboni〉液
- □ ④ 中性緩衝ホルマリン液
- □ ⑤ カルノア〈Carnoy〉液

10．固定液と検出したい目的物（染色法）との組合せで正しいのはどれか．**2つ選べ．**
- □ ① カルノア〈Carnoy〉液——リン脂質
- □ ② 中性ホルマリン液——痛風結節
- □ ③ 冷アセトン液——酵素組織化学染色
- □ ④ PLP 固定液——血液型糖鎖抗原
- □ ⑤ エタノール——グリコーゲン

7-①と④（④：昇汞＋ホルマリン＋氷酢酸＋塩化ナトリウム＋トリクロロ酢酸），8-②と③，9-②，10-③と⑤

11. ホルマリン固定で生じた内性色素の除去液はどれか.
- □ ① 酢酸とホルムアルデヒド
- □ ② 水酸化カリウムとアルコール
- □ ③ ギ酸とアルコール
- □ ④ 塩酸とアルコール
- □ ⑤ 酢酸と硫酸ナトリウム

12. 過度にホルマリン固定した組織で起こる現象はどれか. **2つ選べ.**
- □ ① 核染色性の低下
- □ ② 脂肪成分の過染
- □ ③ 石灰化巣の硬化
- □ ④ 赤血球の溶解
- □ ⑤ ホルマリン色素の沈着

13. パラフィン包埋標本作製過程で置換剤に用いられるのはどれか. **2つ選べ.**
- □ ① エタノール
- □ ② キシレン
- □ ③ ベンゾール
- □ ④ ブチルアルコール
- □ ⑤ 硫酸ナトリウム

14. パラフィン包埋標本作製過程で脱水に用いられるのはどれか. **2つ選べ.**
- □ ① プロピレンオキサイド
- □ ② キシレン
- □ ③ エタノール
- □ ④ クロロホルム
- □ ⑤ メタノール

11–②, 12–①と⑤, 13–②と③, 14–③と⑤

15. パラフィン包埋法で正しいのはどれか.
- □ ① 脱水に要する時間は約30分である.
- □ ② パラフィン浸透は37℃で行う.
- □ ③ アルコール脱水後，中間剤に浸漬する.
- □ ④ 脱脂不足組織はパラフィン浸透で追加脱脂される.
- □ ⑤ 脱水は高濃度から低濃度液に順次移行させる.

16. 疎水性の包埋剤はどれか. **2つ選べ.**
- □ ① エポキシ樹脂
- □ ② OCTコンパウンド
- □ ③ セロイジン
- □ ④ ゼラチン
- □ ⑤ カーボワックス

17. ミクロトームについて正しいのはどれか.
- □ ① ミノー型はブロックを上下させて薄切する.
- □ ② ユング型は超薄切片の作製に適する.
- □ ③ ザルトリウス型は滑走式である.
- □ ④ シャンツェ型は半回転運動で薄切する.
- □ ⑤ テトランダー型は凍結切片の作製に適する.

18. パラフィン包埋ブロックの薄切で**誤っている**のはどれか.
- □ ① 替え刃の刃角は45度のものを用いる.
- □ ② パラフィンブロックの表面の角度調整は試料台で行う.
- □ ③ ユング型では滑走路上でミクロトーム刀を動かして薄切する.
- □ ④ 逃げ角の調節は刀台で行う.
- □ ⑤ 刃角が小さい替え刃は耐久性が低い.

15–③，16–①と③，17–①（③：ザルトリウス型は回転式．→p.207参照），18–①（①：22度，35度など）

19. パラフィン包埋ブロックの薄切において，切片厚に影響するのはどれか．**2 つ選べ．**
- □ ① 固定時間
- □ ② ブロックの温度
- □ ③ ブロックの大きさ
- □ ④ 引き角
- □ ⑤ ミクロトーム刀を引く速度

20. パラフィンブロック薄切時に直線のキズが生じやすい病変はどれか．
- □ ① 播種性血管内凝固（DIC）
- □ ② 脂肪腫
- □ ③ 肝膿瘍
- □ ④ 粥状硬化症
- □ ⑤ 脳梗塞

21. パラフィンブロック薄切時にチャターが生じやすい臓器はどれか．
- □ ① 副　腎
- □ ② 子　宮
- □ ③ 肝　臓
- □ ④ 副甲状腺
- □ ⑤ 横隔膜

22. パラフィンブロックの薄切において 1 μm の薄切切片を用いる特殊染色はどれか．
- □ ① PAS 反応
- □ ② 渡辺の鍍銀染色
- □ ③ Klüver–Barrera 染色
- □ ④ PAM 染色
- □ ⑤ Bodian 染色

19–②と⑤，20–④，21–②，22–④

23. 脱灰で正しいのはどれか．**2 つ選べ．**
- □ ① EDTA 液は抗原性の保持能力が高い．
- □ ② 硫酸を脱灰に用いる．
- □ ③ 長時間の脱灰は核の染色性が高まる．
- □ ④ 脱灰は固定後に行う．
- □ ⑤ ギ酸で脱灰後は硫酸ナトリウムで中和する．

24. 酸脱灰液による処理について正しいのはどれか．**2 つ選べ．**
- □ ① 固定の前に脱灰すると処理時間を短縮化できる．
- □ ② 組織片の 100 倍量の脱灰液を用いる．
- □ ③ 脱灰液は繰り返し利用できる．
- □ ④ 低温で脱灰すると組織傷害が少ない．
- □ ⑤ 酢酸で脱灰した組織はただちに水洗できる．

25. 脱灰後，水洗せずに 70%エタノールに投入してよい脱灰液はどれか．**2 つ選べ．**
- □ ① ギ酸法
- □ ② プランク・リクロ〈Plank-Rychlo〉法
- □ ③ トリクロロ酢酸法
- □ ④ EDTA 法
- □ ⑤ 硝酸法

26. 脱灰後，水洗してから 70%エタノールに投入するのはどれか．
- □ ① ギ酸法
- □ ② プランク・リクロ〈Plank-Rychlo〉法
- □ ③ トリクロロ酢酸法
- □ ④ EDTA 法
- □ ⑤ 塩酸法

23-①と④，24-②と④，25-①と③，26-④

27. 迅速脱灰法はどれか.
- □ ① ギ酸法
- □ ② プランク・リクロ〈Plank-Rychlo〉法
- □ ③ 塩酸法
- □ ④ EDTA 法
- □ ⑤ トリクロロ酢酸法

28. 染色性が最も良好な脱灰法はどれか.
- □ ① ギ酸法
- □ ② プランク・リクロ〈Plank-Rychlo〉法
- □ ③ 塩酸法
- □ ④ EDTA 法
- □ ⑤ トリクロロ酢酸法

29. プランク・リクロ〈Plank-Rychlo〉法の組成で正しいのはどれか.
- □ ① アンモニア＋エタノール
- □ ② ピクリン酸＋酢酸
- □ ③ ギ酸＋塩酸
- □ ④ 塩酸＋アルコール
- □ ⑤ 硫酸アルミニウム＋ヨウ素酸ナトリウム

27-②, 28-④, 29-③

D 凍結包埋標本

学習の目標

- □ 用途
- □ 固定前凍結切片作製法
- □ 固定後凍結切片作製法
- □ 感染対策
- □ 凍結包埋
- □ 薄切
- □ ガラスに貼付
- □ 固定
- □ ショ糖浸漬

パラフィン包埋標本の欠点を補ううえで考案された標本作製法である．凍結包埋標本は，パラフィン包埋標本で消失する脂肪成分や酵素や特定の抗原を検出したいとき，また迅速に標本作製したいときに作製する．

1 用途

①手術中の術中迅速診断：病巣の確定診断，摘出の範囲などを決定するために，H-E 染色標本を作製する．
②免疫組織化学染色（酵素抗体法，蛍光抗体法）：通常はパラフィン切片で行われるが，加熱や有機溶媒で失活してしまう抗原を検出する際には，凍結包埋標本を利用する．
③酵素組織化学染色：加熱や有機溶媒でほとんどの酵素は失活してしまうので，凍結包埋標本を利用する．
④脂肪染色：加熱や有機溶媒で脂肪成分は失活するので，凍結包埋標本を利用する．

2 標本作製工程

1．種類

(1) 固定前凍結切片作製法（迅速法）

①切り出し→凍結包埋→薄切→ガラスに貼付→固定
②最も時間を要する固定を短縮するために，薄切後に固定を行う点が特徴的である．

③未固定で処理をするため，組織構造の保持がやや不良なのが欠点である．

④主に術中迅速診断用の標本作製で用いられる．

(2) 固定後凍結切片作製法

①切り出し→固定→ショ糖浸漬→凍結包埋→薄切→ガラスに貼付→冷風乾燥

②固定を最初に行うため，組織構造の保持に優れる．

③固定に時間を要するため，短時間での標本作製には向かない．

④標本作製に迅速性が求められない脂肪染色などで用いられる．

2．感染対策

・ウイルスや細菌などの病原体は凍結しても感染能力をもつため，ゴム手袋とマスクを着用して空気感染を防御する．

3 凍結包埋

包埋皿に組織片と凍結用包埋剤を投入し，凍結，固化させて凍結包埋ブロックを作製する．

1．包埋剤

以下の水溶性包埋剤を用いる．

①PVA（ポリビニルアルコール）（製品名：OCT コンパウンドなど）

②ゼラチン

2．包埋方法

氷晶（細胞内の水分が結晶化したもので，核内や細胞質内に空胞が生じる）の形成防止と迅速包埋のために，超低温（－80℃以下）の冷媒で凍結する．

①ドライアイス（約－80℃）：砕いたドライアイスでイソペンタン，アセトンなどを冷やして用いられる．わずかの氷晶が生じるが，凍結直後に薄切に適した温度になりやすい利点がある．

②液体窒素（－196℃）：組織片が急速に凍結され，氷晶が生じることは少ない．しかし組織の硬化が著しく，凍結直後に薄切しにくい（チャター様の傷が生じる）欠点がある．

3．注意点

①凍結前の組織片は生理食塩水などに浸漬せず，凍結包埋剤に浸漬する．

②組織片は急速に凍結する．

表 3-8　凍結切片作製法でのミクロトームの種類

<table>
<tr><th></th><th>分類</th><th>原理</th><th>引き角</th><th>逃げ角</th></tr>
<tr><td rowspan="2">回転式</td><td>クリオスタット</td><td>ミクロトーム刀は上に向けて垂直に固定し，回転ハンドルを回し，組織片を上下させて薄切する．
−10〜−50℃くらいまで冷却できる冷凍庫にミノー型ミクロトームが設置されている．</td><td rowspan="2">90 度</td><td rowspan="2">2〜5 度</td></tr>
<tr><td>ザルトリウス(Sartrius) 型</td><td>試料台の組織片を炭酸ガスで凍結し，刃の固定軸を中心として水平に弧を描くように半回転運動させて薄切する（現在は使用されていない）．</td></tr>
</table>

薄切

1．ミクロトームの種類（表 3-8）

2．クリオスタットの設定温度

・庫内の温度は薄切至適温度付近の−25〜−20℃に常時設定しておく．

3．薄切温度

①薄切至適温度は−20℃であるが，臓器の種類に応じて温度設定を変える．

②実質臓器は−20〜−10℃，乳腺など脂肪組織の多い臓器は非常に薄切が難しく−35℃以下が適する．

ガラスに貼付

①固定前凍結切片作製では，凍結切片はガラスに貼り付くと自然に融解するので，乾燥させずに，ただちに固定液に投入する（迅速 H-E 標本作製）．

②固定後凍結切片作製では，固定前凍結試料より剝がれやすいので，凍結切片をガラスに貼り付けたら，冷風乾燥して剝離を防止する．

6 固定

1．固定液

①術中迅速診断の H–E 染色においては，アルコールを主体とした固定液が推奨されている．1）メタノール，2）95％エタノール，3）アセトン，4）アセトン・エタノール，5）20％ホルマリン・エタノール，6）AAF 固定液などが用いられている．

②脂肪染色では 10％ホルマリン，酵素組織化学染色では冷アセトン，免疫組織化学染色では PFA 液，PLP 液，ザンボーニ（Zamboni）液などを用いる．

2．固定時間

①固定前凍結切片作製法では 15～30 秒．

②固定後凍結切片作製法では臓器の大きさに準じて数日浸ける．

7 ショ糖浸漬

①固定後凍結切片作製法の工程の 1 つ．

②ショ糖液に浸漬することにより氷晶形成が防止され，また薄切しやすいブロックになる．

遠隔病理診断（テレパソロジー）

術中迅速診断の件数は増加傾向にあり[1]，その環境を整備するためには，医療の地域格差と病理医不足を解決できる遠隔病理診断の発展が期待されている．

遠隔病理診断（テレパソロジー）とは，「画像を中心とした病理情報を電子化し，種々の情報回線を通じて他地点に伝送し，空間的に離れた 2 地点，または多地点間で，狭義には病理組織や細胞診の診断およびコンサルテーションを，広義には診断のみならず，教育，研修，学会活動など，病理の諸活動を行うこと」と定義されている[2]．これにより，病理医の集中する都市部より遠く離れた地域においても手術中の迅速診断が可能となり[3]，今後さらにテレパソロジーの導入が進むと考えられる．さらに，送信側の医療従事者と，受信側の病理医との良好なコミュニケーションがテレパソロジー運用の礎となっているため，チーム医療の重要性が指摘されている．

セルフ・チェック

A　次の文章で正しいものに○，誤っているものに×をつけよ．

		○	×
1.	組織片は液体窒素かドライアイスを用いて凍結させる．	□	□
2.	術中迅速診断を行う際の固定は染色後である．	□	□
3.	クリオスタットはユング型ミクロトームが内蔵される．	□	□
4.	クリオスタットの庫内温度は－80℃である．	□	□
5.	凍結包埋標本は染色前までに必ず固定する．	□	□
6.	凍結包埋標本作製の際の組織片の凍結は緩やかに行う．	□	□
7.	凍結包埋ブロックを薄切するとき，病原体に対する空気感染対策は必須である．	□	□
8.	クリオスタットにおける薄切の至適温度は0℃である．	□	□
9.	術中迅速診断を行う際の固定は薄切前である．	□	□
10.	クリオスタットでは脂肪組織は薄切しにくく，薄切適温が低い．	□	□
11.	凍結包埋標本の用途は術中迅速診断，免疫組織化学染色，酵素組織化学染色，脂肪染色である．	□	□
12.	術中迅速診断用の凍結切片は脂肪染色を行う．	□	□
13.	凍結用包埋剤は非水溶性包埋剤を用いる．	□	□
14.	固定済み組織を凍結後に薄切した切片は，温風乾燥する．	□	□
15.	術中迅速診断では，凍結前に固定しておく必要がある．	□	□

A　1-○，2-×（染色前に固定），3-×（ミノー型），4-×（－20℃），5-○，6-×（凍結は急速に行う），7-○，8-×（－20℃），9-×（薄切後に固定），10-○，11-○，12-×（H-E 染色），13-×（水溶性包埋剤），14-×（冷風乾燥），15-×（凍結前に固定しない）

B

1. クリオスタットによる凍結切片作製法について**誤っている**のはどれか.
   - □ ① 必ず固定する.
   - □ ② 親水性の包埋剤を用いる.
   - □ ③ 組織内酵素の保持に優れる.
   - □ ④ 急速凍結すると組織傷害が増す.
   - □ ⑤ 空気感染対策が必要である.
2. 凍結標本切片作製について正しいのはどれか. **2つ選べ.**
   - □ ① 固定済み組織はショ糖に浸漬する.
   - □ ② 包埋剤は疎水性である.
   - □ ③ 凍結をゆっくり行うと氷晶が生じやすくなる.
   - □ ④ 薄切温度は－80℃以下が適している.
   - □ ⑤ 切片の染色は脱パラフィン後に行う.
3. 手術時の迅速診断標本を作製する際に用いるのはどれか.
   - □ ① パラフィン
   - □ ② グリセリン
   - □ ③ OCT コンパウンド
   - □ ④ ショ糖
   - □ ⑤ セロイジン
4. 術中迅速診断時の凍結標本作製工程で正しいのはどれか.
   - □ ① 脱水→包埋→薄切→固定→染色
   - □ ② 薄切→固定→染色→包埋
   - □ ③ 包埋→薄切→固定→染色
   - □ ④ 固定→包埋→薄切→染色
   - □ ⑤ 固定→脱水→包埋→薄切→染色

B 1-④, 2-①と③, 3-③, 4-③

E　電子顕微鏡標本

学習の目標

- □ 透過型電子顕微鏡（TEM）
- □ 走査型電子顕微鏡（SEM）
- □ 標本作製工程
- □ 固定
- □ 切り出し
- □ 脱水
- □ 置換
- □ 包埋
- □ 超薄切
- □ 電子染色

光学顕微鏡の分解能は約 200 nm であるのに対し，電子顕微鏡の分解能は 0.1 nm 程度である．したがって，電子顕微鏡によって，光学顕微鏡では見ることのできない細胞内微細構造を観察することができる．

1 電子顕微鏡の種類

1．透過型電子顕微鏡（transmission electron microscope；TEM）（図 3-3）

(1) 特徴

・真空内で試料に電子線をあてることにより生じた散乱，吸収，透過した電子線を蛍光板上で観察する．

(2) 用途

①病理組織検査では，ほとんどが組織の透過像の観察を目的として

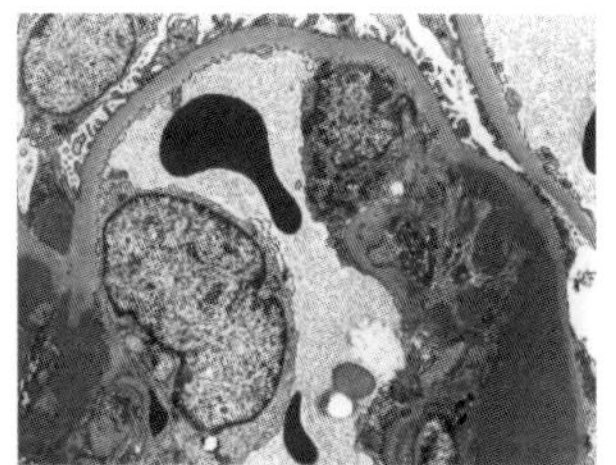

図 3-3　透過型電子顕微鏡（TEM）像

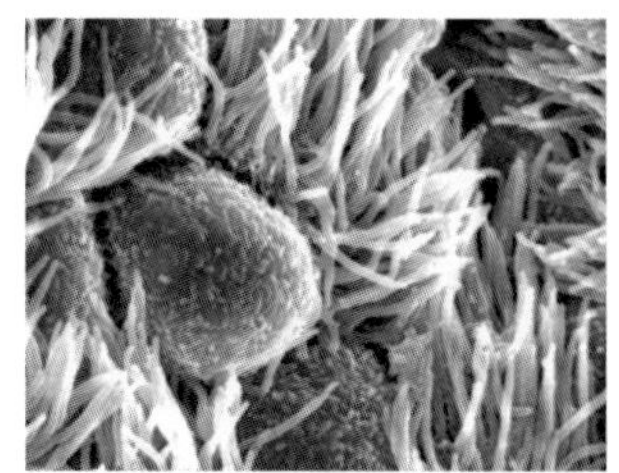

図 3-4　走査型電子顕微鏡（SEM）像

いる．細胞内小器官の観察，神経内分泌顆粒の確認に用いられる．

②糸球体腎炎や神経内分泌腫瘍（NET）の補助診断．

2．走査型電子顕微鏡（scanning electron microscope；SEM）（図 3-4）

(1) 特徴

・電子線で試料を走査（スキャン）すると，試料表面の凹凸に応じて異なった量の二次電子が放出され，表面構造を立体表示できる．

(2) 用途

・細胞の立体構造の観察．

標本作製工程（表 3-9）

1．透過型電子顕微鏡

・切り出し→固定→脱水→置換→包埋→超薄切→電子染色→観察

2．走査型電子顕微鏡

①透過型と異なり，試料表面の性状を立体的に観察するため，包埋，超薄切は行わない．

②切り出し→固定→脱水→置換→乾燥→金属イオン蒸着→観察

表 3-9　電子顕微鏡標本作製法のまとめ

作製工程		透過型電子顕微鏡	パラフィン包埋標本	走査型電子顕微鏡
切り出し/細切	大きさ	安全カミソリを用いて，約 1 mm 角	5 mm 厚	観察試料によって行うものもある.
固定	液	前固定：2〜4%グルタールアルデヒド液 後固定：1〜2%オスミウム酸液	10%ホルマリン	前固定後，タンニン酸で導電染色し，後固定.
	温度・時間	4℃で 1〜2 時間	常温で 1〜5 日	
脱水		エタノール	エタノール	エタノール
置換/脱アルコール		プロピレンオキサイド(酸化プロピレン)	キシレン	酢酸イソアミル
乾燥				臨界点乾燥法・ブタノール凍結乾燥法
包埋	非水溶性包埋剤	エポキシ（エポン）樹脂	パラフィン	
	方法	恒温槽内で熱重合して固める.	冷やして固める	
超薄切/薄切	ミクロトーム	ウルトラミクロトーム(ミノー型)	ユング型，ミノー型	
	刃	ガラスナイフ，ダイアモンドナイフ※	ステンレス刃	
	切片厚	50〜80 nm (500〜800 Å)	4 μm	
	貼付	銅製のシートメッシュ(グリッドメッシュ)	スライドガラス	
染色		電子染色 酢酸ウラン：核酸，蛋白，リボソーム クエン酸鉛：脂質蛋白，糖，膜	H-E 染色 ヘマトキシリン：核 エオジン：細胞質，他	金属イオン蒸着 金や白金などを試料にコーティングする.（イオンスパッタコーティング法・真空蒸着法）

※ガラスナイフで準超薄切切片（1 μm）を作製後，toluidin blue 染色して目的とする細胞を確認した後にダイアモンドナイフで超薄切を行う.

セルフ・チェック

A　次の文章で正しいものに○，誤っているものに×をつけよ．

	○	×
1. 走査型電子顕微鏡では真空内で試料に電子線をあてて観察する．	□	□
2. 細胞表面の観察には透過型電子顕微鏡が用いられる．	□	□
3. 細胞内小器官の観察には走査型電子顕微鏡が用いられる．	□	□
4. 包埋や薄切を行わずに観察できるのは透過型電子顕微鏡標本である．	□	□
5. 病理診断で用いるのは，ほとんどが透過型電子顕微鏡標本である．	□	□
6. 糸球体腎炎や神経内分泌腫瘍の補助診断に透過型電子顕微鏡が有用である．	□	□
7. 電子顕微鏡標本作製において前固定液はホルムアルデヒド液で，4℃，1～2 時間で行う．	□	□
8. 組織片の細切の大きさは 5 mm 角である．	□	□
9. 電子顕微鏡標本作製において後固定液はオスミウム酸（四酸化オスミウム）液で，4℃，1～2 時間で行う．	□	□
10. タンニン酸による導電染色は透過型電子顕微鏡標本作製工程の 1 つである．	□	□
11. 電子顕微鏡標本作製において脱水はエタノールで行う．	□	□
12. 透過型電子顕微鏡標本作製において置換はキシレンで行う．	□	□

A　1-×（透過型電子顕微鏡），2-×（走査型電子顕微鏡），3-×（透過型電子顕微鏡），4-×（走査型電子顕微鏡），5-○，6-○，7-×（前固定液はグルタールアルデヒド液），8-×（1 mm 角），9-○，10-×（走査型電子顕微鏡標本），11-○，12-×（プロピレンオキサイド（酸化プロピレン））

13. 走査型電子顕微鏡標本作製において置換は酢酸イソアミルで行う. □ □

14. 臨界点乾燥は透過型電子顕微鏡標本作製工程の 1 つである. □ □

15. 包埋や薄切を行って観察するのは透過型電子顕微鏡標本である. □ □

16. 透過型電子顕微鏡標本用の包埋剤にパラフィンを用いる. □ □

17. 超薄切にはミノー型タイプのウルトラミクロトームを用いる. □ □

18. ガラスナイフまたはダイヤモンドナイフは細切に用いられる. □ □

19. 超薄切切片の厚さは 50～80 μm である. □ □

20. 超薄切切片はシートメッシュ上にのせる. □ □

21. 電子染色は酢酸ウランとクエン酸鉛で行う. □ □

22. 電子染色は走査型電子顕微鏡標本作製工程の 1 つである. □ □

23. 金属イオン蒸着は走査型電子顕微鏡標本作製工程の 1 つである. □ □

13-○，14-×（走査型電子顕微鏡標本），15-○，16-×（エポキシ樹脂），17-○，18-×（超薄切），19-×（50～80 nm），20-○，21-○，22-×（透過型電子顕微鏡標本），23-○

B

1. 電子顕微鏡検査が病理診断に利用される病変はどれか．**2つ選べ．**
   - □ ① Wilms 腫瘍
   - □ ② Grawitz 腫瘍
   - □ ③ 膜性腎症
   - □ ④ 腎結石
   - □ ⑤ 神経内分泌腫瘍
2. 走査型電子顕微鏡標本作製工程で用いるのはどれか．
   - □ ① プロピレンオキサイド
   - □ ② 酢酸ウラン
   - □ ③ キシレン
   - □ ④ エポン
   - □ ⑤ タンニン酸
3. 透過型電子顕微鏡標本作製法に関する組合せで**誤っている**のはどれか．
   - □ ① 固　定――オスミウム酸
   - □ ② 細　切――ガラスナイフ
   - □ ③ 薄　切――ミノー型ミクロトーム
   - □ ④ 包　埋――エポン樹脂
   - □ ⑤ 染　色――電子染色
4. 電子顕微鏡用試料の作製法について正しいはどれか．**2つ選べ．**
   - □ ① 走査型は試料に電子線を透過させる．
   - □ ② 透過型はクエン酸鉛で染色する．
   - □ ③ 走査型は酢酸イソアミルで置換する．
   - □ ④ 走査型の試料は 1 mm 角に細切する．
   - □ ⑤ 透過型は脱水不要である．

B 1-③と⑤，2-⑤，3-②，4-②と③

4　病理組織染色法

A　染色法概論

学習の目標

- □ 塩基性色素
- □ 酸性色素
- □ 進行性染色
- □ 異染性
- □ 脱パラフィン
- □ 脱キシレン
- □ 親水
- □ 脱水
- □ 透徹
- □ 封入

1　色素

1．塩基性色素

①水溶液中では正（＋）に荷電する色素．

②アルコールに溶けやすく水に溶けにくい特徴をもち，負（−）に荷電した生体成分に結合し，細胞核などを染める．

③ケルンエヒトロート，メチル緑，トルイジン青などが該当する．

2．酸性色素

①水溶液中では負（−）に荷電する色素．

②アルコールより水に溶けやすい特徴をもち，正（＋）に荷電した生体成分に結合し，細胞質，膠原線維などを染める．

③エオジン，ピクリン酸，酸性フクシン，オレンジG，アゾカルミンG，アニリン青などが該当する．

3．両性色素

①正と負の荷電を同時に有する色素．

②メイ・グリュンワルド・ギムザ（May-Grünwald-Giemsa）染色のエオジン酸メチレン青が該当する．

4．無極性色素

①水に溶解せず，有機溶剤に溶解する色素で，脂溶性を特徴とする．

②ズダンIII，オイル赤O，ズダン黒Bなどが該当する．

2 進行性染色と退行性染色

1．進行性染色

①組織切片を色素液に浸しておくと，特定の組織成分だけが染色される場合をいう．

②核染色に用いられるヘマトキシリン液では，マイヤー（Mayer）液とリリー・マイヤー（Lillie–Mayer）液が該当する．

2．退行性染色

①組織切片を過剰に染色してから，目的成分以外を特定の分別液で脱色する染色である．

②核染色に用いられるヘマトキシリン液では，カラッチ（Carazzi）液，ギル（Gill）液，ハリス（Harris）液が該当する．

3 正染性と異染性

①染色液の色と同じ色調に組織が染色されることを，正染性（オルトクロマジー：orthochromasia）という．

②特定の組織成分が染色液の色調と異なった色に染まることを，異染性（メタクロマジー：metachromasia）という．

③トルイジン青液は青色調であるが，酸性粘液多糖類を含む軟骨基質や肥満細胞，アミロイドなどの特定の組織成分を赤色調に染色する異染性を示す．

4 染色前と染色後の操作

① パラフィン包埋標本

組織に染色色素が浸透できるように染色前操作を行い，永久的に観察できるように染色後操作を行い標本を完成させる．

1．染色前操作

(1) 脱パラフィン

・色素浸透の障害となるパラフィンを溶解・除去するために，キシレンが用いられる．

(2) 脱キシレン

・色素浸透の障害となるキシレンを除去するために，無水エタノールが用いられる.

(3) 親水

・染色色素を浸透しやすくするために，下降エタノール系列（たとえば，95%，80%，70%）に浸け，最後に流水水洗，蒸留水洗を行う.

2．染色後操作

(1) 脱水

①退色の主因である水を除去する工程.

②上昇エタノール系列（たとえば，70%，80%，95%）と無水エタノールで行う.

③脱水不良の標本は霞がかった色調で透明度が低く，数週間で退色する.

(2) 透徹

①細胞に透明感を与えるためにキシレンが用いられる.

②キシレンに標本を浸漬して白濁する場合は，脱水不良が原因である.

(3) 封入

・封入剤を用いてカバーガラスでおおい，組織片を封じ込める操作.

(4) 疎水性（非水溶性）封入剤

①染色後に脱水，透徹を行って永久標本として保存するための封入剤.

②バルサム，オイキット，ビオライト，マリノールなどがある.

(5) 親水性（水溶性）封入剤

①脂肪染色や蛍光抗体法が対象である.

②染色後，脱水・透徹を省略して封入操作を行うが永久標本にはならない.

③グリセリン，ゼラチン，ゴムシロップなどがある.

2 凍結包埋標本

①水溶性包埋剤が浸透した状態のため，染色前の操作は水洗のみですぐに染色が可能である.

②染色の種類によって異なるが，染色後は脱水，透徹，封入の操作を行って永久標本とする.

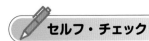

セルフ・チェック

A 次の文章で正しいものに○，誤っているものに×をつけよ．

	○	×
1. 進行性染色液は分別の操作が必要ない．	□	□
2. エオジンは酸性色素で＋の荷電をもつ．	□	□

B

1．進行性ヘマトキシリン液はどれか．

- □ ① カラッチ〈Carazzi〉液
- □ ② マイヤー〈Mayer〉液
- □ ③ ギル〈Gill〉液
- □ ④ ハリス〈Harris〉液
- □ ⑤ デラフィールド〈Delafield〉液

A 1-○，2-×（－の荷電）
B 1-②

B　hematoxylin-eosin 染色〈H-E 染色〉

学習の目標

- □ ヘマトキシリン
- □ エオジン
- □ 核染色
- □ 色出し
- □ 核分別
- □ 後染色
- □ 染色結果（好塩基性）
- □ 染色結果（好酸性）

1 染色目的

①病理診断に必要な所見を得ることを目的とした染色法である.

②細胞核をヘマトキシリン液で青紫色に，細胞質などをエオジン液でピンク色に重染色して，組織構造の全体像を明瞭化する.

2 染色手順

脱パラフィン→脱キシレン→親水→核染色→分別*→色出し→後染色→脱水→透徹

*退行性染色液を用いた際の工程

3 核染色

1．染色原理

・正（+）に帯電したヘマトキシリン（レーキ）が，負（−）に帯電した細胞核に化学結合することにより染色される.

2．ヘマトキシリンの特徴

①アカミノキの心材から抽出されたヘマトキシロンという天然色素.

②色素のみでは染色能力がないので，色素に酸化，媒染処理を行い染色液とする.

③ヘマトキシリンは酸化によりヘマテインに変化し，媒染によりレーキを形成し，正（+）の荷電をもつ.

表 4-1 各種ヘマトキシリン染色液

	進行性染色液	退行性染色液		
	マイヤー〈Mayer〉	カラッチ〈Carazzi〉	ギル〈Gill〉	ハリス〈Harris〉
酸化剤	ヨウ素酸ナトリウム			酸化第二水銀
媒染剤	カリウムミョウバン（硫酸アルミニウム・カリウム）			
防腐剤*・酸化防止剤	抱水クロラール*	グリセリン	エチレングリコール	
酸性化剤（pH 調整）	クエン酸		酢酸	

＊抱水クロラールは防腐剤.

3．各種ヘマトキシリン染色液（表 4-1）

核分別

1．目的

①退行性染色液を用いた時に行う操作である.

②細胞や細胞間質，過染した核に着色したヘマトキシリンを脱色して，適度な核の染色性のみを残す.

2．分別液

・0.5～1％塩酸含有 70％エタノール.

色出し

1．目的

・赤紫色～紫色に染色された核を中性化にすることにより，鮮やかな青色に変化させる操作である.

2．色出し液

①流水や温流水に 5 分程度浸漬して行う.

②短時間で済ませたい時は弱アルカリ溶液のアンモニア水などが用いられる.

後染色

負（－）に帯電したエオジンが，正（＋）に帯電した細胞質や線維などの細胞間質に化学結合することにより染色される.

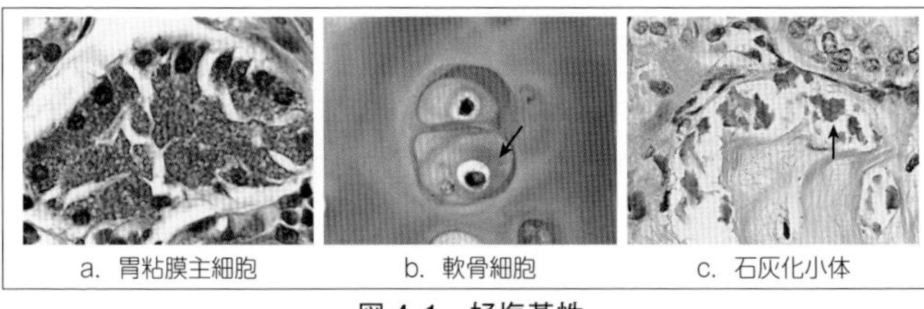
a. 胃粘膜主細胞　b. 軟骨細胞　c. 石灰化小体

図 4-1　好塩基性

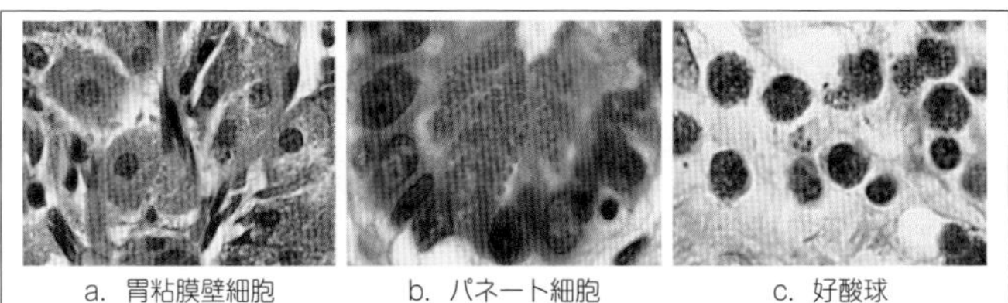
a. 胃粘膜壁細胞　b. パネート細胞　c. 好酸球

図 4-2　好酸性

1. エオジンの特徴

①負（－）に荷電する酸性色素.

②アルコールに溶けにくく，水に溶けやすい.

2. エオジン液

・1%エオジン水溶液またはエタノール溶液を 2～3 倍希釈し，酢酸を加えて使用液とする.

7 染色結果

1. 好塩基性（図 4-1）

①核は好塩基性に染色される.

②細胞質が好塩基性に染まるものとして，胃粘膜主細胞，軟骨基質，肥満細胞，石灰化小体（カルシウム）がある.

2. 好酸性（図 4-2）

①細胞質や細胞間質は好酸性に染色される.

②特に胃粘膜壁細胞，パネート細胞，好酸球の細胞質はエオジンに強く染色される.

セルフ・チェック

A　次の文章で正しいものに○，誤っているものに×をつけよ．

		○	×
1.	ヘマトキシリン（レーキ）は－の荷電をもつ．	□	□
2.	ヘマトキシリンは水に溶かしただけでは染色能力はない．	□	□
3.	ヘマトキシリンは酸化するとヘマチンに変化する．	□	□
4.	ヘマテインは媒染するとレーキとなり染色能力を獲得する．	□	□
5.	マイヤー〈Mayer〉液とカラッチ〈Carazzi〉液とギル〈Gill〉液の酸化剤は過ヨウ素酸である．	□	□
6.	ハリス〈Harris〉液の酸化剤は酸化第二水銀である．	□	□
7.	ヘマトキシリンの媒染剤はカリウムミョウバンである．	□	□
8.	カラッチ〈Carazzi〉液の防腐剤は抱水クロラールである．	□	□
9.	マイヤー〈Mayer〉液の pH 調整剤は酢酸である．	□	□
10.	マイヤー〈Mayer〉液の酸化防止剤はグリセリンである．	□	□
11.	好塩基性に染まるのは，好酸球，パネート細胞，胃粘膜壁細胞である．	□	□
12.	好酸性に染まるのは，胃粘膜主細胞，軟骨基質，石灰化小体などである．	□	□

A　1−×（＋の荷電），2−○，3−×（ヘマテインに変化），4−○，5−×（酸化剤はヨウ素酸ナトリウム），6−○，7−○，8−×（マイヤー液），9−×（pH 調整剤はクエン酸），10−×（カラッチ液），11−×（好酸性），12−×（好塩基性）

B

1．ヘマトキシリンについて正しいのはどれか．**2つ選べ．**
- □ ① 化学合成色素である．
- □ ② 酸化するとヘマテインとなる．
- □ ③ マイヤー〈Mayer〉液の調製には抱水クロラールを用いる．
- □ ④ ハリス〈Harris〉液の調製に媒染剤は不要である．
- □ ⑤ ギル〈Gill〉液の調製に酸化第二水銀を用いる．

2．マイヤー〈Mayer〉のヘマトキシリン液の調製に用いるのはどれか．
- □ ① クエン酸
- □ ② 酢　酸
- □ ③ 酸化第二水銀
- □ ④ エチレングリコール
- □ ⑤ 過ヨウ素酸

3．退行性ヘマトキシリン液で染色直後に行う処理はどれか．
- □ ① 透　徹
- □ ② 色出し
- □ ③ 分　別
- □ ④ 固　定
- □ ⑤ 脱　水

4．カラッチ〈Carazzi〉のヘマトキシリン液の調製に用いるのはどれか．**2つ選べ．**
- □ ① カリウムミョウバン
- □ ② グリセリン
- □ ③ クエン酸
- □ ④ 抱水クロラール
- □ ⑤ 酢　酸

B　1-②と③，2-①，3-③，4-①と②

5．H-E 染色標本で好酸性に染まるのはどれか．**2 つ選べ．**

- □ ① 胃粘膜主細胞
- □ ② パネート細胞
- □ ③ 軟骨細胞
- □ ④ 石灰化小体
- □ ⑤ 胃粘膜壁細胞

6．H-E 染色標本で好塩基性に染まるのはどれか．

- □ ① 好酸球
- □ ② パネート細胞
- □ ③ 小腸杯細胞
- □ ④ 胃粘膜壁細胞
- □ ⑤ 胃粘膜主細胞

5-②と⑤，6-⑤

C　特殊染色法（画像）

学習の目標

- □ 染色目的物
- □ 染色結果
- □ 染色法

特殊染色の目的

すべての組織内情報をH–E染色だけでとらえるには限界がある．たとえば，特定の線維成分の増減，病原体感染の有無，分子標的薬の適否などの情報をH–E染色標本の顕微鏡所見から得るのは困難なことが多い．そのため，目的に応じて補助的に特殊染色が行われている．

各種特殊染色法のまとめ

次頁より，主に使用されている染色法について，染色目的物別（線維成分，脂肪，組織内病原体など）に，目的物の染色結果（色）とそれを主に染める染色液，染色像を一覧表にまとめた．

国家試験では，染色像から染色法を推測する問題が頻出なので，各染色法の特徴を整理しておくとよい．

染色手順などの詳細は，「D 特殊染色法のまとめ（アルファベット順）」「E 免疫組織化学染色法」を参照のこと．

染色目的物		染色法	染色結果	染色液	染色像
線維成分	膠原線維	azan 染色	青	アニリン青	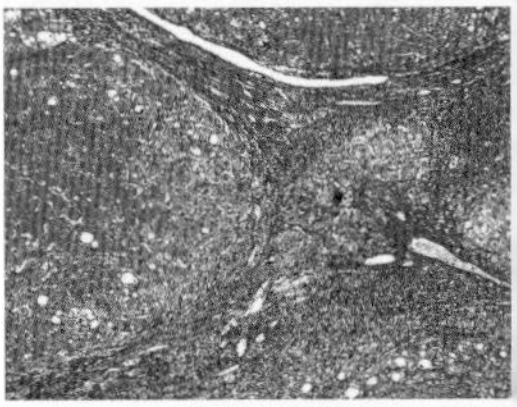 ① 肝臓（肝硬変）
		Masson trichrome 染色	青	アニリン青	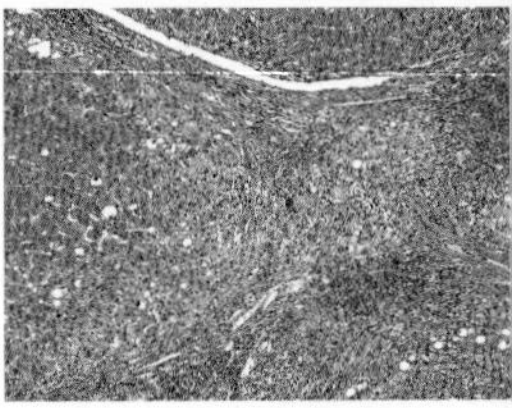 ② 肝臓（肝硬変）
		elastica van Gieson（EVG）染色	赤	酸性フクシン	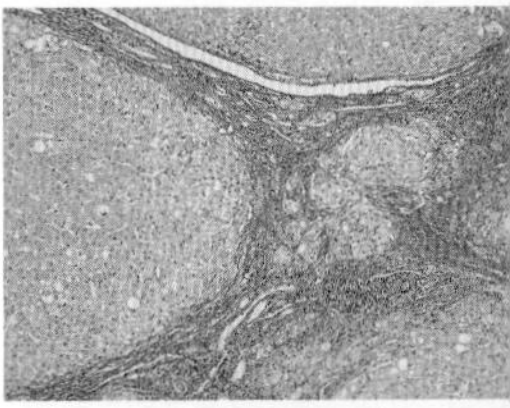 ③ 肝臓（肝硬変）
		渡辺の鍍銀染色	赤褐	アンモニア硝酸銀	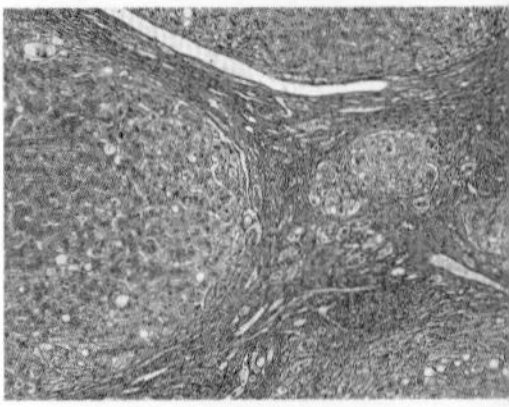 ④ 肝臓（肝硬変）
		PAS 反応	赤紫	シッフ	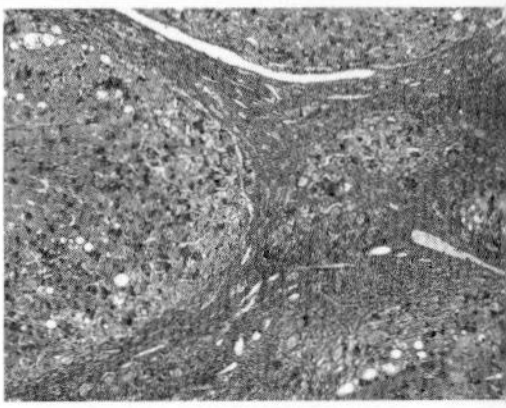 ⑤ 肝臓（肝硬変）

	染色目的物	染色法	染色結果	染色液	染色像
線維成分	筋線維	azan 染色	赤	アゾカルミンG	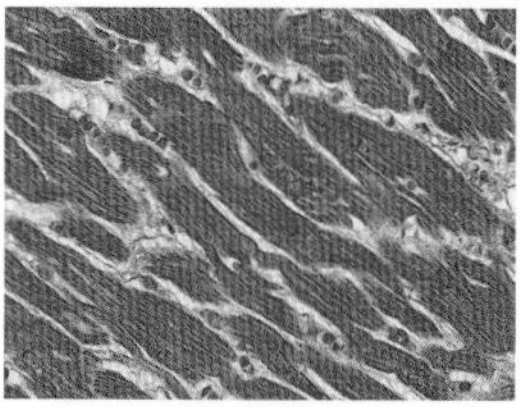 ⑥　心臓
		Masson trichrome 染色	赤	ポンソー・キシリジン/酸性フクシン/アゾフロキシン	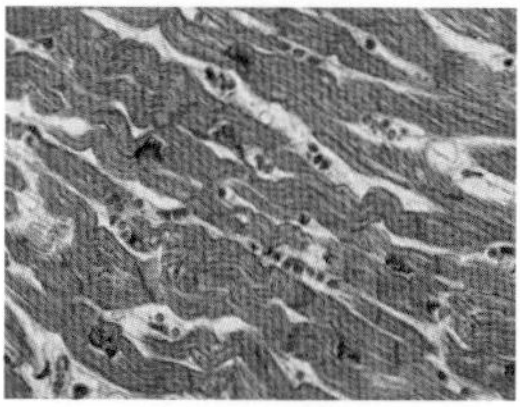 ⑦　心臓
		elastica van Gieson(EVG)染色	黄	ピクリン酸	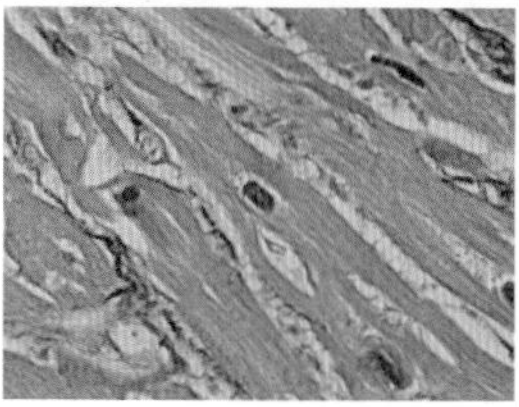 ⑧　心臓

染色目的物		染色法	染色結果	染色液	染色像
線維成分	弾性線維	elastica van Gieson(EVG)染色	黒紫	レゾルシン・フクシン	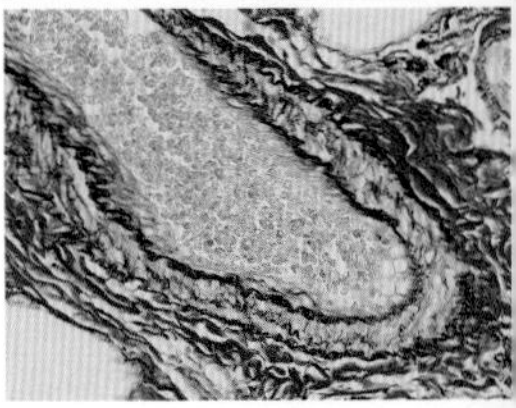 ⑨ 動脈
		elastica Masson 染色	黒紫	レゾルシン・フクシン	
		orcein 染色	茶褐	オルセイン	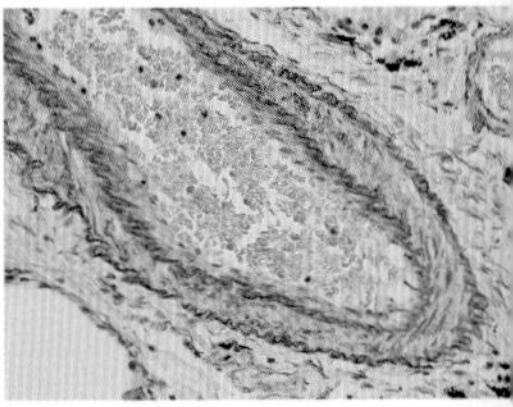 ⑩ 動脈
		Victoria blue 染色	青	ビクトリア青	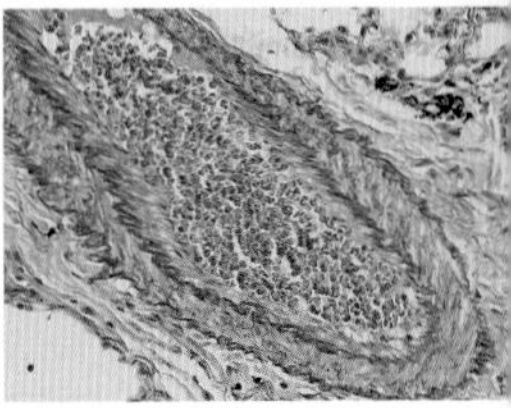 ⑪ 動脈

染色目的物		染色法	染色結果	染色液	染色像
線維成分	細網線維	渡辺の鍍銀染色	黒	アンモニア硝酸銀	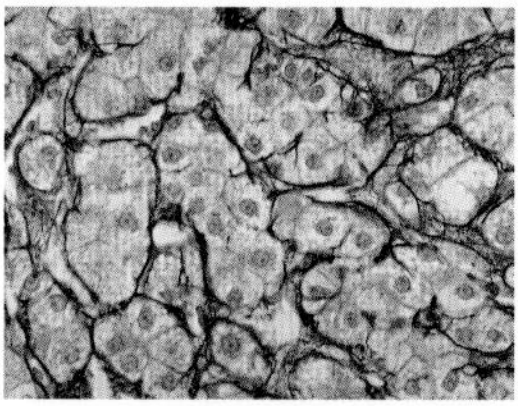 ⑫　肝臓
		azan 染色	青	アニリン青	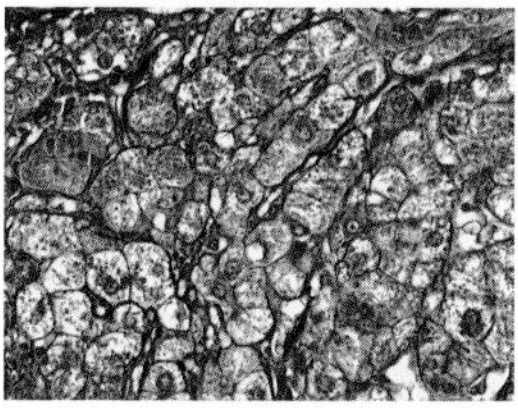 ⑬　肝臓
		Masson trichrome 染色	青	アニリン青	

染色目的物		染色法	染色結果	染色液	染色像
線維成分	腎糸球体基底膜	PAM 染色	黒	メセナミン硝酸銀	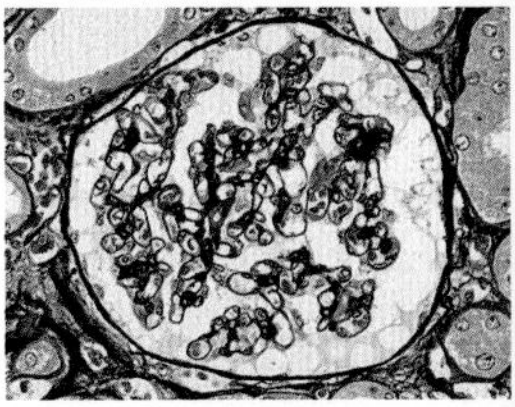 ⑭ 腎臓
		PAS 反応	赤紫	シッフ	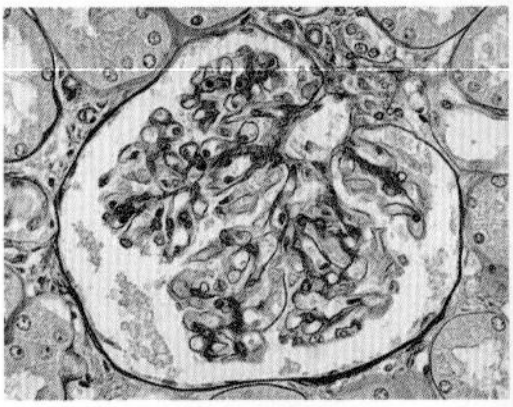 ⑮ 腎臓
		azan 染色	青	アニリン青	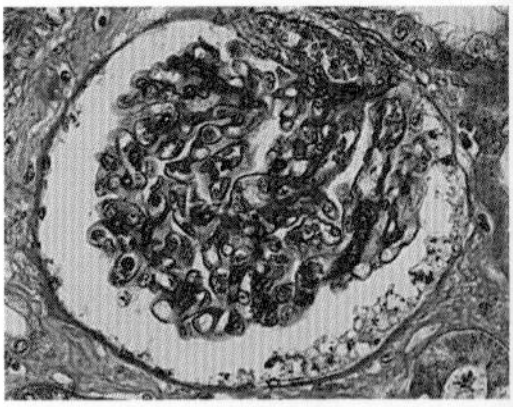 ⑯ 腎臓
		Masson trichrome 染色	青	アニリン青	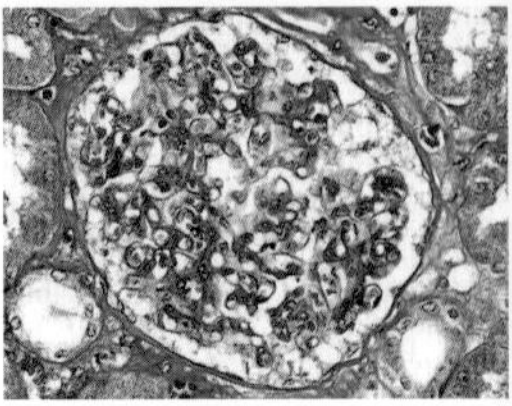 ⑰ 腎臓

染色目的物		染色法	染色結果	染色液	染色像
脂肪	中性脂肪	Sudan III染色	橙赤	ズダンⅢ	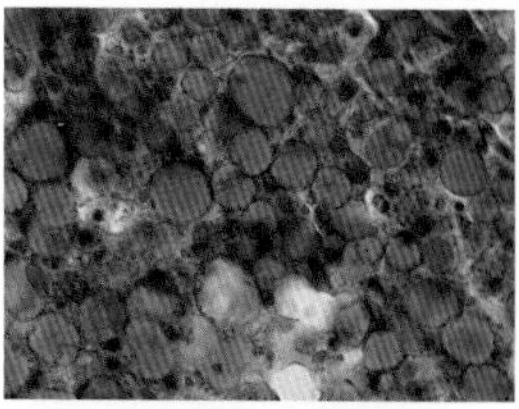 ⑱　肝臓（脂肪肝）
		oil red O 染色	赤	オイル赤 O	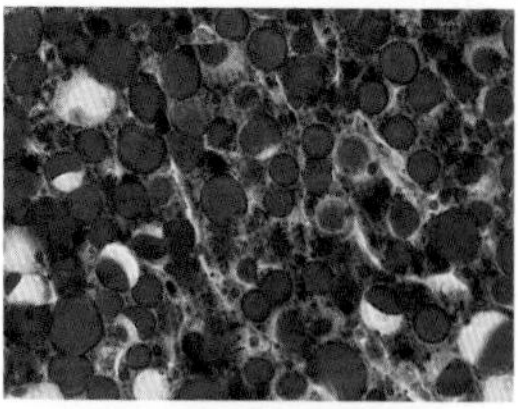 ⑲　肝臓（脂肪肝）
		Sudan black B 染色	黒	ズダン黒 B	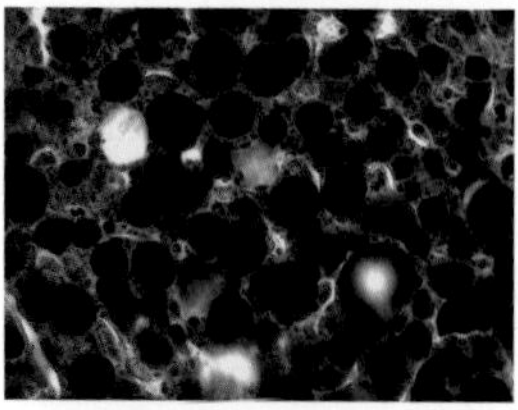 ⑳　肝臓（脂肪肝）
		Nile blue 染色	赤	ナイル赤	 ㉑　肝臓（脂肪肝）

染色目的物		染色法	染色結果	染色液	染色像
組織内病原体	*Mycobacterium tuberuclosis*	Ziehl-Neelsen 染色	赤	チールの石炭酸フクシン	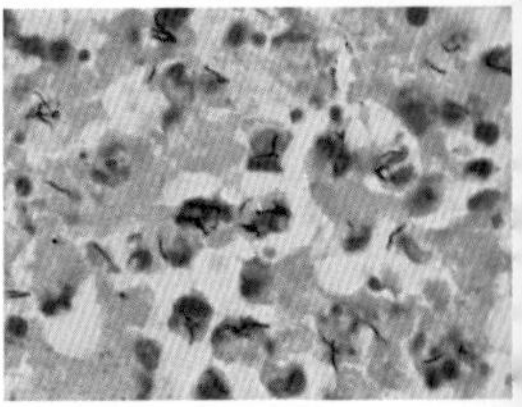 ㉒　肺
組織内病原体	*Candida albicans* *Aspergillus fumigatus*	Grocott 染色	黒	メセナミン硝酸銀	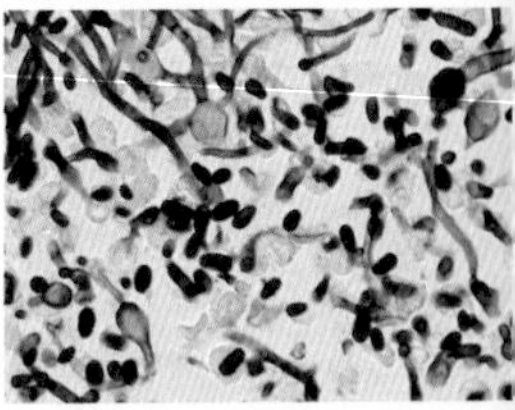 ㉓　肺
組織内病原体	*Candida albicans* *Aspergillus fumigatus*	PAS 反応	赤紫	シッフ	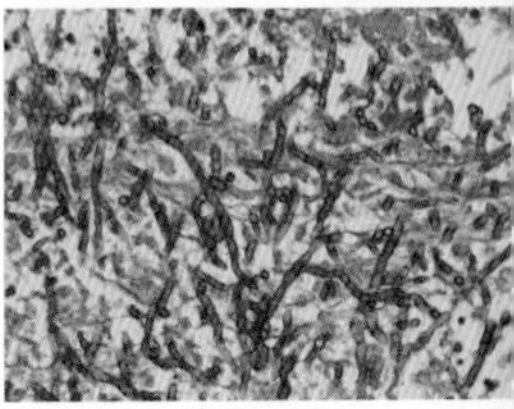 ㉔　肺
組織内病原体	*Pneumocystis jirovecii*	Grocott 染色	黒	メセナミン硝酸銀	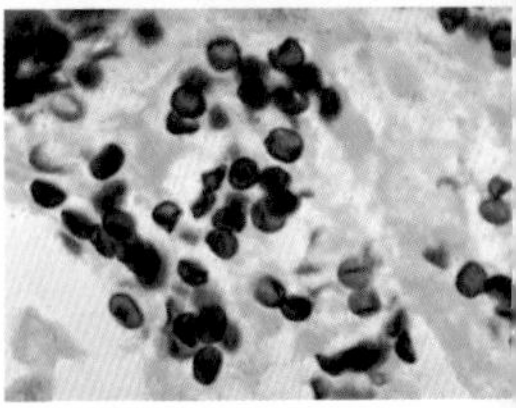 ㉕　肺

	染色目的物	染色法	染色結果	染色液	染色像
組織内病原体	*Cryptococcus neoformans*	mucicarmine 染色	赤	ムチカルミン	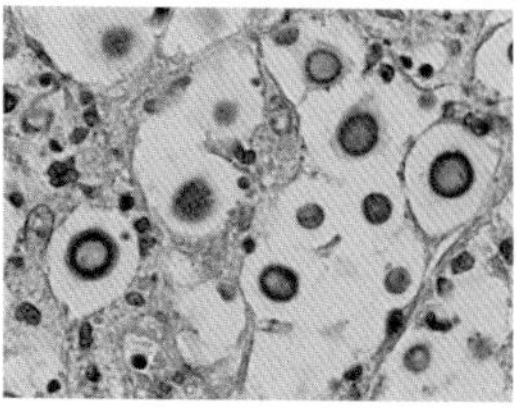 ㉖ 肺
		Alcian blue 染色	青	アルシアン青	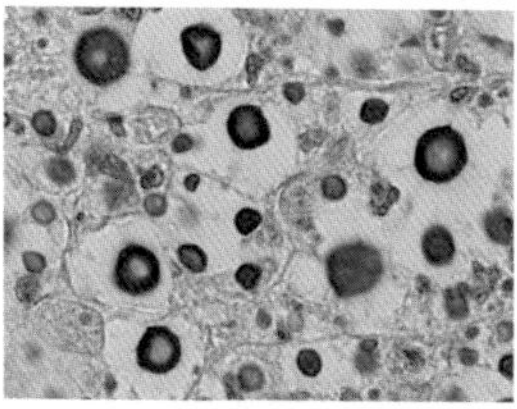 ㉗ 肺
	B 型肝炎ウイルス（HBs 抗原）	orcein 染色	茶褐	オルセイン	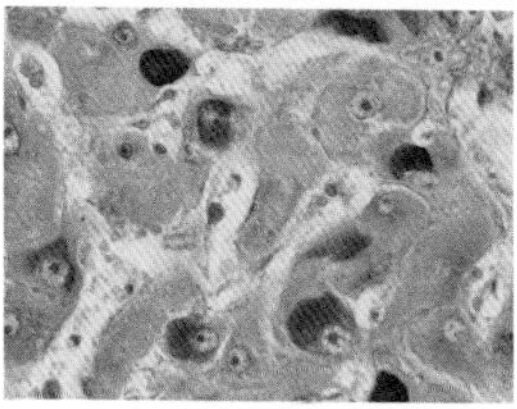 ㉘ 肝臓
		Victoria blue 染色	青	ビクトリア青	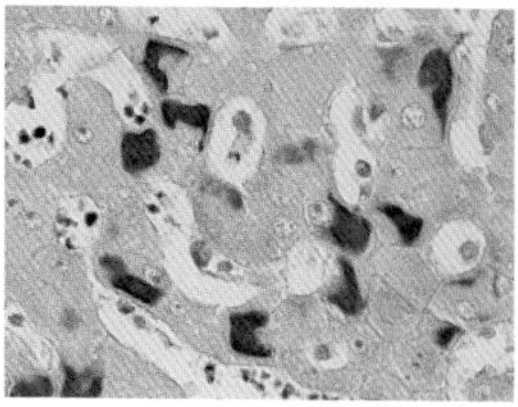 ㉙ 肝臓

	染色目的物	染色法	染色結果	染色液	染色像
組織内病原体	*Helicobacter pylori* *Treponema pallidum*	Warthin-Starry 染色	黒	硝酸銀	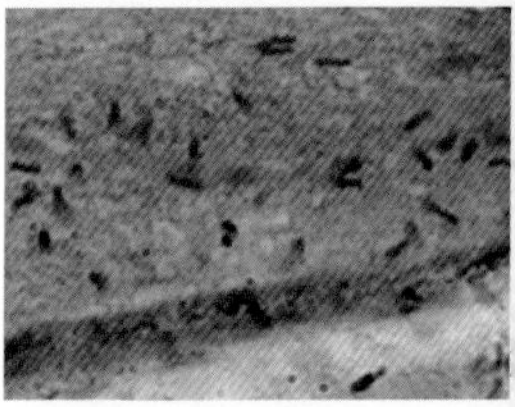 ㉚ 胃
		Giemsa 染色	青紫	ギムザ液（メチレン青/アズール青）	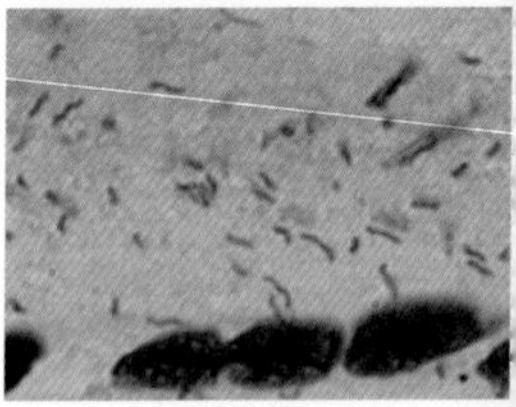 ㉛ 胃
	Entamoeba histolytica（赤痢アメーバ）	PAS 反応	赤紫	シッフ	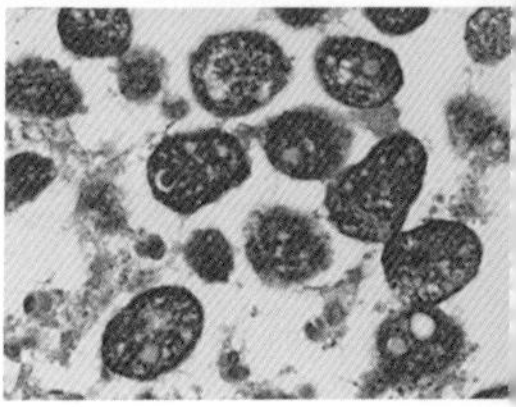 ㉜ 大腸

	染色目的物	染色法	染色結果	染色液	染色像
多糖類	アミロイド	Congo red 染色	橙赤	コンゴー赤	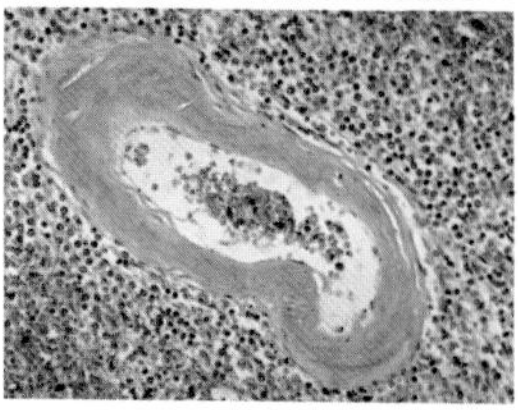 ㉝　血管
		direct fast scarlet（DFS）染色	橙赤	ダイレクト・ファースト・スカーレット	
	グリコーゲン	PAS 反応	赤紫	シッフ	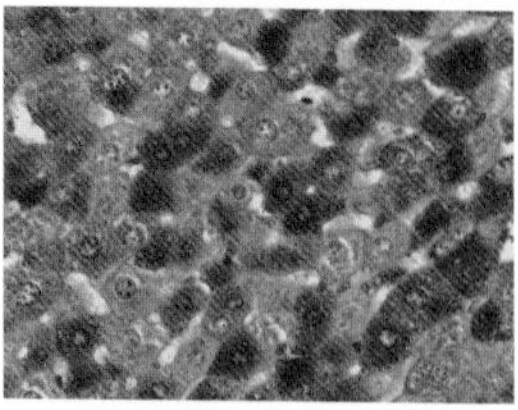 ㉞　肝臓
	酸性粘液多糖類（軟骨基質/肥満細胞）	Alcian blue 染色	青	アルシアン青	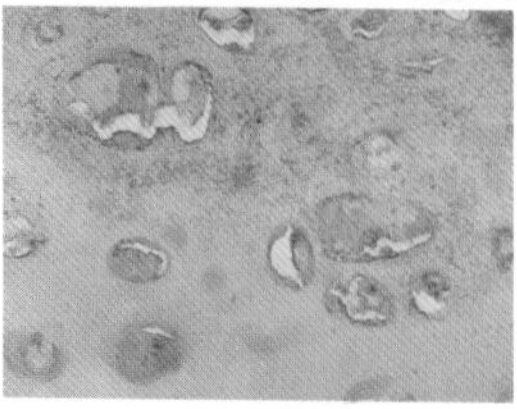 ㉟　気管支
		toluidine blue 染色	赤紫	トルイジン青	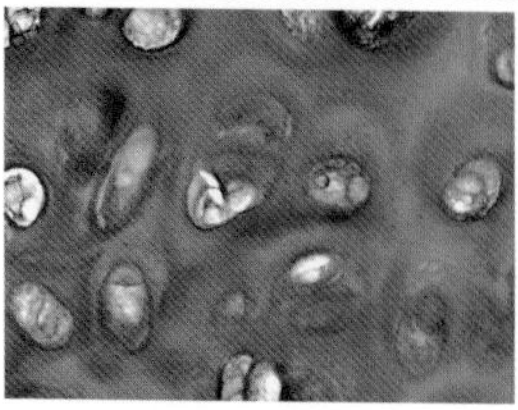 ㊱　気管支

染色目的物		染色法	染色結果	染色液	染色像
多糖類	上皮性粘液(Krukenberg腫瘍/印環細胞癌/腺癌)	Alcian blue染色	青	アルシアン青	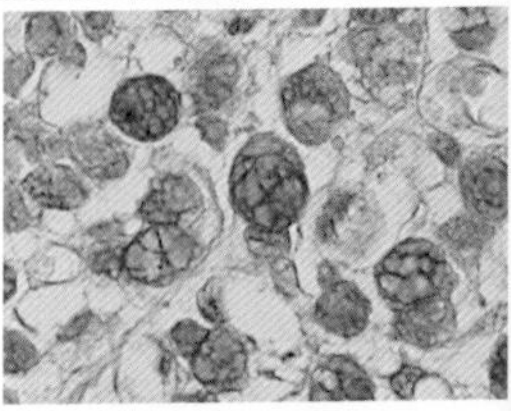 ㊲ 胃(印環細胞癌)
		PAS 反応	赤紫	シッフ	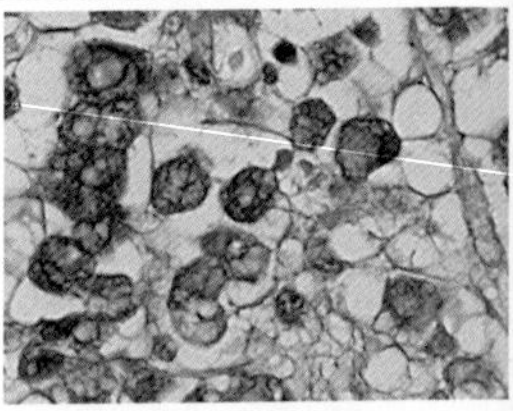 ㊳ 胃(印環細胞癌)
		mucicarmine染色	赤	ムチカルミン	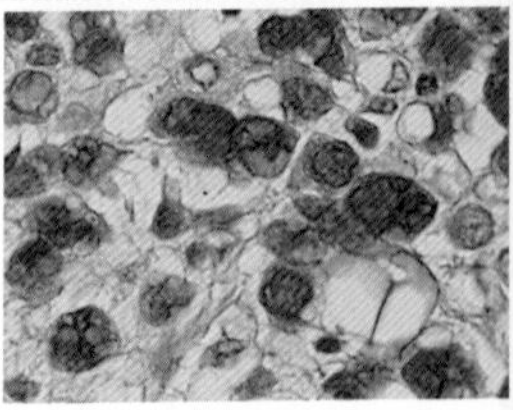 ㊴ 胃(印環細胞癌)

<table>
<tr><th colspan="2">染色目的物</th><th>染色法</th><th>染色結果</th><th>染色液</th><th>染色像</th></tr>
<tr><td rowspan="3">核酸</td><td rowspan="2">DNA（核）</td><td>Feulgen 反応</td><td>赤紫</td><td>シッフ</td><td> 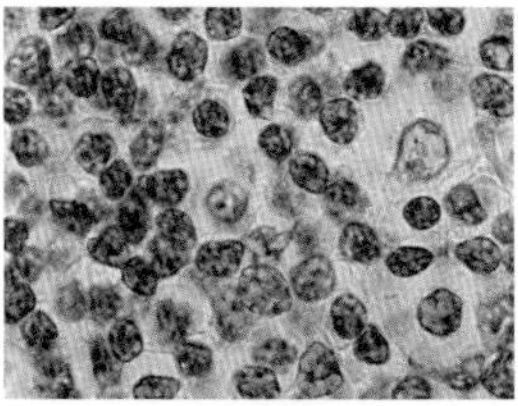⑩　細胞核</td></tr>
<tr><td rowspan="2">methyl green
-pyronin 染色</td><td>青緑</td><td>メチル緑</td><td> 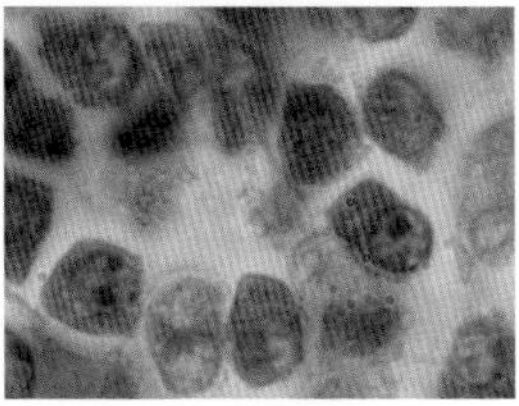⑪　形質細胞</td></tr>
<tr><td>RNA（核小体/
細胞質）</td><td>ピンク</td><td>ピロニン</td><td> 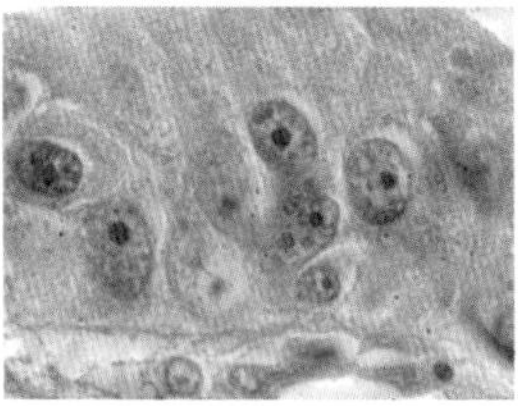⑫　腺癌細胞</td></tr>
</table>

染色目的物		染色法	染色結果	染色液	染色像
無機物質・生体内色素	ヘモジデリン（Fe^{3+}）	Berlin blue 染色	青	フェロシアン化カリウム＋塩酸	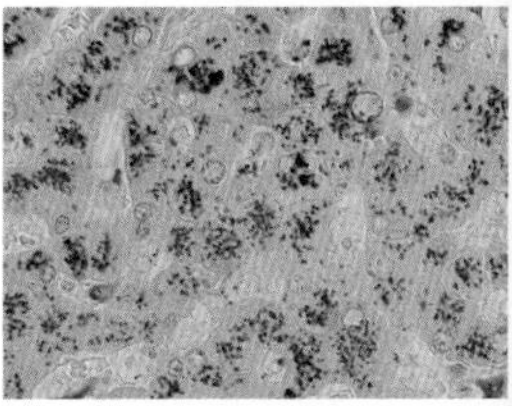 ㊸　肝臓
	アスベスト小体（Fe^{3+}）				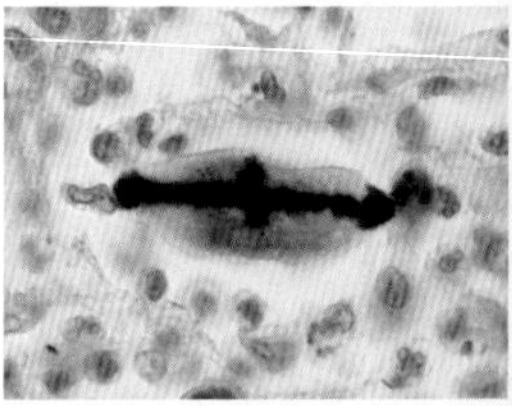 ㊹　肺
	カルシウム（石灰化小体）	Kossa 反応	黒	硝酸銀	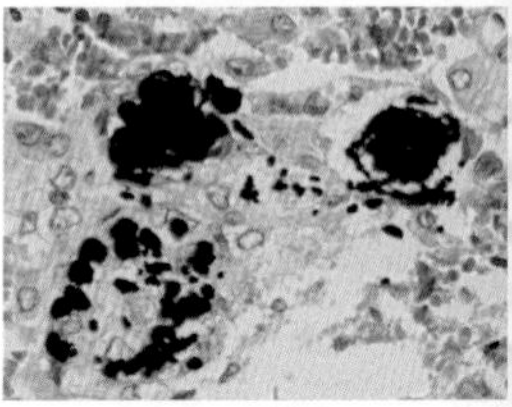 ㊺　甲状腺
	メラニン	Masson–Fontana 染色	黒褐	アンモニア硝酸銀	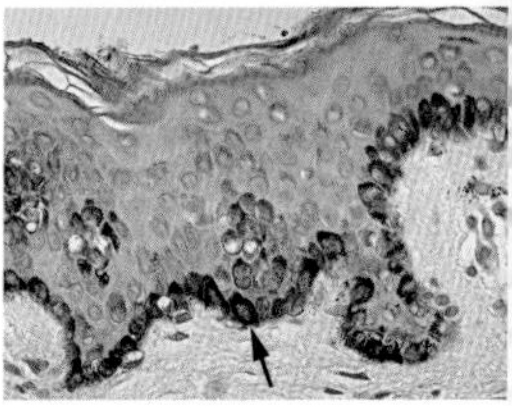 ㊻　皮膚
	メラニン前駆物質	DOPA 反応	黒褐	L-DOPA	

	染色目的物	染色法	染色結果	染色液	染色像
無機物質・生体内色素	リポフスチン（消耗性色素）	PAS 反応	赤紫	シッフ	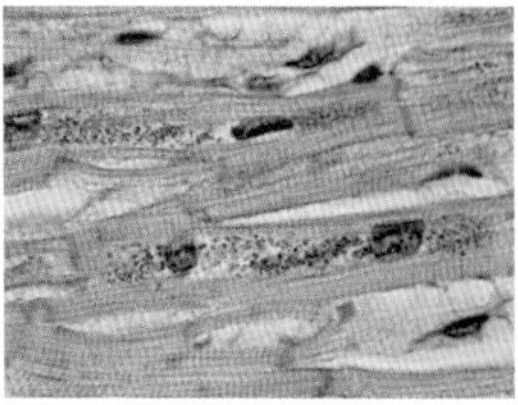 ㊼　心臓
内分泌	神経内分泌細胞	Grimelius 染色	黒褐	硝酸銀酢酸緩衝液	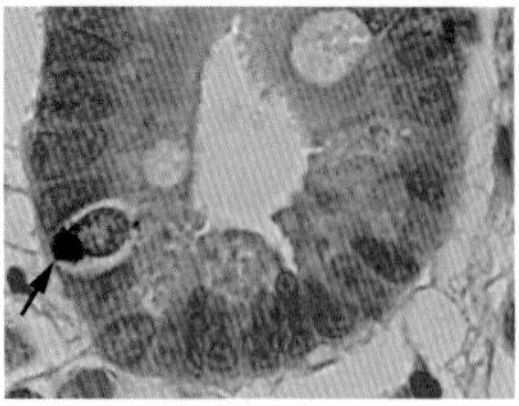 ㊽　小腸
		Masson–Fontana 染色	黒褐	アンモニア硝酸銀	
	ランゲルハンス島 A 細胞	Grimelius 染色	黒褐	硝酸銀酢酸緩衝液	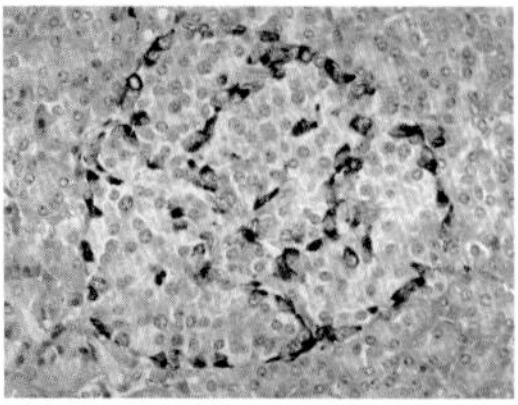 ㊾　膵臓

染色目的物		染色法	染色結果	染色液	染色像
神経組織	ニッスル小体	Klüver–Barrera 染色	紫	クレシル紫	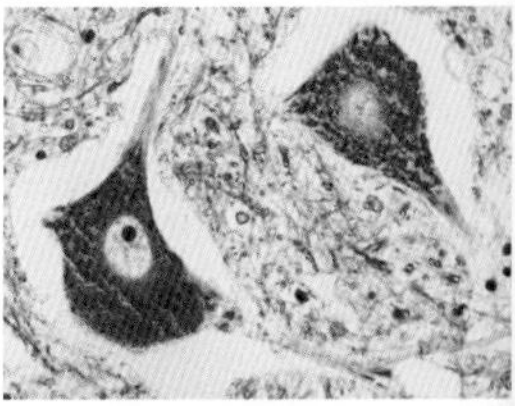 ㊿　脊髄
	髄鞘		青	ルクソール・ファースト青	
	神経原線維（軸索/樹状突起）	Bodian 染色	赤〜黒褐	プロテイン銀	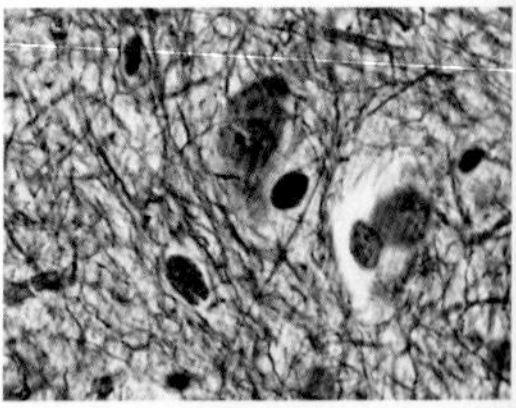 (51)　大脳
	横紋筋の横紋	PTAH 染色	青紫	リンタングステン酸ヘマトキシリン	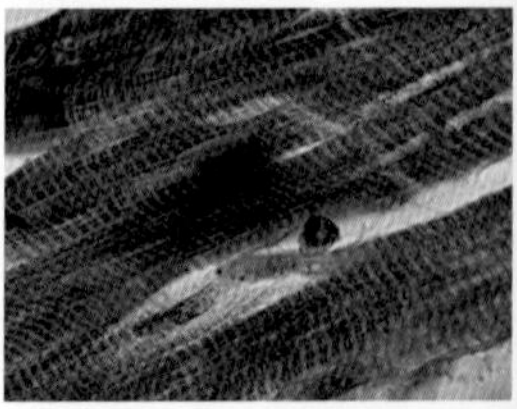 (52)　心筋
	線維素（フィブリン）				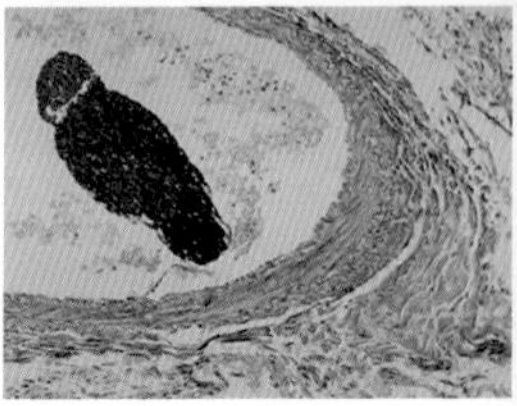 (53)　血管

染色目的物		染色法	染色結果	染色液	染色像
免疫組織化学	目的とする抗原	酵素抗体法	茶褐	DAB	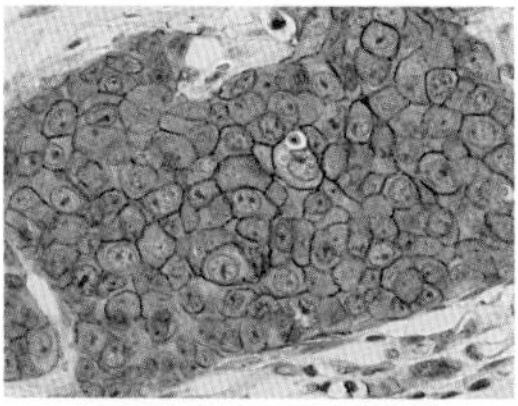 ㊹　乳癌（HER2 陽性）
		蛍光抗体法	黄緑蛍光(FITC), 赤橙蛍光(Cy3)	—	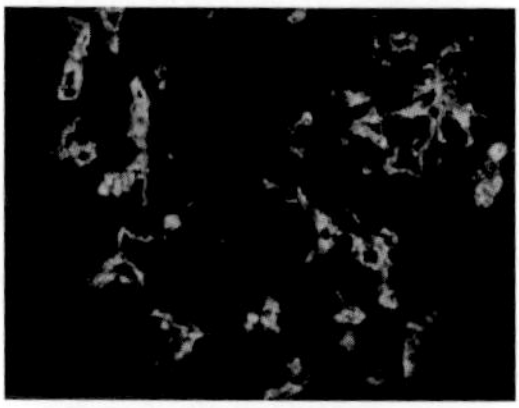 ㊺
遺伝子	目的とする遺伝子	*in situ* hybridization（ISH）法	茶褐	DAB	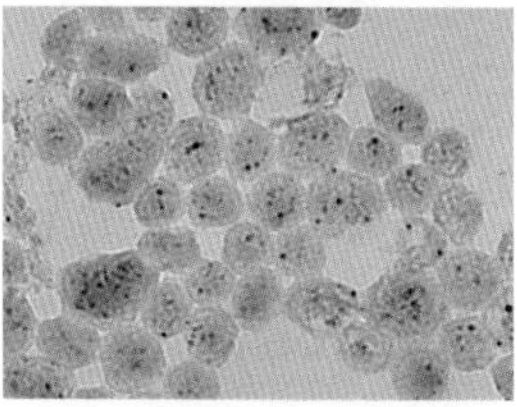 ㊻　子宮癌（HPV 遺伝子）
		fluorescence *in situ* hybridization（FISH）法	緑黄蛍光(FITC), 赤橙蛍光(Cy3)	—	㊼　乳癌（HER2 遺伝子）

D 特殊染色法（アルファベット順）

学習の目標

□染色目的　□染色結果

Alcian blue 染色

1．染色目的

①酸性粘液や酸性粘液多糖類の検出による腫瘍の組織型分類（腺癌，印環細胞癌，軟骨肉腫）．

②クリプトコッカスの検出．

③pH が異なる染色液を利用することによって，カルボキシル基と硫酸基を識別できる．

2．染色手順

①3％酢酸水溶液（pH 1.0 のときは 0.1 M 塩酸）（媒染）

②アルシアン青液（染色）

③3％酢酸水溶液（pH 1.0 のときは 0.1 M 塩酸）（分別）

④ケルンエヒトロート液（核染色）

3．染色結果（染色像：㉗，㉟，㊲→染色像は p.228～243 参照）

(1) アルシアン青 pH 2.5 の場合

①酸性粘液多糖類（ヒアルロン酸，コンドロイチン硫酸，ヘパリンなど），酸性粘液（シアロムチン，スルフォムチン），クリプトコッカスの莢膜――青色

②核，細胞質――ピンク色

(2) アルシアン青 pH 1.0 の場合

①コンドロイチン硫酸，ヘパリン，スルフォムチンなど――青色

②核，細胞質――ピンク色

azan 染色

1．染色目的

①肝硬変，心筋梗塞や間質性肺炎における膠原線維増生の確認．

②糸球体腎炎における腎糸球体基底膜やメサンギウム基質の変化の

確認.

③Masson trichrome 染色と染色目的が同じ.

2．染色手順

①10%重クロム酸カリウム水溶液と10%トリクロロ酢酸水溶液（媒染）

②0.1%アゾカルミン G 液（染色）

③アニリン・アルコール液（分別）

④1%酢酸アルコール液（分別停止）

⑤5%リンタングステン酸水溶液（媒染）

⑥アニリン青・オレンジ G 混合液（染色）

⑦無水エタノール（分別）

3．染色結果（染色像：①，⑥，⑬，⑯）

①膠原線維，細網線維，腎糸球体基底膜——青色（アニリン青）

②筋線維，細胞質，核——赤色（アゾカルミン G）

③赤血球——オレンジ色（オレンジ G）

Berlin blue 染色

1．染色目的

①3 価の鉄イオン（Fe^{3+}）を含むヘモジデリン，アスベスト小体（肺内に滞留したアスベストが鉄蛋白でおおわれたもの）の検出.

②ヘモジデリンの検出により，ヘモジデローシスの補助診断や，左心不全患者の肺内に認められる心臓病細胞の証明に用いられる.

2．染色手順

①2%フェロシアン化カリウム水溶液と2%塩酸水の等量混合液（染色）

②ケルンエヒトロート液（核染色）

3．染色結果（染色像：㊸，㊹）

①3 価の鉄イオン，ヘモジデリン，アスベスト小体——青色

②核——ピンク色

Bodian 染色

1．染色目的

①神経細胞の細胞質，神経突起および樹状突起内に存在する神経原

線維の検出.

②脳変性疾患における神経原線維の異常，特に Alzheimer 病で生じる老人斑や神経原線維変化などの検索.

2．染色手順

①1％プロテイン銀液（鍍銀）

②ハイドロキノン・硫酸ナトリウム混合液（還元）

③0.5％塩化金水溶液（鍍金）

④2％シュウ酸水溶液

⑤5％チオ硫酸ナトリウム水溶液（定着）

3．染色結果（染色像：51）

・神経原線維，軸索，樹状突起——赤褐色～黒褐色

5 Congo red 染色

1．染色目的

①本染色と偏光顕微鏡による複屈折光の確認によってアミロイドを証明する.

②アミロイドーシスの確定診断.

2．染色手順

①マイヤーのヘマトキシリン液（核染色）

②アルカリ・塩化ナトリウム・エタノール水溶液

③アルカリ・コンゴー赤液（染色）

④無水エタノール（分別）

3．染色結果（染色像：33）

①アミロイド——橙赤色（光学顕微鏡観察像），黄～黄緑蛍光色（偏光顕微鏡観察像）

②核——青紫色

6 direct fast scarlet（DFS）染色

1．染色目的

・皮膚アミロイドやアミロイド苔癬など，微量のアミロイド検出に利用される.

2．染色手順

①ダイレクト・ファースト・スカーレット液（染色）
②マイヤーのヘマトキシリン液（核染色）
③温水（色出し）

3．染色結果

①アミロイド――橙赤色（光学顕微鏡観察像），黄～黄緑蛍光色（偏光顕微鏡観察像）
②核――青紫色

7 DOPA反応

1．染色目的

①メラニンの生合成に関与するチロシナーゼの検出（メラニン産生能力の確認）．
②悪性黒色腫の診断に利用される．

2．染色手順

未固定凍結切片を用いる．
①0.1% L-DOPA液（染色）
②10%ホルマリン液（固定）
③ケルンエヒトロート液（核染色）
④脱水，透徹，封入

3．染色結果

①チロシナーゼ活性部位――黒褐色
②核――ピンク色

8 elastica van Gieson（EVG）染色

1．染色目的

①弾性線維，膠原線維，筋線維を染め分ける．
②悪性細胞による脈管侵襲の判断，血管壁傷害，肺線維症，心筋梗塞，肝硬変や腎不全における線維増生の確認に利用される．
③類似した染色法として，elastica Masson染色（ライト緑液で膠原線維を緑色，酸性フクシン液で筋線維を赤色に染色）がある．

2．染色手順

①ワイゲルトのレゾルシン・フクシン液（染色）

②無水エタノール（分別）
③ワイゲルトの鉄ヘマトキシリン液（核染色）
④温水（色出し）
⑤ワンギーソン液（酸性フクシン・ピクリン酸）（染色）
⑥無水エタノール（分別）

3．染色結果（染色像：③，⑧，⑨）

①弾性線維——黒紫色（レゾルシン・フクシン）
②膠原線維——赤色（酸性フクシン）
③筋線維，赤血球，細胞質——黄色（ピクリン酸）
④核——黒褐色

9 Feulgen 反応

1．染色目的

・DNA の観察に用いる．以前は顕微測光法を用いた DNA 定量にも応用された．

2．染色手順

①1 M 塩酸水溶液（加水分解）
②シッフ試薬（染色）
③亜硫酸水溶液（分別）

3．染色結果（染色像：㊵）

・DNA（核），DNA ウイルス感染細胞の核内封入体——赤紫色

10 Giemsa 染色

1．染色目的

①骨髄やリンパ節を対象とした血液疾患の診断を主たる目的としている．
②その他，病原体（細菌，クラミジア，マラリアなど）の観察にも有用である．特に，胃生検組織における *Helicobacter pylori* の簡易染色として広く利用されている．

2．染色手順

①ギムザ液（染色）
②0.2％酢酸水溶液（分別）
③切片を濾紙にはさんで，素早く余分な水を吸い取る．

④イソプロピルアルコール（脱水）

3．染色結果（染色像：㉛）

・*Helicobacter pylori*，クラミジアなどの病原体——青紫色（メチレン青/アズール青）

11 Grimelius 染色

1．染色目的

①神経内分泌顆粒を染めることにより，消化管や気管支に存在する内分泌細胞（好銀性細胞と銀還元性細胞），膵ランゲルハンス島A細胞を検出する．

②H-E染色では判定が困難な神経内分泌腫瘍（neuroendocrine tumor；NET）の診断に役立てることを目的としている．

2．染色手順

①0.03％硝酸銀液（鍍銀）

②ヒドロキノン・亜硫酸ナトリウム水溶液（還元）

③2％チオ硫酸ナトリウム水溶液（定着）

④ケルンエヒトロート液（核染色）

3．染色結果（染色像：㊽，㊾）

①神経内分泌顆粒（内分泌細胞，膵ランゲルハンス島A細胞，NET）——黒褐色

②核——ピンク色

12 Grocott 染色

1．染色目的

①すべての真菌を検出でき，各菌体の特有な形態を確認できる．

②PAS反応やGridley染色で染まりにくい放線菌，ノカルジアやムコールに加えて，*Pneumocystis jirovecii* も鮮明に染色される．

2．染色手順

①5％クロム酸水溶液（酸化）

②1％亜硫酸水素ナトリウム水溶液（還元）

③メセナミン硝酸銀液（鍍銀）

④0.1％塩化金水溶液（鍍金）

⑤2％チオ硫酸ナトリウム水溶液（定着）

⑥ライト緑液（後染色）

3．染色結果（染色像：㉓，㉕）

①真菌の菌壁――黒色

②背景――淡緑色

13 Klüver-Barrera 染色

1．染色目的

①髄鞘とニッスル小体を染め分ける.

②脱髄疾患（多発性硬化症など）などにおける髄鞘の傷害の有無.

③神経細胞内のニッスル小体の検出による神経細胞の分布の観察.

2．染色手順

①95％エタノール

②ルクソール・ファースト青液（染色）

③95％エタノール

④0.05％炭酸リチウム水溶液（分別）

⑤70％エタノール（分別）

⑥0.1％クレシル紫液（染色）

⑦95％エタノール（分別）

3．染色結果（染色像：㊿）

①髄鞘――青色（ルクソール・ファースト青）

②ニッスル小体，核――紫色（クレシル紫）

14 Kossa 反応

1．染色目的

・石灰化物（リン酸カルシウム，炭酸カルシウム）の証明.

2．染色手順

①5％硝酸銀液（鍍銀）

②5％チオ硫酸ナトリウム水溶液（定着）

③ケルンエヒトロート液（核染色）

3．染色結果（染色像：㊺）

①石灰化物――黒褐色

②核――ピンク色

Masson-Fontana 染色

1．染色目的

①細胞のもつ銀還元性（銀親和性）を利用した染色法．
②メラニン，内分泌細胞（銀還元性細胞）の検出．
③悪性黒色腫や神経内分泌腫瘍（NET）の補助診断．

2．染色手順

①フォンタナのアンモニア硝酸銀液（鍍銀）
②0.25％チオ硫酸ナトリウム水溶液（定着）
③ケルンエヒトロート液（核染色）

3．染色結果（染色像：㊻）

①メラニン顆粒（メラニン細胞，悪性黒色腫），内分泌顆粒（銀還元性細胞，NET の一部）——黒褐色
②核——ピンク色

Masson trichrome 染色

1．染色目的

①肝硬変，心筋梗塞や間質性肺炎における膠原線維増生の確認．
②糸球体腎炎における腎糸球体基底膜やメサンギウム基質の変化の確認．
③azan 染色と染色目的が同じ．

2．染色手順

①10％重クロム酸カリウム水溶液と 10％トリクロロ酢酸水溶液の等量混合液（媒染）
②ワイゲルトの鉄ヘマトキシリン液（核染色）
③塩酸アルコール（分別）
④2.5％リンタングステン酸水溶液と 2.5％リンモリブデン酸水溶液の等量混合液（媒染）
⑤0.75％オレンジ G 液（染色）
⑥ポンソー・キシリジン/酸性フクシン/アゾフロキシン混合液（染色）
⑦2.5％リンタングステン酸水溶液（媒染）
⑧アニリン青液（染色）
⑨無水エタノール（分別）

3．染色結果（染色像：②，⑦，⑰）

①膠原線維，細網線維，腎糸球体基底膜――青色（アニリン青）

②筋線維，細胞質――赤色（ポンソー・キシリジン/酸性フクシン/アゾフロキシン）

③核――黒褐色

④赤血球――オレンジ色（オレンジG）

17 methyl green-pyronin 染色

1．染色目的

①DNA と RNA を染め分ける．

②形質細胞は細胞質内に豊富なリボゾーム RNA を有するため，本染色によって形質細胞の同定が可能である．形質細胞が関与する疾患や腫瘍（多発性骨髄腫など）の補助診断に用いられる．

2．染色手順

①メチル緑・ピロニン液（染色）

②染色液を濾紙で吸い取る

③n-ブタノール（分別）

④n-ブタノール・キシレン等量混合液

3．染色結果（染色像：㊶，㊷）

①DNA（核）――青緑色（メチル緑）

②RNA（核小体，細胞質内粗面小胞体）――赤色（ピロニン）

18 mucicarmine 染色

1．染色目的

①上皮性粘液（酸性粘液）の検出．

②クリプトコッカスの検出．

2．染色手順

①マイヤーのヘマトキシリン液（核染色）

②温水（色出し）

③ムチカルミン液（染色）

3．染色結果（染色像：㉖，㊴）

①クリプトコッカス，上皮性粘液――赤色

②核――青紫色

19 Nile blue 染色

1．染色目的

①中性脂肪が細胞内に蓄積する病変（脂肪肝，脂肪肉腫，腎細胞癌や Burkitt リンパ腫など）の診断.

②染色液中のナイル赤で中性脂肪，ナイル青でその他の脂質を染め分ける.

2．染色手順

凍結包埋標本を用いる.

①ナイル青液（染色）

②1％酢酸水溶液（分別）

3．染色結果（染色像：㉑）

①中性脂肪，コレステリンエステル——淡赤色（ナイル赤）

②リン脂質，脂肪酸，核——青色（ナイル青）

20 oil red O 染色

1．染色目的

①中性脂肪が細胞内に蓄積する病変（脂肪肝，脂肪肉腫，腎細胞癌や Burkitt リンパ腫など）の診断に利用される.

②Sudan black B 染色，SudanⅢ染色と染色目的が同じ.

2．染色手順

凍結包埋標本を用いる.

①60％イソプロピルアルコール

②オイル赤 O 液（染色）

③60％イソプロピルアルコール（分別）

④マイヤーのヘマトキシリン液（核染色）

⑤温水（色出し）

3．染色結果（染色像：⑲）

①中性脂肪——赤色

②核——青紫色

orcein 染色

1．染色目的

①弾性線維とHBs抗原の証明．

②Victoria blue 染色と染色目的が同じ．

2．染色手順

①0.3％過マンガン酸カリウム水溶液と0.3％硫酸水溶液の等量混合液（酸化）

②2.5％亜硫酸水素ナトリウム（還元）

③オルセイン液（染色）

④80％エタノール（分別）

⑤マイヤーのヘマトキシリン液（核染色）

⑥温水（色出し）

3．染色結果（染色像：⑩，㉘）

①HBs抗原，弾性線維——茶褐色

②核——青紫色

PAM 染色

1．染色目的

①糸球体腎炎による腎糸球体基底膜の微細構造変化をとらえる．

②糸球体腎炎の診断および組織分類判定の一助となる．

2．染色手順

①1％過ヨウ素酸水溶液（酸化）

②メセナミン硝酸銀液（鍍銀）

③4％中性ホルマリン液（変色防止）

④0.2％塩化金水溶液（調金）

⑤5％チオ硫酸ナトリウム水溶液（定着）

⑥H-E 染色（核・後染色）

3．染色結果（染色像：⑭）

①腎糸球体基底膜——黒色

②細胞質——ピンク色

③核——青紫色

PAS 反応

1．染色目的

①グリコーゲンや上皮性粘液（酸性粘液，中性粘液）の証明.

②腫瘍の組織型分類（腺癌など），癌細胞の浸潤（基底膜破壊）の有無.

③腎糸球体病変の検索.

④真菌や赤痢アメーバの検出.

2．染色手順

①1％過ヨウ素酸水溶液（酸化）

②シッフ試薬（染色）

③亜硫酸水溶液（分別）

④マイヤーのヘマトキシリン液（染色）

⑤温水（色出し）

3．染色結果（染色像：⑤，⑮，㉔，㉜，㉞，㊳，㊼）

①グリコーゲン，上皮性粘液，基底膜，腎糸球体基底膜，真菌，赤痢アメーバ，リポフスチン，膠原線維——赤紫色

②核——青紫色

4．酵素消化法（グリコーゲン消化試験）

(1) 染色目的

・PAS 反応陽性物質がグリコーゲンであることを確認する.

(2) 染色手順

①濾過した唾液または α-アミラーゼ消化液

②流水水洗

③PAS 反応

(3) 染色結果

・PAS 反応陰性——グリコーゲン

PTAH 染色

1．染色目的

①フィブリン（線維素），横紋筋の横紋の証明.

②播種性血管内凝固（DIC）における微小血栓形成の検索や線維素性炎などの補助診断.

③横紋の証明による横紋筋肉腫の補助診断.

④中枢神経疾患におけるグリア細胞（神経膠線維）と膠原線維の鑑別.

2．染色手順

①重クロム酸カリウム・塩酸液（クロム化）

②0.5%過ヨウ素酸水溶液（酸化）

③リンタングステン酸ヘマトキシリン（PTAH）液（染色）

④無水エタノール（分別・脱水）

3．染色結果（染色像：52，53）

①フィブリン，横紋筋の横紋，平滑筋，グリア細胞（神経膠線維），核――青紫色

②膠原線維，神経細胞――赤褐色

25 Sudan black B 染色

1．染色目的

①中性脂肪が細胞内に蓄積する病変（脂肪肝，脂肪肉腫，腎細胞癌や Burkitt リンパ腫など）の診断に利用される.

②oil red O 染色，Sudan Ⅲ染色と染色目的が同じ.

2．染色手順

凍結包埋標本を用いる.

①50%エタノール

②ズダン黒 B 液（染色）

③50%エタノール（分別）

④ケルンエヒトロート液（核染色）

3．染色結果（染色像：20）

①中性脂肪，リン脂質，糖脂質，脂肪酸――黒色

②コレステリン――暗青色

③核――ピンク色

26 Sudan Ⅲ染色

1．染色目的

①中性脂肪が細胞内に蓄積する病変（脂肪肝，脂肪肉腫，腎細胞癌や Burkitt リンパ腫など）の診断に利用される.

②oil red O 染色，Sudan black B 染色と染色目的が同じ.

2．染色手順

①50％エタノール

②ズダンIII液（染色）

③50％エタノール（分別）

④マイヤーのヘマトキシリン液（核染色）

3．染色結果（染色像：⑱）

①中性脂肪――橙赤色

②核――青紫色

toluidine blue 染色

1．染色目的

①酸性粘液多糖類（軟骨基質，肥満細胞）や酸性粘液の検出．

②トルイジン青液中の色素は異染性（メタクロマジー）を示す（→p.218 参照）．

③肥満細胞の同定や軟骨肉腫，中皮腫の補助診断に利用される．

2．染色手順

①0.05％トルイジン青液（染色）

②濾紙で余分な水分を吸い取る．

③無水エタノール（脱水）

3．染色結果（染色像：㊱）

①酸性粘液多糖類，酸性粘液，アミロイド――赤紫色

②その他――青色

Victoria blue 染色

1．染色目的

①弾性線維とHBs抗原の証明．

②orcein染色と染色目的が同じ．

2．染色手順

①0.3％過マンガン酸カリウム水溶液と0.3％硫酸水溶液の等量混合液（酸化）

②3％亜硫酸水素ナトリウム水溶液（還元）

③ビクトリア青液（染色）

④70％エタノール（分別）

⑤ケルンエヒトロート液（核染色）

3．染色結果（染色像：⑪，㉙）

①弾性線維，HBs 抗原――青色

②核――ピンク色

29 Warthin-Starry 染色

1．染色目的

①*Helicobacter pylori* の検出.

②*Treponema pallidum* の検出.

2．染色手順

①硝酸銀酸性液

②還元液

3．染色結果（染色像：㉚）

①*Helicobacter pylori*，スピロヘータ――黒色

②背景――淡黄色～淡褐色

30 Ziehl-Neelsen 染色

1．染色目的

・組織内の抗酸菌（特に結核菌）の検出.

2．染色手順

①チールの石炭酸フクシン液（染色）

②1％塩酸アルコール（分別）

③レフレルのメチレン青液（後染色）

3．染色結果（染色像：㉒）

①結核菌，非定型抗酸菌――赤色

②背景――青色

31 渡辺の鍍銀染色

1．染色目的

①細網線維（格子線維）の検出により，癌（上皮性悪性腫瘍）と肉腫（非上皮性悪性腫瘍）の鑑別.

②膠原線維増生の確認.

2．染色手順

①0.5%過マンガン酸カリウム水溶液（酸化）
②2%シュウ酸水溶液（還元）
③2%鉄ミョウバン水溶液（媒染）
④アンモニア硝酸銀液（鍍銀）
⑤95%エタノール（分別）
⑥ホルマリン・鉄ミョウバン混合液（還元）
⑦0.2%塩化金水溶液（調金）
⑧2%チオ硫酸水溶液（定着）
⑨ケルンエヒトロート液（染色）

3．染色結果（染色像：④，⑫）

①細網線維——黒色
②膠原線維——赤褐色
③核——えんじ色

セルフ・チェック

A　次の文章で正しいものに○，誤っているものに×をつけよ．

	○	×
1. 筋線維は，azan 染色で青色に染まる．	□	□
2. PAM 染色の酸化剤は過マンガン酸カリウムである．	□	□
3. 腎糸球体基底膜は，azan 染色で青色に染まる．	□	□
4. メタクロマジー（異染性）を起こすのは軟骨基質，肥満細胞，アミロイドである．	□	□
5. 膠原線維は，Masson trichrome 染色で青色に染まる．	□	□
6. *Mycobacterium tuberculosis* は，Ziehl–Neelsen 染色で青色に染まる．	□	□
7. PAM 染色に適した切片厚は 4 μm である．	□	□
8. 神経内分泌腫瘍（NET）は，Masson–Fontana 染色で黒褐色に染まる．	□	□
9. メタクロマジー（異染性）を起こす色素はアニリン青である．	□	□
10. PAS 反応で目的物はシッフ液で染まる．	□	□
11. 膠原線維は，elastica van Gieson 染色で黄色に染まる．	□	□
12. 渡辺の鍍銀染色に適した切片厚は 5～8 μm である．	□	□
13. 中性脂肪は，Nile blue 染色で青色に染まる．	□	□
14. 上皮性粘液は，Alcian blue 染色で青色に染まる．	□	□
15. 渡辺の鍍銀染色の酸化剤は過ヨウ素酸である．	□	□
16. 酸性粘液多糖類は，toluidine blue 染色で青色に染まる．	□	□

A　1–×（赤色），2–×（過ヨウ素酸），3–○，4–○，5–○，6–×（赤色），7–×（1 μm），8–○，9–×（トルイジン青），10–○，11–×（赤色），12–○，13–×（赤色），14–○，15–×（過マンガン酸カリウム），16–×（赤紫色）

17. 細網線維は，渡辺の鍍銀染色で赤褐色に染まる．　□　□
18. 上皮性粘液は，mucicarmine 染色で染まる．　□　□
19. B 型肝炎ウイルス（HBs）は，Victoria blue 染色で青色に染まる．　□　□
20. 膠原線維は，渡辺の鍍銀染色で黒色に染まる．　□　□
21. アスベスト小体は，Berlin blue 染色で青色に染まる．　□　□
22. ランゲルハンス島 A 細胞は，Masson–Fontana 染色に染まる．　□　□
23. 弾性線維は，elastica van Gieson 染色で黒紫色に染まる．　□　□
24. 筋線維は，Masson trichrome 染色で青色に染まる．　□　□
25. 弾性線維は，Victoria blue 染色で青色に染まる．　□　□
26. *Pneumocystis jirovecii* は，mucicarmine 染色で赤色に染まる．　□　□
27. 細網線維は，azan 染色で赤色に染まる．　□　□
28. Grocott 染色の銀液はアンモニア硝酸銀液である．　□　□
29. 内分泌細胞は，Grimelius 染色で赤色に染まる．　□　□
30. メラニンは，Kossa 反応で黒褐色に染まる．　□　□
31. Grocott 染色の酸化剤は過ヨウ素酸である．　□　□
32. 横紋筋の横紋は，PTAH 染色で赤褐色に染まる．　□　□
33. B 型肝炎ウイルス（HBs）は，Grocott 染色で黒色に染まる．　□　□
34. PAS 反応で上皮性粘液を証明するためには，酵素消化法を行う．　□　□
35. DNA は，Feulgen 反応で青緑色に染まる．　□　□

17–×（黒色），18–○，19–○，20–×（赤褐色），21–○，22–×（Grimelius 染色），23–○，24–×（赤色），25–○，26–×（*Cryptococcus* が染まる），27–×（青色），28–×（メセナミン硝酸銀），29–×（黒褐色），30–×（Masson–Fontana 染色），31–×（クロム酸），32–×（青紫色），33–×（*Pneumocystis jirovecii*，真菌が染まる），34–×（グリコーゲンの証明），35–×（赤紫色）

36. ニッスル小体は，Klüver-Barrera 染色で青色に染まる.　□　□
37. 脳神経組織の染色に適した切片厚は 1 μm である.　□　□
38. RNA は，methyl green-pyronin 染色でピンク色に染まる.　□　□
39. 神経原線維（樹状突起・軸索）は，Bodian 染色で赤～黒褐色に染まる.　□　□
40. フィブリンは，PTAH 染色で青紫色に染まる.　□　□
41. 筋線維は，elastica van Gieson 染色で赤色に染まる.　□　□
42. *Candida* は，Grocott 染色で黒色に染まる.　□　□
43. 内分泌細胞は，Masson-Fontana 染色で赤色に染まる.　□　□
44. 腎糸球体基底膜は，PAS 反応で黒色に染まる.　□　□
45. *Treponema pallidum* は，orcein 染色で茶褐色に染まる.　□　□
46. *Cryptococcus* は，Warthin-Starry 染色で染まる.　□　□
47. 細網線維は，Masson trichrome 染色で赤色に染まる.　□　□
48. azan 染色の核染色液は鉄ヘマトキシリン液である.　□　□
49. 上皮性粘液は，PAS 反応で染まる.　□　□
50. リポフスチンは，PAS 反応に染まる.　□　□
51. 腎糸球体基底膜は，PAM 染色で赤紫色に染まる.　□　□
52. 神経内分泌腫瘍（NET）は，Grimelius 染色で黒褐色に染まる.　□　□
53. 渡辺の鍍銀染色の銀液はメセナミン硝酸銀である.　□　□
54. 酸性粘液多糖類は，PAS 反応で赤紫色に染まる.　□　□
55. *Entamoeba histolytica* は，PAS 反応で赤紫色に染まる.　□　□

36-×（紫色），37-×（5～8 μm），38-○，39-○，40-○，41-×（黄色），42-○，43-×（黒褐色），44-×（赤紫色），45-×（B 型肝炎ウイルス（HBs）が染まる），46-×（*Treponema pallidum*，*Helicobacter pylori* が染まる），47-×（青色），48-×（アゾカルミン G．鉄ヘマトキシリン液を使うのは Masson trichrome 染色），49-○，50-○，51-×（黒色），52-○，53-×（アンモニア硝酸銀），54-×（Alcian blue 染色で青色），55-○

56. グリコーゲンは，Alcian blue 染色で赤紫色に染まる． □ □
57. ヘモジデリンは，Alcian blue 染色で青色に染まる． □ □
58. アミロイドは，Congo red 染色で青色に染まる． □ □
59. 腎糸球体基底膜は，Masson trichrome 染色で青色に染まる． □ □
60. *Aspergillus* は，PAS 反応で赤紫色に染まる． □ □
61. DNA は，methyl green–pyronin 染色で赤紫色に染まる． □ □
62. Grocott 染色の後染色にはメチル緑を用いる． □ □
63. アミロイドは，Congo red 染色で，蛍光顕微鏡でみると黄～黄緑蛍光色に発色する． □ □
64. 髄鞘は，Klüver–Barrera 染色で赤紫色に染まる． □ □
65. PAM 染色の銀液はメセナミン硝酸銀である． □ □
66. *Helicobacter pylori* は，Giemsa 染色で染まる． □ □
67. 石灰化小体は，Masson–Fontana 染色で黒褐色に染まる． □ □
68. 膠原線維は，azan 染色で赤色に染まる． □ □

56–×（PAS 反応），57–×（Berlin blue 染色），58–×（橙赤色），59–○，60–○，61–×（青緑色），62–×（ライト緑），63–×（偏光顕微鏡），64–×（青色），65–○，66–○，67–×（Kossa 反応），68–×（青色）

B

1．膠原線維の染色法と染色結果で正しい組合せはどれか．

- □ ① azan 染色――――――――赤　色
- □ ② 渡辺の鍍銀法――――――黒　色
- □ ③ Masson trichrome 染色――赤　色
- □ ④ elastica van Gieson 染色――赤　色
- □ ⑤ PAS 反応――――――――青　色

2．azan 染色で**使用しない**のはどれか．

- □ ① トリクロロ酢酸水溶液
- □ ② ワイゲルトの鉄ヘマトキシリン液
- □ ③ リンタングステン酸水溶液
- □ ④ アゾカルミン G 液
- □ ⑤ アニリン青・オレンジ G 液

3．elastica van Gieson 染色で判定できるのはどれか．

- □ ① 癌の組織型
- □ ② 癌細胞の静脈管侵襲
- □ ③ 治療薬の適応判定
- □ ④ 癌細胞の間質浸潤
- □ ⑤ 癌細胞の増殖能

4．細網線維の染色法と染色結果で正しい組合せはどれか．**2つ選べ．**

- □ ① 渡辺の鍍銀法――――――黒　色
- □ ② azan 染色――――――――赤　色
- □ ③ Masson trichrome 染色――青　色
- □ ④ elastica van Gieson 染色――黄　色
- □ ⑤ Victoria blue 染色――――青　色

B　1–④，2–②，3–②，4–①と③

5．中性脂肪と脂肪酸を鑑別できる染色法はどれか．

- ☐ ① Nile blue 染色
- ☐ ② SudanIII染色
- ☐ ③ oil red O 染色
- ☐ ④ Sudan black B 染色
- ☐ ⑤ Osmium tetroxide 反応

6．脂肪染色で**誤っている**のはどれか．

- ☐ ① ホルマリン固定液を用いる．
- ☐ ② グリセリンで封入する．
- ☐ ③ 凍結切片を用いる．
- ☐ ④ リン脂質は Sudan black B 染色で黒色に染まる．
- ☐ ⑤ 脂肪酸は Nile blue 染色で赤色に染まる．

7．腎生検での染色法と観察する構造の組合せで正しいのはどれか．

- ☐ ① Masson trichrome 染色――赤血球
- ☐ ② elastica van Gieson 染色――メサンギウム領域
- ☐ ③ DOPA 反応――血　栓
- ☐ ④ PAM 染色――糸球体基底膜
- ☐ ⑤ PTAH 染色――血管構造

8．PAM 染色で用いるのはどれか．**2 つ選べ．**

- ☐ ① 過ヨウ素酸
- ☐ ② シッフ
- ☐ ③ 硝酸銀
- ☐ ④ アニリン青
- ☐ ⑤ 鉄ヘマトキシリン

5–①（⑤：オスミウム酸のこと．これにより脂肪成分は黒変する），6–⑤（⑤：脂肪酸は青色（ナイル青），中性脂肪は赤色（ナイル赤）），7–④，8–①と③

9．腎糸球体基底膜病変の検索に適する染色法はどれか．**2つ選べ．**

- □ ① azan 染色
- □ ② PTAH 染色
- □ ③ toluidine blue 染色
- □ ④ PAS 反応
- □ ⑤ Congo red 染色

10．病原体と染色法との組合せで**誤っている**のはどれか．

- □ ① *Entameba histolytica*――PAS 反応
- □ ② *Treponema pallidum*――Warthin-Starry 染色
- □ ③ cytomegalovirus――orcein 染色
- □ ④ *Cryptococcus neoformans*――Alcian blue 染色
- □ ⑤ *Pneumocystis jirovecii*――Grocott 染色

11．染色法と病原体との組合せで**誤っている**のはどれか．

- □ ① Grocott 染色――*Candida albicans*
- □ ② mucicarmine 染色――*Cryptococcus neoformans*
- □ ③ Giemsa 染色――*Helicobacter pylori*
- □ ④ Victoria blue 染色――hepatitis B virus
- □ ⑤ Alcian blue 染色――*Entamoeba histolytica*

12．B型肝炎ウイルスの検出に適する染色法はどれか．**2つ選べ．**

- □ ① azan 染色
- □ ② elastica van Gieson 染色
- □ ③ PAS 反応
- □ ④ Victoria blue 染色
- □ ⑤ orcein 染色

9-①と④，10-③，11-⑤，12-④と⑤

13. アミロイドの証明に適した染色法はどれか．

- □ ① Kossa 反応
- □ ② Congo red 染色
- □ ③ Berlin blue 染色
- □ ④ Grocott 染色
- □ ⑤ Masson-Fontana 染色

14. Congo red 染色標本の観察で用いる顕微鏡はどれか．

- □ ① 蛍光顕微鏡
- □ ② 位相差顕微鏡
- □ ③ 偏光顕微鏡
- □ ④ 透過型電子顕微鏡
- □ ⑤ 実体顕微鏡

15. 生体内色素・無機物質と染色法の組合せで正しいのはどれか．

- □ ① ホルマリン色素——PAS 反応
- □ ② 消耗性色素————Grimelius 染色
- □ ③ 石灰化小体————Masson-Fontana 染色
- □ ④ メラニン—————DOPA 反応
- □ ⑤ ヘモグロビン———Berlin blue 染色

16. 心臓病細胞の証明に適する染色法はどれか．

- □ ① Berlin blue 染色
- □ ② Grimelius 染色
- □ ③ Masson-Fontana 染色
- □ ④ PTAH 染色
- □ ⑤ PAS 反応

13-②，14-③，15-④，16-①

17. 過ヨウ素酸で糖鎖が酸化されて生成する活性基はどれか.
- □ ① アミノ基
- □ ② アルデヒド基
- □ ③ カルボキシル基
- □ ④ ケトン基
- □ ⑤ 水酸基

18. グリコーゲンの証明に用いる試薬はどれか.
- □ ① グルコースオキシダーゼ液
- □ ② 過マンガン酸カリウム液
- □ ③ 炭酸リチウム液
- □ ④ アミラーゼ液
- □ ⑤ ハイドロキノン液

19. リンパ節における腺癌の検査法として適した染色法はどれか.
- □ ① Grimelius 染色
- □ ② Victria blue 染色
- □ ③ Berlin blue 染色
- □ ④ Masson trichrome 染色
- □ ⑤ Alcian blue 染色

20. 胃粘膜下組織の腫瘍が Grimelius 染色陽性であった．診断として正しいのはどれか.
- □ ① 平滑筋腫
- □ ② 神経内分泌腫瘍（NET）
- □ ③ 腺　癌
- □ ④ 扁平上皮癌
- □ ⑤ 消化管間質腫瘍（GIST）

17–②（PAS 反応の原理），18–④（酵素消化法），19–⑤（上皮性粘液の染色），20–②

21. 神経内分泌顆粒の検出に用いる染色法はどれか．**2つ選べ．**
- □ ① Klüver–Barrera 染色
- □ ② Masson–Fontana 染色
- □ ③ Cajal 染色
- □ ④ cresyl violet 染色
- □ ⑤ Grimelius 染色

22. 神経原線維の検出に用いる染色法はどれか．
- □ ① Klüver–Barrera 染色
- □ ② cresyl violet 染色
- □ ③ Bodian 染色
- □ ④ Cajal 染色
- □ ⑤ Holzer 染色

23. メタクロマジーを呈するのはどれか．
- □ ① 軟骨基質
- □ ② 内分泌組織
- □ ③ 中性脂肪
- □ ④ 髄　鞘
- □ ⑤ 平滑筋

24. メタクロマジーを呈するのはどれか．
- □ ① ビクトリア青
- □ ② ナイル青
- □ ③ アルシアン青
- □ ④ トルイジン青
- □ ⑤ アニリン青

21–②と⑤（①：ニッスル小体，髄鞘，③：神経膠細胞，④：ニッスル小体），
22–③（⑤：神経膠細胞，神経膠線維），23–①，24–④

25. 染色法と目的物の組合せで**誤っている**のはどれか.

- ☐ ① Masson–Fontana 染色――――内分泌細胞
- ☐ ② methyl green–pyronin 染色――形質細胞
- ☐ ③ Klüver–Barrera 染色――――神経細胞
- ☐ ④ mucicarmine 染色――――――メラニン細胞
- ☐ ⑤ toluidine blue 染色――――――肥満細胞

26. 染色法と目的物の組合せで正しいのはどれか.

- ☐ ① Klüver–Barrera 染色―――神経原線維
- ☐ ② Kossa 反応――――――――メラニン
- ☐ ③ Bodian 染色―――――――髄　鞘
- ☐ ④ Masson–Fontana 染色――カルシウム
- ☐ ⑤ PTAH 染色――――――――線維素

25–④（④：クリプトコッカス，上皮性粘液），26–⑤

E　免疫組織化学染色法

学習の目標

- □ 酵素抗体法
- □ 細胞マーカー
- □ 原発不明癌の原発巣同定のマーカー
- □ 治療薬適応判定マーカー
- □ 細胞増殖能および悪性度判定マーカー
- □ 反応原理
- □ 抗原性の賦活化
- □ 内因性ペルオキシダーゼ（POD）活性の除去
- □ 非特異的反応のブロック
- □ 抗体反応
- □ 発色
- □ 蛍光抗体法
- □ ISH 法
- □ FISH 法

1 免疫組織化学染色とは

目的とする抗原（特定の蛋白，多糖類，病原微生物など）の局在を観察するため，標識物質を結合させた抗体を反応させて可視化する．

標識物質の違いにより酵素抗体法と蛍光抗体法に分類される（表 4-2）．

表 4-2　酵素抗体法と蛍光抗体法の特徴の比較

	酵素抗体法	蛍光抗体法
標識物質	ペルオキシダーゼ アルカリホスファターゼ	Fluorescein isothiocyanate（FITC） Cy3
使用顕微鏡	光学（明視野）顕微鏡	蛍光顕微鏡
発色操作	必要	不要
コントラスト	ときに不良	良好
背景（組織構造）の判別	明視野．わかりやすい．	暗視野．わかりにくい．
多重染色	可能*1)	容易
標本の永久保存	可能	不可能*2)
電子顕微鏡への応用	可能（免疫電顕法）	不可能

*1) 細胞内局在が同一の場合は識別困難．

*2) 1～2 週間で退色するため永久保存は不可能であるが，現在は長期保存可能な色素と封入剤がある．

表 4-3　細胞マーカー

細胞マーカー	細胞内局在	陽性腫瘍
cytokeratin	細胞質	上皮性悪性腫瘍（扁平上皮癌，腺癌）
desmin	細胞質	横紋筋肉腫，平滑筋肉腫
SMA (smooth muscle actin)	細胞質	平滑筋肉腫
hCG	細胞質	絨毛癌
S-100 蛋白	細胞質	神経膠腫，神経鞘腫，軟骨肉腫，脂肪肉腫，悪性黒色腫
D2-40	細胞質	リンパ管内皮細胞
CD20	細胞膜	B 細胞悪性リンパ腫
CD3	細胞膜	T 細胞悪性リンパ腫
BCL-2	細胞質	濾胞性リンパ腫
cyclin D1	核	マントル細胞リンパ腫
c-kit	細胞質・細胞膜	GIST（消化管間質腫瘍）
vimentin	細胞質	非上皮性悪性腫瘍（肉腫）
chromogranin A	細胞質	神経内分泌腫瘍（NET），カルチノイド

酵素抗体法

① 染色目的

細胞の由来の同定，原発不明がんの原発巣の同定，治療薬の適応判定，がん細胞の増殖能や悪性度を判定する目的で用いられる．

1．細胞マーカー（表 4-3）

細胞の由来を同定するためのマーカーである．

2．原発不明がんの原発巣同定のマーカー（表 4-4）

原発巣が不明のがんに対し，臓器特有の腫瘍マーカーを利用して原発巣を同定する．

3．治療薬適応判定マーカー（表 4-5）

分子標的治療薬適応判定マーカーやホルモン療法治療薬適応判定マーカーが陽性の患者は，該当する治療が可能である．

4．細胞増殖能および悪性度判定マーカー（表 4-6）

がん細胞の増殖能や悪性度を判定し，予後推定に役立てている．

表 4-4　原発不明がんの原発巣同定のマーカー

腫瘍マーカー	細胞内局在	原発腫瘍
CEA	細胞質・細胞膜	大腸癌
PSA	細胞質	前立腺癌
AFP	細胞質	肝細胞癌
CA19-9	細胞質	膵臓癌
CA125	細胞質・細胞膜	卵巣癌（漿液性腺癌）

表 4-5　治療薬適応判定マーカー

分子標的治療薬適応判定マーカー	細胞内局在	治療薬
HER2	細胞膜	乳癌または胃癌患者に対して，抗HER2 抗体による分子標的治療薬（トラスツズマブ)の適応判定に用いられる.
ALK(Anaplastic lymphoma kinase)	細胞質・細胞膜	肺腺癌患者における分子標的治療薬(クリゾチニブ)の適応判定に用いられる.
EGFR（epidermal growth factor receptor）	細胞膜	大腸癌患者における分子標的治療薬（セツキシマブ）の適応判定に用いられる．現在は，非小細胞肺癌患者の分子標的治療薬（ゲフィチニブ）の適応判定において，*EGFR* 遺伝子変異検査が主流となっている.
PD-L1（Programmed cell Death 1-Ligand 1）	細胞膜	非小細胞肺癌患者における免疫チェックポイント阻害薬（癌細胞が免疫細胞にかけたブレーキを解除）の適応判定に用いられる.
ホルモン療薬適応判定マーカー	**細胞内局在**	**治療薬**
エストロゲン受容体（estrogen receptor；ER）およびプロゲステロン受容体(progesterone receptor；PgR)	核	血液中の estrogen および progesterone をブロックする治療薬（ホルモン療法）を乳癌患者に適応できるかを判定する.

表 4-6　細胞増殖能および悪性度判定マーカー

細胞増殖能および悪性度判定マーカー	細胞内局在	特徴
Ki-67（MIB-1 抗原）	核	休止期（G_0期）以外で発現する．Ki-67 のびまん性陽性像は腫瘍の悪性度が高く，予後不良であることを推定できる.
p53	核	がん抑制遺伝子の 1 つで，遺伝子変異によってがんが発症することが明らかになっている．p53 のびまん性陽性像は腫瘍の悪性度が高く，予後不良であることが推定できる.

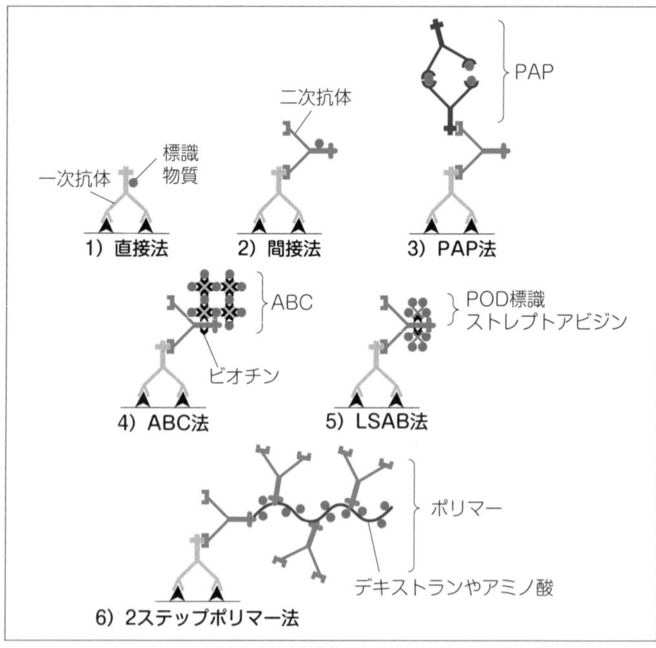

図 4-3 標識抗体法の原理

② 反応原理

酵素を化学結合で標識した抗体を用いた方法を標識抗体法，間接的に酵素を組み込んだ方法を非標識抗体法とよぶ．

以下の方法は感度順に，直接法＜間接法＜PAP 法＜ABC 法＜LSAB 法≦ポリマー法である．

1．標識抗体法（図 4-3）

(1) 直接法

①抗原に，酵素としてペルオキシダーゼ（POD）または蛍光色素を直接標識した一次抗体（特異抗体）を反応させる．

②主に蛍光抗体法で利用．

(2) 間接法

①一次抗体反応後，POD または蛍光色素を標識した二次抗体（一次抗体を抗原として異なる動物種で作製した抗体）を反応させる．

②主に蛍光抗体法で利用.

(3) PAP 法

①一次抗体，続いて二次抗体を反応させる．次に，一次抗体と同じ動物種で作製した抗 POD 抗体と POD の複合体（PAP）を，二次抗体の抗原として反応させる.

②全反応が抗原抗体反応からなる.

(4) ABC 法

①アビジン（卵白の塩基性蛋白）とビオチン（ビタミン H）のきわめて高い親和性を利用した方法である.

②一次抗体にビオチン標識二次抗体を反応させ，その後，アビジンと POD 標識ビオチンからなる複合体（ABC）を反応させる.

(5) LSAB 法

・ABC より分子量が小さい POD 標識ストレプトアビジンを用いた方法である.

(6) ポリマー法

①ポリマー試薬（POD と二次抗体が標識されたデキストランやアミノ酸）を用いる高感度法である.

②2 ステップ法と 3 ステップ法がある.

3 染色手順

1．2 ステップポリマー法による染色手順例

①加熱処理（抗原性賦活化）
②0.3％過酸化水素加メタノール（内因性ペルオキシダーゼの除去）
③5％正常動物血清（非特異反応のブロッキング）
④一次抗体（抗体反応）
⑤PBS（洗浄）
⑥ポリマー試薬（抗体反応）
⑦PBS（洗浄）
⑧過酸化水素加ジアミノベンチジン（DAB）（発色反応）
⑨マイヤーのヘマトキシリン液（核染色）

4 染色結果（染色像：54）

・目的とする抗原——茶褐色

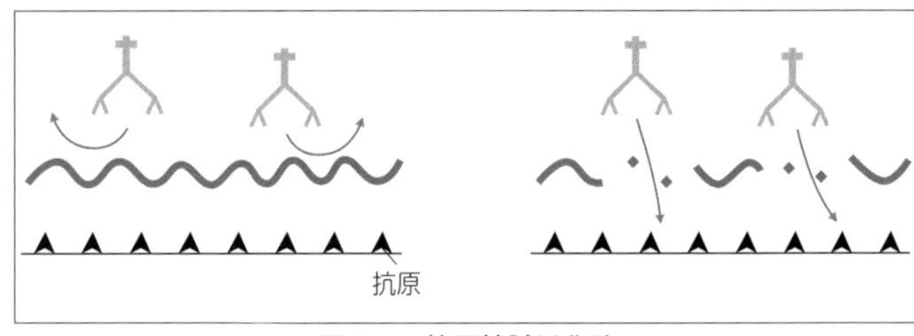

図 4-4　抗原性賦活化法

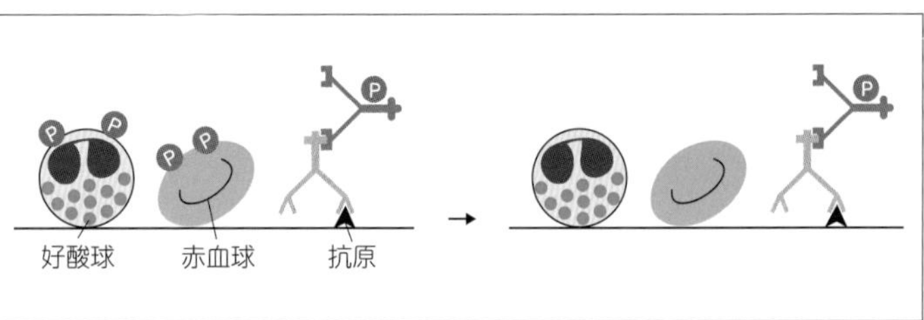

図 4-5　内因性ペルオキシダーゼ（POD）活性の除去

5 抗原性の賦活化（図 4-4）

①ホルマリン固定組織材料ではメチレン架橋などによって，抗原決定基のマスキングが生じている．

②このマスキングを取り除き，抗体が抗原に接触しやすくする処理を抗原性賦活化法という．

③加熱処理と蛋白分解酵素処理の 2 つがある．

1．加熱処理

①加熱方法には電子レンジ（マイクロウェーブ），オートクレーブ，圧力鍋，温浴槽などがある．

②加熱溶液として 0.01 M クエン酸緩衝液などが利用されている．

③加熱後は緩やかに冷まして次の工程へ進む．

2．蛋白分解酵素処理

サチライシン，プロテイナーゼ K，トリプシンなどの蛋白分解酵素が用いられている．

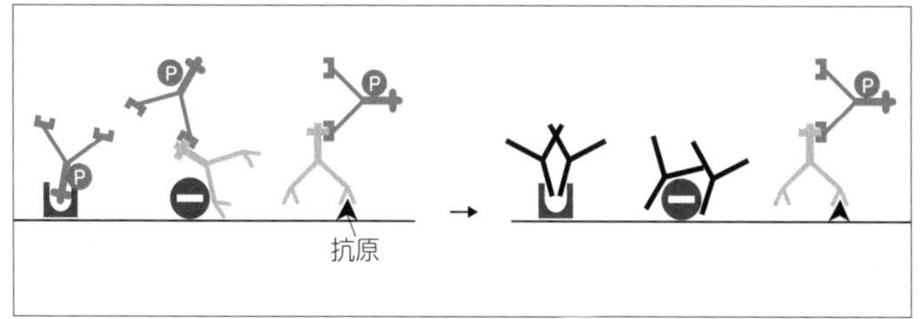

図 4-6　非特異的反応のブロック

6 内因性ペルオキシダーゼ（POD）活性の除去（図 4-5）

①内因性 POD とは好中球，好酸球がもつ POD 活性，また赤血球ヘモグロビンがもつ偽 POD 活性であり，非特異的反応の原因となる．

②処理溶液：0.3％過酸化水素加メタノール液，3％過酸化水素水溶液，1％過ヨウ素酸水溶液

7 非特異的反応のブロック（図 4-6）

①組織切片上には，抗体が非特異的に結合する部位として Fc レセプター，荷電物質などが存在する．

②一次抗体を反応させる前に，正常動物血清中に含まれる免疫グロブリンを反応させて，一次抗体や二次抗体が非特異的な部位に結合しないようにする．

③処理溶液：5％正常動物血清（二次抗体と同一動物種），スキムミルク溶液

8 抗体反応

①抗体は市販の濃縮抗体をリン酸緩衝液（pH7.2）で希釈し，標本に適量滴下して湿潤箱内で反応させる．

②反応時間

- 室温：15 分〜1 時間
- 37℃：5〜10 分
- 4℃：一晩（非特異的反応の防止効果がある）

9 洗浄

①リン酸緩衝液によって抗体を希釈し，抗原抗体反応の停止と余分な抗体の除去を行う．
②洗浄は通常5分3回で行われる．

10 発色反応

①抗体に標識されたPODの活性を利用して抗原局在部位を可視化する．
②PODによってジアミノベンチジン（3,3'-diaminobenzidine；DAB）の水素が過酸化水素へ転移された結果，DABが酸化され茶褐色に呈色する．
③発色反応溶液：過酸化水素を加えたジアミノベンチジン（DAB）溶液
・色調：茶褐色．
・利点：退色しないので永久保存ができる．
・欠点：発癌性あり．
④反応時間：1〜5分（反応時間は固定の良否，抗原量，抗体濃度などに影響される）．

11 トラブルシューティング

1．非特異的な着色が生じる原因
①抗体反応：抗体反応中の乾燥．抗体濃度が高い．反応温度が高い．
②洗浄：洗浄時間が短い．
③発色反応：発色時間が長い．

2．陽性コントロールの染色性が低下したときの対処
①抗体反応：抗体の濃度を上げる．反応時間を延長する．
②発色反応：発色時間を延長する（ただし10分を超える反応は無意味）．

3 蛍光抗体法

1 染色目的

①黒い背景のなかに蛍光色で描写されるため，微少な抗原の検出に

表 4-7　蛍光抗体法と酵素抗体法の手順の比較

	蛍光抗体法	酵素抗体法
抗原性の賦活化	不要	要（一部で不要）
内因性 POD 活性の除去	不要	要
非特異的反応のブロック	要	要
抗体反応	要	要
抗体反応中の乾燥	不可	不可
遮光の必要性（標識抗体反応以降）	要	不要
PBS 洗浄	要	要
発色反応	不要	要
核染色	DAPI (diamidinophenylindole)	ヘマトキシリン，メチル緑
染色の後処理（脱水・透徹）	不要	要
封入剤	親水性	疎水性

表 4-8　蛍光色素の種類

蛍光色素	励起波長	蛍光波長	蛍光色
FITC	494 nm	520 nm	黄緑蛍光色
Cy3	550 nm	570 nm	赤橙蛍光色

適している．

②免疫グロブリンや補体の組織沈着を観察するために利用される．

③糸球体腎炎の補助診断：腎糸球体基底膜に沈着した免疫グロブリン（IgG，IgE など）の検出に用いられる．

2 染色手順

①酵素抗体法とほぼ同様の手順で行われるが，染色標本は凍結包埋標本，反応原理は直接法または間接法を用いることが多い．

②酵素抗体法手順との相違点を**表 4-7** に示した．

3 染色結果（染色像：㊺）

・目的とする抗原——黄緑蛍光色（FITC），赤橙蛍光色（Cy3）

4 蛍光色素の観察（表 4-8）

①高電圧水銀灯の光源から紫外線を発する蛍光顕微鏡を用いて観察

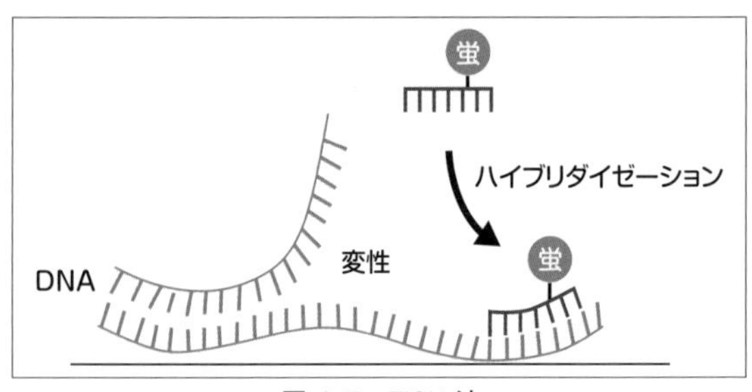

図 4-7 FISH 法

する.

②蛍光色素は適した励起波長帯によって励起して光る．蛍光色素は励起後，蛍光の減衰によって 1～2 週間で退色するため永久標本とならない(ただし現在では長期保存可能な色素と封入剤がある).

ISH/FISH 法

①組織・細胞標本上の核酸分子（DNA，RNA）の検出に用いられる.

②病理診断において FISH 法が広く用いられている.

1 *in situ* hybridization（ISH）法

①標的とする核酸分子に相補的な塩基配列をもつ一本鎖のプローブを反応させた後，酵素抗体法を用いてペルオキシダーゼ標識抗体を可視化する方法である（**染色像：㊻**).

②特定の遺伝子やウイルスの検出に用いられる.

2 fluorescence *in situ* hybridization（FISH）法（図 4-7）

①FISH 法は標識に蛍光色素（FITC，Cy3 など）を用いた ISH 法であり，蛍光顕微鏡を用いて観察する（**染色像：㊼**).

②蛍光色素の減退により永久標本とならないが，2 種類以上の蛍光色素を用いて多重染色が容易に行える.

③FISH 法の用途：

- *HER2/neu* 遺伝子増幅による分子標的治療薬の適応判定.
- 骨・軟部腫瘍における染色体転座の検出.
- 肺癌における *EML4-ALK* キメラ遺伝子の検出.

セルフ・チェック

A 次の文章で正しいものに○，誤っているものに×をつけよ．

	○	×
1. 上皮性悪性腫瘍（癌）の細胞マーカーは D2-40 である．	□	□
2. 平滑筋のマーカーは S-100 蛋白である．	□	□
3. 平滑筋および横紋筋のマーカーは c-kit である．	□	□
4. リンパ管侵襲のマーカーは desmin である．	□	□
5. 消化管間質腫瘍（GIST）のマーカーは SMA（アクチン）である．	□	□
6. 悪性リンパ腫のマーカーで，B 細胞由来は CD3 である．	□	□
7. 悪性リンパ腫のマーカーで，T 細胞由来は CD20 である．	□	□
8. 悪性黒色腫のマーカーは cytokeratin である．	□	□
9. 大腸腺癌の腫瘍マーカーは CEA である．	□	□
10. 乳癌治療薬のトラスツズマブ適応判定に用いるのは抗 ER/PgR 抗体である．	□	□
11. 抗ホルモン剤の適応判定に用いるのは抗 HER2 抗体である．	□	□
12. 細胞増殖能のマーカーは p53 である．	□	□
13. p53，ER/PgR，Ki-67 は核に局在する．	□	□
14. 蛍光抗体法では標識物質にはペルオキシダーゼやアルカリホスファターゼが用いられる．	□	□
15. 酵素抗体法では標識物質には FITC が用いられる．	□	□
16. ABC 法と LSAB 法はアビジンとビオチンの親和性を利用した方法である．	□	□

A 1-×（cytokeratin），2-×（SMA（アクチン）），3-×（desmin），4-×（D2-40），5-×（c-kit），6-×（CD20），7-×（CD3），8-×（S-100 蛋白），9-○，10-×（HER2），11-×（ER/PgR），12-×（Ki-67），13-○，14-×（酵素抗体法），15-×（蛍光抗体法），16-○

17. 免疫組織化学染色は，染色途中で標本を乾燥させると非特異的着色を生ずる． □ □
18. 内因性ペルオキシダーゼ活性の除去は，電子レンジによる加熱処理法やプロナーゼによる酵素消化法で行われる． □ □
19. 好中球，好酸球などは内因性ペルオキシダーゼ活性を有する． □ □
20. 抗原性の賦活化は，過酸化水素加メタノール液や過酸化水素水液を用いて行う． □ □
21. 非特異的反応のブロックは正常動物血清を用いて行う． □ □
22. 抗体の希釈や洗浄は pH 7 のリン酸緩衝液で行う． □ □
23. 酵素抗体法においてペルオキシダーゼの発色にはジアミノベンチジン（DAB）が用いられる． □ □
24. 酵素抗体法においてジアミノベンチジン（DAB）の発色色調は赤色である． □ □
25. ジアミノベンチジン（DAB）の発色色調は 1～2 週間で退色する． □ □
26. 蛍光抗体法は糸球体腎炎の補助診断に用いられる． □ □
27. 蛍光抗体法は凍結包埋標本で染色するのが望ましい． □ □
28. 蛍光抗体法は PAP 法の原理で染色されることが多い． □ □
29. 蛍光抗体法は発色反応が不要なので，標識抗体反応後，蛍光顕微鏡で観察する． □ □
30. 蛍光抗体法の標本は永久保存できない． □ □
31. ISH 法は二本鎖のプローブを用いる． □ □
32. FISH 法は染色体転座の検出に用いられる． □ □
33. FISH 法はキメラ遺伝子の検出に用いられる． □ □

17-○，18-×（抗原性の賦活化），19-○，20-×（内因性ペルオキシダーゼ活性の除去），21-○，22-○，23-○，24-×（茶褐色），25-×（退色しない），26-○，27-○，28-×（直接法，間接法），29-○，30-○，31-×（一本鎖），32-○，33-○

B

1．免疫組織化学染色の処理の組合せで**誤っている**のはどれか．
- □ ① 抗体の希釈――――――――――――――――リン酸緩衝液
- □ ② 抗原性の賦活化――――――――――――――プロテイナーゼK
- □ ③ 内因性ペルオキシダーゼ活性の阻害――オートクレーブ
- □ ④ 発色反応―――――――――ジアミノベンチジン（DAB）
- □ ⑤ 核染色―――――――――マイヤー〈Mayer〉のヘマトキシリン

2．免疫組織化学染色について正しいのはどれか．**2つ選べ**．
- □ ① 原発不明癌の原発巣検索に用いられる．
- □ ② 抗体反応は湿潤箱内で行う．
- □ ③ 間接法では一次抗体に標識する．
- □ ④ 加熱処理は内因性ペルオキシダーゼ活性の抑制効果がある．
- □ ⑤ ジアミノベンチジン（DAB）発色標本は退色しやすい．

3．免疫組織化学染色のポリマー法について正しいはどれか．**2つ選べ**．
- □ ① ポリマーはデキストランやアミノ酸からなる．
- □ ② 2ステップおよび3ステップ法がある．
- □ ③ アビジン，ビオチンを利用した方法である．
- □ ④ 内因性酵素活性の除去処理は不要である．
- □ ⑤ PAP法より感度が低い．

4．酵素抗体法で標識物質として用いられるのはどれか．**2つ選べ**．
- □ ① ストレプトアビジン
- □ ② ペルオキシダーゼ
- □ ③ アミラーゼ
- □ ④ ビオチン
- □ ⑤ アルカリホスファターゼ

B　1–③（③：過酸化水素加メタノール液や過酸化水素水液），2–①と②，3–①と②，4–②と⑤

5．腫瘍と免疫組織化学的マーカーの組合せで正しいのはどれか．

- □ ① 膵臓癌———PSA
- □ ② 肝細胞癌——CA19-9
- □ ③ 大腸癌———AFP
- □ ④ 前立腺癌——CEA
- □ ⑤ 卵巣癌———CA125

6．腫瘍と免疫組織化学的マーカーの組合せで**誤っている**のはどれか．

- □ ① 絨毛癌————————SMA
- □ ② 悪性黒色腫———————S-100 蛋白
- □ ③ B 細胞リンパ腫—————CD20
- □ ④ 消化管間質腫瘍〈GIST〉——c-kit
- □ ⑤ 横紋筋肉腫———————desmin

7．免疫組織化学的マーカーと用途の組合せで**誤っている**のはどれか．

- □ ① Ki-67——増殖能
- □ ② D2-40——リンパ管侵襲
- □ ③ CD20——悪性リンパ腫の亜分類
- □ ④ p53———抗ホルモン剤適応判定
- □ ⑤ ALK———分子標的治療薬の適応判定

8．蛍光抗体法と比較して酵素抗体法の長所はどれか．**2つ選べ**．

- □ ① 内在性ペルオキシダーゼの失活が不要である．
- □ ② 発色反応が不要である．
- □ ③ 抗原部位と組織構造を詳細に観察できる．
- □ ④ 標本が長期保存できる．
- □ ⑤ 染色コントラストが高い．

5-⑤，6-①（①：hCG），7-④，8-③と④

9．蛍光抗体法について正しいのはどれか．
- □ ① 凍結包埋標本を用いる．
- □ ② 直接法を用いる．
- □ ③ 過酸化水素で内因性ペルオキシダーゼ活性を抑制する．
- □ ④ 発色反応は 1％FITC 液を用いる．
- □ ⑤ 観察には偏光顕微鏡を用いる．

10．FISH 法について**誤っている**のはどれか．
- □ ① 標識物質に FITC を用いる．
- □ ② 観察には蛍光顕微鏡を用いる．
- □ ③ 核はヘマトキシリンで染色する．
- □ ④ 染色体転座の検出に用いる．
- □ ⑤ 分子標的治療薬の適応判定に用いる．

11．ISH 法について**誤っている**のはどれか．
- □ ① 標識物質にペルオキシダーゼを用いる．
- □ ② 一本鎖のプローブを用いる．
- □ ③ 多重染色が容易である．
- □ ④ ウイルスの検出に用いられる．
- □ ⑤ 観察には光学顕微鏡を用いる．

9–②，10–③（③：核染色は行わない），11–③（③：DAB で発色反応させる）

F　顕微鏡の用途

学習の目標

□ 偏光顕微鏡　　□ 蛍光顕微鏡

偏光顕微鏡

①組織標本に偏光（特定方向にのみ振動する光波）を当てて観察する光学顕微鏡.

②対象物質の偏光や複屈折性を色の違いとしてとらえることができる.

③Congo-red 染色後のアミロイド，ケイ酸粉塵吸入が原因で生じた珪肺症のケイ酸結晶の確認に用いられる.

蛍光顕微鏡

①蛍光抗体法などの染色標本の蛍光色素を観察するための顕微鏡.

②蛍光色素（**表 4-8**）は励起光（特定波長の光）を吸収し，蛍光としてエネルギーを放出する特性をもつため，蛍光顕微鏡は紫外から近赤外まで広い励起波長を発する光源（一般的に超高圧水銀灯）を備えている.

③暗視野の中で蛍光色素が光るので，微量な抗原を特異的に識別できる.

5 細胞学的検査法

A 概要

学習の目標

- □ 検査対象
- □ 目的
- □ 細胞学的検査法の特徴（利点と欠点）

検査対象

①自然に剝離した細胞の塗抹標本．
②特殊な採取器具などで直接採取した細胞の塗抹標本．
③生体から直接出てくる液状検体（尿，胸腹水，心囊液，穿刺液，脳脊髄液，関節液囊胞液など）．
④喀痰など．

細胞学的検査の活用

①細胞学的には悪性腫瘍を診断するために行われるとともに，治療経過のフォローアップ，治療効果が適正かどうか，予後の推定にも活用されている．
②婦人科領域ではホルモンサイクルの判定，ホルモン投与後の判定，微生物領域では種々の感染症などの診断にも貢献している．

検査体制

作製された細胞診標本は，顕微鏡を用いて細胞検査士がスクリーニング（標本にある多くの細胞をみて正常細胞，異型細胞，悪性細胞を仕分けすること）し，細胞診専門医との共同で診断（判定）する体制が確立している．

4 細胞学的検査の歴史

歴史的には，Papanicolaou（パパニコロウ）博士が1928年に子宮癌患者の膣分泌物中に癌細胞を発見し，1941年にはその塗抹標本から子宮癌の診断ができることを提唱して以来，多くの研究者によって追試され，その価値が認められるようになった．今日，細胞診検査には欠かせないPapanicolaou染色法としてその名を後世に残している．

5 目的

①喀痰に出てくる肺の細胞から癌細胞を見つけ出したり，尿に出てくる膀胱由来の細胞から膀胱癌などを推定できる．

②婦人科検診や子宮癌検診もそのひとつで，子宮内の細胞を採取して調べることで，癌の一歩手前である異形成（dysplasia）の段階から子宮頸部癌，内膜癌などを推定することが可能である．

③乳癌検診などで提出された乳腺の細胞をみて病変を推定する．

④癌細胞の体腔への浸潤を調べることで，ある程度原発臓器を特定できることがある．

⑤ある種の感染症を指摘できる場合もある（例：細菌性髄膜炎疑いの脳脊髄液など）．

6 細胞学的検査の特徴

生体の一部から剥離または生検採取した細胞を光学顕微鏡的に検査して病的な変化を判定できる．病的変化としては悪性腫瘍や種々の感染症などが問題になるが，特に悪性腫瘍の判定に有力である．

1．利点

①形態学的診断で，信頼度が高い．

②検体の採取が比較的容易である．

③生体に対する侵襲性が少ないので，尿，喀痰など反復検査が容易である．

④標本作製の時間が早く，結果が早い．

⑤細胞判定結果から腫瘍の組織型推定が可能であり，治療効果の判定に有効である．

2．欠点

①剝離した細胞が大部分であるため，原発由来の臓器・組織との関連性について立証できないことがある．

②組織学的検査に比して，細胞形態像からの情報量がはるかに少ないため，偽陰性，偽陽性の不一致を生ずることが避けられない．

③十分な知識と経験をもたないと，細胞学的判定はできない．

セルフ・チェック

A 次の文章で正しいものに○，誤っているものに×をつけよ．

	○	×
1. 細胞診は腫瘍の進行度および浸潤の程度を的確に判定できる．	□	□
2. 細胞診は被検者への侵襲が少なく，反復検査が可能である．	□	□
3. 細胞診は病変の局在を決定するために，優れた検査である．	□	□
4. 組織診は補助的診断となる．	□	□
5. 細胞診は標本作製時間が短い．	□	□
6. 組織診は検体採取が容易で，同一被検者から頻回検査が可能である．	□	□
7. 細胞診は子宮癌などの集団検診には不向きである．	□	□
8. 細胞診は組織診に比べて安価である．	□	□

A 1-×（腫瘍の進行度と浸潤の程度は組織診で判断する），2-○，3-×（病変の局在は組織診が優れている），4-×（組織診が確定診断となる），5-○，6-×（組織診は侵襲性があり，頻回検査はできない），7-×（細胞診は婦人科検診，肺癌検診で利用されている），8-○

9. 細胞診は最終診断としてよい. □ □

10. 細胞診で採取器具を用いた子宮腟部からの検体採取は細胞検査士が行う. □ □

B

1. 細胞診の利点について**誤っている**のはどれか.
   - □ ① 婦人科細胞診ではホルモンサイクルの判定ができる.
   - □ ② 生体への侵襲が少なく，反復検査が可能である.
   - □ ③ 管腔臓器などでは，1 回の検査で広い範囲の材料が得られるため，生検に比べると見落としが少ない.
   - □ ④ 腫瘍の組織型を的確に判定できる.
   - □ ⑤ 個々の細胞の核および細胞質の全体像を把握するためには，組織診より優れている.

2. 肺の組織診と比較したとき，喀痰細胞診の特徴**でない**のはどれか.
   - □ ① 頻回検査が容易である.
   - □ ② 被検者への侵襲が少ない.
   - □ ③ 標本作製時間が短い.
   - □ ④ 最終診断となる.
   - □ ⑤ 安価である.

9−×（組織診が最終診断となる），10−×（子宮腟部からの検体採取は医師が行う）

B 1−④（④：腫瘍の原発巣や組織型の推定はできるが，確定はできない），2−④

3．細胞診について**誤っている**のはどれか．

- □ ① 子宮癌などの集団検診ができる．
- □ ② 腫瘍の原発巣の推定ができる．
- □ ③ ベセスダ(Bathesda)システムでASC-USと判定すれば，手術適応になる．
- □ ④ 組織診が容易でない体腔液での検査に適している．
- □ ⑤ 検体採取が容易なので，同一被検者から頻回検査が可能である．

4．細胞診の特徴で**誤っている**のはどれか．

- □ ① 操作・設備が簡便である．
- □ ② 時間的短縮が可能である．
- □ ③ 原発巣の特定ができる．
- □ ④ 形態学的検査法なので診断価値が高い．
- □ ⑤ 悪性腫瘍の組織型を類推できる．

5．細胞診検査法について正しいのはどれか．

- □ ① 患者の治療効果の判定には不向きである．
- □ ② HPV感染細胞のほとんどは特徴的な所見はみられない．
- □ ③ 予後の推定に適している．
- □ ④ 治療前の観察には適していない．
- □ ⑤ 各種感染症の判定はできない．

6．細胞診で正しいのはどれか．

- □ ① H-E染色が汎用される．
- □ ② 組織診より侵襲が大きい．
- □ ③ 腫瘍の深達度を判定できる．
- □ ④ 子宮膣部は穿刺吸引細胞診の対象である．
- □ ⑤ 剥離細胞診は癌のスクリーニングに用いられる．

3-③（ASC-USは軽度扁平上皮病変の疑いで手術適応ではない），4-③，5-③，6-⑤

B　検体採取法

学習の目標

- □ 擦過法
- □ 洗浄法
- □ 吸引法
- □ 穿刺法
- □ カテーテル法

細胞診検体の採取法には，擦過法，洗浄法，吸引法，穿刺吸引法，カテーテル法などがあり，これらは通常，臨床医により行われる．

適切な標本を作製するためには，検体採取に関する知識を備えた臨床検査技師が現場に赴き，検体採取の補助および標本作製を行うことが理想とされる．

1　検体採取法の種類（表 5-1）

1．擦過法

①綿棒やブラシにより病変部および観察したい部分を直接あるいは網羅的に擦過して細胞を採取する．

②内視鏡下における生検ブラシを用いた直接擦過法もある．

③特に子宮頸部の検体採取では，癌の好発部とされる扁平・円柱上皮接合部（squamo-columnar junction；SCJ）を中心に擦過する必要がある．

2．洗浄法

①気管支肺胞洗浄：気管支鏡でも確認ができない肺の末梢部位から細胞を採取するために行う．気管支鏡から生理食塩水を注入して回収する．

②膀胱洗浄：病変部より新鮮な細胞を採取するために行う．排尿後にカテーテルを挿入し，シリンジで生理食塩水を注入して回収する．

③術中体腔洗浄：開腹あるいは開胸術中に癌の胸膜や腹膜への浸潤の有無を確認するために行う．胸腔内や腹腔内を生理食塩水で洗浄後に回収する．腹腔では胃癌，子宮体癌，卵巣癌など，胸腔では肺癌などの手術の際に実施される．

表 5-1　臓器別検体採取法

	擦過	洗浄	吸引	穿刺吸引	カテーテルドレナージ	自己採取	生検手術材料*1
子宮頸部	○		○			○*2	
子宮体部	○		○				
卵巣	○		○				○
外陰	○						
呼吸器	○	○	○	○		○	○
口腔	○			○			
唾液腺				○			○
食道	○						
胃・十二指腸				○	○		○
小腸・大腸				○			
肝臓				○			○
胆嚢・胆管・膵管	○			○	○		
泌尿器		○			○*3	○	
前立腺				○			
精巣				○			○
乳腺	○			○			○
甲状腺				○			○
体腔液		○*4		○			
脳脊髄液				○	○		
骨・軟部・リンパ節				○			○

*1：生検や手術材料による細胞診が多い組織.

*2：郵送式子宮頸癌検診において自己採取が行われているが，適切な検体採取が困難なため推奨されていない.

*3：カテーテル尿，回腸導管尿.

*4：術中体腔洗浄.

3．吸引法

①スポイトやチューブを用いて分泌物や細胞を吸引する方法である.

②婦人科領域において後膣円蓋部の貯留分泌物や子宮内膜細胞の採取に用いられている.

③喀痰を採取する場合に用いられることもある.

4．穿刺吸引法

①直接あるいは内視鏡や CT・超音波ガイド下で，病変を確認しながら穿刺針で病変部を穿刺吸引することにより細胞を採取する方法である.

②超音波内視鏡を用いて，消化管内から病変部に針を刺して採取する方法もある（超音波内視鏡下穿刺吸引：endoscopic ultra sound-guided fine needle aspiration；EUS-FNA）．胃・十二指腸・大腸の粘膜下腫瘍，肝臓・胆嚢・胆管・膵臓・腹腔内リンパ節・縦隔・後腹膜の腫瘍などが対象となる．

＊検体採取現場（ベッドサイド）において，臨床検査技師が塗抹～迅速染色を行い，検体の適正を判定する方法が普及しつつある（ROSE 法）．

5．カテーテル法

①採取部位に細い管を挿入し，検体を採取する方法である．

②カテーテル尿：カテーテルを尿管内に挿入し尿を採取する．

＊カテーテル法では採取部位の明確化および異型細胞を的確に採取することができる．しかし，機械的に細胞が剝離されるために，細胞所見が異なるので注意が必要．

③その他：十二指腸液，膵液，胆汁などは，経皮経肝的胆管ドレナージ（PTCD），経皮経肝胆嚢ドレナージ（PTGBD），内視鏡的胆道ドレナージ（ENBD）や内視鏡的逆行性胆管膵管造影（ERCP）により採取する．

6．自己採取法

①患者自身で検体を採取する方法である．

②主に喀痰と自然尿が対象であり，患者への適切な指導を行うことにより，良好な検体を得ることができる．

③喀痰：早朝起床時の喀痰を容器に喀出して検査室に提出する．

＊蓄痰法（喀痰融解法）：サコマノ液に 3 日間の早朝痰を喀出する．

④自然尿：早朝尿は細胞変性が強いため，2 回目以降の尿が望ましい．

ROSE 法

迅速細胞診（rapid on-site cytologic evaluation；ROSE）は，診断成績の向上に寄与することを目的としたものである．臨床サイドで提出された検体を質（目的部位から採取されているか）と量（必要な量があるか）の観点から，臨床検査技師がその場で標本作製および鏡検し，検体処理時間短縮と再検査の減少を検査側がコントロールする方法である．侵襲性の高い穿刺法などで行われており，再検査による被検者への負担の軽減にもつながる．

セルフ・チェック

A 次の文章で正しいものに○，誤っているものに×をつけよ．

	○	×
1. 子宮頸部では扁平・円柱上皮接合部から細胞を採取するとよい．	□	□
2. 自然尿は早朝尿の採取がよい．	□	□
3. 喀痰は早朝起床時の採取がよい．	□	□
4. カテーテル尿では，病変の部位は推定できない．	□	□
5. 蓄痰法は3日間の喀痰を採取する．	□	□

B

1．擦過法による検体採取が有用なものはどれか．

□ ① 体腔液
□ ② リンパ節
□ ③ 気管支
□ ④ 甲状腺
□ ⑤ 唾液腺

2．穿刺吸引法による検体採取が有用なものはどれか．

□ ① 乳　腺
□ ② 卵　巣
□ ③ 子宮頸部
□ ④ 子宮体部
□ ⑤ 膀　胱

A 1-○，2-×（2回目以降の尿），3-○，4-×（推定できる），5-○
B 1-③，2-①

C　検体処理法

学習の目標

- □ 塗抹法
- □ 捺印法
- □ 遠心沈殿法
- □ ポアフィルター法
- □ セルブロック法
- □ 液状化検体（LBC）法

検体採取から塗抹固定までの時間

不適切な検体処理は染色不良につながる．適切な標本を作製するために，各種検体において検体採取から塗抹固定までの一連の検体処理操作に関して許容時間が目安として定められている（表 5-2）.

塗抹法

細胞診検体の塗抹には直接塗抹法，すり合わせ法，引きガラス法，捺印法，圧挫法などを用いるが，液状検体や細胞数の少ない検体は遠心沈殿法などで集細胞後にスライドガラスへ塗抹する.

また，液状検体は細胞数や蛋白成分が少ないと固定や染色過程でスライドガラスから細胞剥離が生じることがあるため，シランやポリエチレングリコールなどでコーティング処理したスライドガラスを使用

表 5-2　各種検体における採取後から塗抹固定までの許容時間

検体	検体採取後から塗抹固定までの許容時間
擦過物 穿刺吸引物	ただちに（5 秒以内）
喀痰	室温で 12 時間以内（12 時間以上放置する場合は，冷蔵 24 時間）
胃・十二指腸液 膵液・胆汁	氷冷して速やかに（氷冷下で 30 分以内）
尿	できるだけ速やかに（3 時間以内）
体腔液	できるだけ速やかに（6 時間以上放置する場合は，冷蔵保存）
髄液	速やかに（60 分以内　＊30 分以内が望ましい）

＊保存することが可能な検体もあるが，細胞の変性や染色性の低下を防ぐためにも，採取後は可能な限り速やかに検体処理から塗抹固定まで行うことが望ましい.

する．

① 直接塗抹法

分泌物，擦過物，穿刺吸引物などの塗抹に用いられており，スライドガラスに直接塗抹する方法である．

1．方法

(1) 分泌物

①スポイトやピペットの先端を用いてスライドガラス上に広げる．

②乳頭分泌物の場合は，乳頭に直接スライドガラスを押し当てる．

(2) 擦過物

・綿棒やブラシをスライドガラスに押し付けて転がしながら塗抹する．

(3) 穿刺吸引物

・穿刺針からスライドガラスに直接吹きつける．

＊穿刺物が厚い場合や液状成分が多い場合には圧挫法を用いる．

② すり合わせ塗抹法

粘稠性分泌物（特に喀痰）や穿刺材料，体腔液，尿などに用いられており，2枚のスライドガラスをすり合わせて塗抹する方法である．

1．方法（喀痰の場合）

①透明なシャーレ上で肉眼的に観察する．

②性状の異なる数カ所の部位から採取する．

③血痰部分がある場合は，優先的に採取する．

④小豆大の喀痰を2枚のスライドガラスではさむ．

⑤軽く圧迫しながら前後左右に数回すり合わせて均等に広げる．

＊細胞破壊を防ぐため，すり合わせ回数は3回以内が望ましい．

③ 引きガラス法

スライドガラスに適量の検体を滴下し，引きガラスを用いて塗抹する方法である．体腔液，髄液，尿，胃・十二指腸液，膵液，胆汁などの液状検体に適しており，遠心による集細胞後，沈渣を塗抹する．

1．方法

①スライドガラスのラベル側に適量の検体を滴下する．

②引きガラスを用いて一定の速度で引き，均一に塗抹する．

③引き終わり部分はスライドガラスの端5 mm程度の位置で止める．

＊癌細胞など大型の細胞は引き終わりや辺縁部に集まりやすい．

④特に引き終わり部分は乾燥しやすいため，迅速に固定液に入れる．

4 捺印（スタンプ）法

①生検や手術材料を対象とする．

②手術で摘出されたリンパ節や腫瘍などの割面をスライドガラスにスタンプするように軽く押し付けて数カ所に塗抹する方法である．

③組織診と同時に行われることもある．

5 圧挫法

①針生検などで採取された小組織片を2枚のスライドガラスではさみ，軽く押しつぶして上下に剝がすことで塗抹する方法である．

②組織構築を反映する標本の作製が可能であり，特に脳や腫瘍などの柔らかい組織に適している．

3 集細胞法

体腔液や尿，髄液，洗浄液などの粘稠性の低い液状検体中の細胞を集めるための方法である．

細胞数の少ない液状検体にも有用である．

＊粘稠性の高い液状検体（胃液や腹膜偽粘液腫など）の場合は，すり合わせ塗抹法を行う．

1 遠心沈殿法（遠沈法）

液状検体を遠心し，浮遊細胞を沈渣として回収する方法である．

1．方法

①遠沈：2,000～3,000rpm/3～5分

＊髄液は細胞が壊れやすいため，700～1,000rpm/5～10分

②遠沈後は上清を除き，沈渣をスライドガラスに塗抹（すり合わせ塗抹法，引きガラス法）する．

＊血液成分を認める場合は，有核細胞層（buffy coat）を塗抹する．

③体腔液の場合：フィブリンの析出防止のために遠沈時に少量の抗凝固剤を加えてもよいが，細胞毒性があり細胞変性を招くため，添加しすぎないように注意が必要である．

② 膜濾過法（ポアフィルター法）

ポアサイズが5 µm程度の濾過膜（フィルター）に陰圧をかけて液状検体を濾過することで，フィルター上に細胞を集める方法である．

1．特徴

①髄液などの少量の検体，細胞数が少ない検体に適している．

②遠沈法と比較して細胞回収率が高い．

③スライドガラスからの細胞剥離が少ない．

④濾過後は，フィルターごと固定して染色する．

＊有機溶剤はフィルターを溶かすため固定液には使用不可．
有機溶剤：メタノール，アセトン，クロロホルム，エーテルなど．

③ 自動細胞収集法（自動遠心塗抹法）

自動細胞収集装置に液状検体を入れた専用チャンバーをセットして遠心することで，細胞をスライドガラスに塗抹する方法である．

1．特徴

①塗抹範囲が狭い．

②細胞回収率が高く，細胞数の少ない検体に適している．

＊細胞数の多い検体では細胞が重積して塗抹されてしまううえに，中心部の細胞が剥離しやすい．

③細胞に対する衝撃を抑えて塗抹できるため，細胞の壊れやすい髄液検体などに適している．

④粘液成分の多い検体は，細胞の塗抹が障害されるため不向きである．

2．方法

①チャンバーにスライドガラス，ゴム板（濾紙），セルをセットする．

②セル内に液状検体を入れる．

③遠心：1,500～2,500rpm/3分以内．

＊髄液は細胞が壊れやすいため，700～1,000rpm/5～10分．

④ セルブロック法

細胞診用に採取された液状検体中の細胞をパラフィンブロックにする方法である．

1．特徴

①細胞集塊の立体的構造を組織学的に観察することができる．
②特殊染色や免疫組織化学染色などに応用することができる．
③腫瘍組織などから穿刺により採取された小組織片にも有用である．
④組織診が不可能な体腔液や塗抹用の残余沈渣から標本作製ができる．

2．方法

①遠沈後の沈渣に 20％ホルマリン液を入れて固定する．
＊固定する前に細胞を固化・ゲル化する方法もある．
②パラフィン包埋
＊小組織片の固定は濾紙やメッシュ袋を用いて行う．

4 液状化検体細胞診（liquid-based cytology；LBC 法）

採取器具を直接専用のバイアル固定液に入れることで，すべての細胞を回収し，専用機器により塗抹標本を作製後，細胞診検査を行う方法である．

塗抹面積が狭く，単層～薄層状に細胞が均一に塗抹されることが特徴である．

1 LBC 法の利点と欠点

1．利点

①採取された細胞をバイアル固定液にすべて回収することができる．
②細胞の乾燥や固定不良による変性が少なく，不適正標本が減少する．
③液状検体にも応用が可能である．
④細胞採取量の少ない検体にも有用である．
⑤同一検体から複数枚の塗抹標本を作製することができる．
⑥特殊染色や免疫細胞化学染色への応用が可能．
⑦ヒト乳頭腫ウイルス（HPV）検査などの遺伝子検索（PCR 法，ISH 法，FISH 法など）への応用が可能．
⑧固定液による細胞の比較的長期保存が可能なため，追加検査ができる．
⑨限られた範囲に細胞が単層から薄層状で均一に塗抹される．
⑩スクリーニング時間の短縮および鏡検による疲労度の減少．

表 5-3　SurePath™ 法と ThinPrep® 法の比較

	SurePath™ 法	ThinPrep® 法
塗抹原理	密度勾配遠心沈殿法	吸引吸着転写法
自動標本作製装置	あり（付属機器多数）	あり（付属機器なし）
標本作製工程	前処理など一部操作が必要な工程があり，煩雑かつ手間がかかる	完全自動化 ＊血性検体の場合は溶血操作が必要
装置による1回の処理能力	48 検体/120 分	20 検体/40 分
専用消耗品	バイアル固定液 分離剤 スライドガラス	バイアル固定液 フィルター スライドガラス
用手法	あり	なし
塗抹範囲	直径 13 mm の円	直径 19 mm の円
細胞所見	立体的	平面的
細胞保存	2～8℃で 4 週間	15～30℃で 6 週間

⑪血球成分や粘液が除去されて背景がきれいになる．

⑫細胞質・核ともに詳細な所見が観察しやすくなる．

⑬異型細胞の検出精度が向上する．

⑭専用の自動標本作製装置により標本作製の標準化が可能．

2．欠点

①専用の消耗品が多く，従来法と比較してコストが高い．

②従来法と比較して標本作製に時間がかかる．

③細胞所見が従来法と若干異なるため，鏡検トレーニングが必要．

④自動標本作製装置が高価である．

2 LBC 標本作製法

わが国では，SurePath™ 法（日本ベクトン・ディッキンソン株式会社）と ThinPrep® 法（ホロジックジャパン株式会社）が主流になっている（表 5-3）．

1．SurePath™ 法

①密度勾配遠心沈殿法を原理とする．

②遠心時に分離剤を加え，密度勾配により診断に必要な細胞を回収後，自然重力沈降と荷電による吸着・反発を利用し，均一でムラや重なりの少ない塗抹標本を作製する方法である．

2．ThinPrep® 法

①吸引吸着転写法を原理とする．

②専用のバイアル固定液に浮遊した細胞をフィルターに吸着させ，空気圧により細胞をスライドガラスへ転写塗抹する方法である．

セルフ・チェック

A　次の文章で正しいものに○，誤っているものに×をつけよ．

	○	×
1. 引きガラス法では，引き終わりに癌細胞が集まりやすい．	□	□
2. 粘稠性の低い液状検体において集細胞法は有用である．	□	□
3. 髄液の集細胞は，2,000〜3,000 rpm/3〜5 分で行う．	□	□
4. セルブロック法は，細胞集塊を組織学的に観察することができる．	□	□
5. 圧挫法は硬い組織に適している．	□	□

A　1-○，2-○，3-×（700〜1,000 rpm/5〜10 分），4-○，5-×（脳や腫瘍などの柔らかい組織）

B

1．室温で細胞変性が最も速い細胞診検体はどれか．

- □ ① 尿
- □ ② 喀　痰
- □ ③ 胸　水
- □ ④ 膵　液
- □ ⑤ 心嚢液

2．検体処理における許容時間について**誤っている**のはどれか．

- □ ① 膵　液――3 時間以内
- □ ② 喀　痰――12 時間以内
- □ ③ 尿――――3 時間以内
- □ ④ 体腔液――6 時間以内
- □ ⑤ 擦過物――ただちに（5 秒以内）

3．細胞診検体処理法のうち集細胞法**でない**のはどれか．

- □ ① 圧挫法
- □ ② 遠心沈殿法
- □ ③ フィルター法
- □ ④ 自動細胞収集法
- □ ⑤ セルブロック法

4．液状化検体(LBC)法について正しいのはどれか．**2 つ選べ．**

- □ ① 標本作製の時間が短縮できる．
- □ ② 不適正標本が減少する．
- □ ③ コストを削減できる．
- □ ④ 免疫細胞化学染色への応用ができない．
- □ ⑤ 遺伝子検索への応用が可能である．

B　1-④，2-①（①：氷冷して 30 分以内），3-①（①：塗抹法），4-②と⑤

D　固定法

学習の目標

- □ 湿固定
- □ 乾燥固定
- □ コーティング固定

細胞診検体の固定法には，湿固定，乾燥固定，コーティング固定がある（表 5-4）．不適切な固定は，細胞の変性により形態学的特徴が不明瞭になり，染色性も低下する．また，湿固定と乾燥固定では，細胞所見が異なる．

したがって，目的（染色法）に応じた適切な固定法を選択し，検体塗抹直後には迅速に固定操作を行う必要がある．

表 5-4　固定法の種類

	①湿固定 ②コーティング固定	乾燥固定
固定液	①95％エタノール ②イソプロピルアルコール・ポリエチレングリコール混合液	冷風による急速乾燥後，メタノール固定
固定時間	①30 分以上 ②2～3 秒	冷風乾燥：短時間 メタノール固定：3 分以上
適用染色法	Papanicolaou 染色 PAS 反応 Alcian blue 染色 免疫細胞化学染色 など	Giemsa 染色 May-Grünwald-Giemsa 染色（メタノール固定不要） ペルオキシダーゼ染色 など
対象検体	すべて	造血器，リンパ節，甲状腺，乳腺，体腔液，尿，腫瘍など
細胞の保持	剝がれやすい	剝がれにくい
細胞の大きさ	小さくみえる	大きくみえる
クロマチン	観察しやすい	分布が均一になり，観察しにくい
核小体	目立つことがある	目立たない
血液細胞の観察	観察しにくい	観察しやすい
注意点	塗抹面を乾燥させないこと	塗抹後は，冷風で急速乾燥すること

湿固定

1．特徴

①固定液：95％エタノール（脱水凝固）

＊Papanicolaou 原法では 95％エタノール・エーテル等量混合液を使用．

②対象検体：すべての検体

③固定時間：少なくとも 10 分以上，30 分以上行うことが望ましい．

④適用染色法：Papanicolaou 染色，粘液染色，免疫細胞化学染色など．

2．固定方法

①塗抹後，ただちに（1 秒以内）塗抹面全体を固定液に入れる．

②固定液に入れる際，容器の溝には沿わず，一気に下まで入れる．

＊固定ムラや乾燥を防ぐことができる．

③数秒間固定後に，ゆっくりと溝に入れ直す．

3．注意点

①塗抹後の固定までの時間が少しでも遅延すると，塗抹面に固定ムラや乾燥が生じて染色不良となる．

②空気が乾燥する時期は，エアコン下を避けて速やかに塗抹固定する．

③数日～1 週間程度の固定であれば染色性は保たれるが，長期間の固定では染色性の低下と細胞剝離が起こる．

④固定液の繰り返し使用は可能であるが，コンタミネーション防止のため，濾過をする必要がある．

4．塗抹標本が湿固定前に乾燥した場合（Papanicolaou 染色）

①細胞および核が膨化する．

②核内クロマチンおよび核膜の観察が困難になる．

③扁平上皮細胞の成熟度による染め分けができなくなる．

乾燥固定

1．特徴

①固定（液）：冷風急速乾燥後にメタノール（脱水凝固）

②対象検体：液状検体，穿刺吸引物，捺印標本が一般的（造血器，リンパ節，甲状腺，乳腺，体腔液，尿，非上皮性腫瘍など）

③固定時間：冷風乾燥は短時間かつ十分に行う．メタノール固定は3分．
④適用染色法：Giemsa 染色，May–Grünwald–Giemsa（Pappenheim）染色，ペルオキシダーゼ染色など．

2．固定方法

①塗抹後，塗抹面をただちにドライヤーの冷風などで急速乾燥させる．
②乾燥後にメタノール固定．
＊May–Grünwald–Giemsa 染色では，メイ・グリュンワルド液にメタノールが入っているため，メタノール固定は不要である．

3．注意点

①自然乾燥は時間がかかり，乾燥ムラを生じるため避ける．
②乾燥の遅れは，細胞の凝集，核の濃染などにつながり，詳細な所見の観察が困難になる．
③温風乾燥では，染色性の低下，細胞内の酵素や抗原の失活，溶血をする場合がある．

4．塗抹標本の冷風乾燥が遅れた場合（Giemsa 染色）

①細胞が塊状に収縮する．
②核が濃縮状になる．
③染色ムラが生じる．

3 コーティング固定

1．特徴

①検体塗抹後，未染色標本を施設内の離れた場所へ搬送する場合や他施設へ郵送する場合に有用である．
②術中迅速標本作製時に使用される場合もある．
③コーティング固定した標本は，乾燥状態で4～5日程度であれば，細胞の形態保持がよく，染色性も良好である．
④固定液：イソプロピルアルコール（固定作用）・ポリエチレングリコール（塗抹面の保護膜形成と乾燥防止作用）の混合液
⑤対象検体：すべての検体
⑥適用染色法：Papanicolaou 染色，粘液染色，免疫細胞化学染色など．

2．固定方法

スプレー式と滴下式がある．検体塗抹後，ただちにスライドガラスの塗抹面全体にコーティング固定液を噴霧または滴下する．

(1) スプレー式

スライドガラスから10～15 cmの距離から2～3秒間全体にしっかりと噴霧する．

<注意点>

①塗抹が厚い場合や粘液成分が多い検体の場合は2回噴霧．

②水分量の多い検体の場合には，短時間放置後，塗抹周辺がわずかに乾燥して生乾き状態のうちに噴霧するとよい．

(2) 滴下式

塗抹面に固定液が均一に広がるように数滴滴下する．スプレー式よりも乾燥に時間がかかるが，安価なうえに固定性も劣らない．

3．染色前操作

①95%エタノールで再固定．

②固定後の親水操作によるポリエチレングリコールの除去．

＊除去が不十分の場合，染色ムラや染色性の低下が生じる．

細胞検査士

細胞検査士とは，厚生労働大臣の免許を受けた臨床検査技師の資格を有する者が，公益財団法人日本臨床細胞学会の細胞検査士資格認定試験に合格し細胞検査を行う者である．資格認定試験の受験資格は，臨床検査技師ないし衛生検査技師として主として細胞診検査の実務に1年以上の従事した者，細胞検査士養成所あるいは養成コースのある大学の卒業，卒業見込み者である．

細胞検査士の業務内容は，ヒトから採取された細胞の一部を顕微鏡で観察して，標本中の細胞を正常細胞か悪性細胞かを確実に判定することである．的確な判定を行うには，豊富な知識と経験が求められる．また，細胞診材料の検体処理や標本作製，精度管理も業務に含まれる．

セルフ・チェック

A 次の文章で正しいものに○，誤っているものに×をつけよ．

	○	×
1. 湿固定にはメタノールを使用する．	□	□
2. 湿固定の固定時間は 30 分以上が望ましい．	□	□
3. 乾燥固定は温風で迅速に行う．	□	□
4. 乾燥固定は Papanicolaou 染色に適している．	□	□
5. コーティング固定は，術中迅速標本作製に有用である．	□	□

B

1. 湿固定について正しいのはどれか．
   - □ ① 固定原理は架橋固定である．
   - □ ② スライドガラスからの細胞剝離は少ない．
   - □ ③ 乾燥固定と比較して細胞は大きくみえる．
   - □ ④ 塗抹面の乾燥は染色不良につながる．
   - □ ⑤ 固定液の繰り返し使用は不可である．
2. 乾燥固定について正しいのはどれか．
   - □ ① 染色性を保持するためには，自然乾燥がよい．
   - □ ② リンパ節や体腔液などの検体に適している．
   - □ ③ 乾燥後，エタノール固定を行う．
   - □ ④ 免疫細胞化学染色に適している．
   - □ ⑤ 核小体が目立つようになる．

A 1−×（95%エタノールあるいは 95%エタノール・エーテル等量混合液），2−○，3−×（冷風乾燥），4−×（Giemsa 染色），5−○

B 1−④，2−②

E　染色法

学習の目標

- □ Papanicolaou 染色
- □ Giemsa 染色
- □ 粘液染色
- □ 免疫細胞化学染色
- □ 自動染色装置

細胞診では Papanicolaou 染色と Giemsa 染色を中心に，細胞の同定を目的として粘液染色や免疫細胞化学染色などが併用される．

1 Papanicolaou 染色

1．特徴

①湿潤固定した材料を用いる．

②95％アルコール固定前に塗抹標本を乾燥させると，核の膨化，クロマチン構造不明瞭，細胞質縁不明瞭，細胞質好酸性化などが起こる（図 5-1）．

③核染色にはヘマトキシリンを用い，青紫色に染色されたクロマチン構造を明瞭に観察することができる．

④細胞質染色としての OG-6 液と EA-50 液はエタノールを使用しているため，細胞質の透過性に優れており，Giemsa 染色とは異なり重積性細胞集塊でも観察することできる．

⑤各種の細胞同定も可能で，特に重層扁平上皮細胞では分化の程度に相応して細胞質が染め分けられる．

2．染色原理

①Papanicolaou 染色の細胞質染色の原理は，細胞構築の密度とオレンジ G，エオジン Y，ライト緑 SF の 3 種類の酸性色素の分子量の大きさが関与している．

②たとえば重層扁平上皮細胞では，細胞密度の高い表層細胞は分子量の小さいオレンジ G に染まり，細胞密度の低い中層～深層細胞は分子量の大きいライト緑で染色される．

③分子量の小さい順に，オレンジ G（452.4）＜エオジン Y（691.86）＜ライト緑 SF（792.85）である．括弧内は分子量を示す．

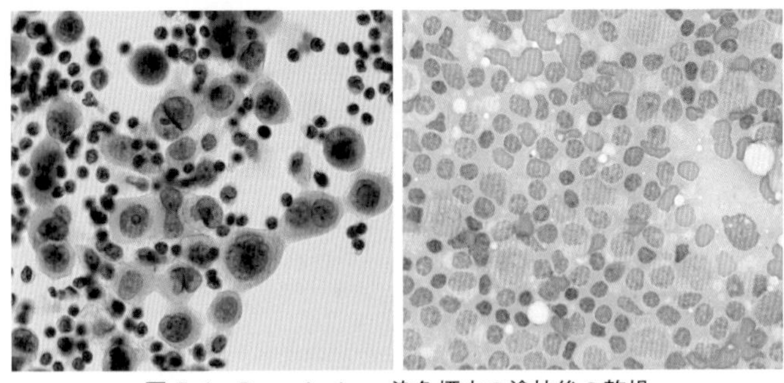

図 5-1　Papanicolaou 染色標本の塗抹後の乾燥
左右同一検体．左：塗抹後ただちに湿固定．右：塗抹後乾燥．

④EA-50 液には塩基性色素であるビスマルクブラウンが含まれ，類脂質を染色するが細胞質の染色には関係しない．

3．染色液組成

(1) Gill のヘマトキシリン（No. V）

ヘマトキシリン　5 g
硫酸アルミニウム　44 g
エチレングリコール　250 mL
蒸留水　730 mL
ヨウ素酸ナトリウム　0.52 g
氷酢酸　60 mL

(2) OG-6 液

オレンジ G　5 g
95％エタノール　1,000 mL
リンタングステン酸　0.15 g

(3) EA-50 液

①0.1％ライト緑液
10％ライト緑 SF 水溶液　2 mL
95％エタノール　198 mL

②0.5％エオジン液
10％エオジン Y 水溶液　10 mL
95％エタノール　190 mL

③0.5％ビスマルクブラウン液
10％ビスマルクブラウン水溶液　2.5 mL

95%エタノール 47.5 mL

※①45 mL＋②45 mL＋③10 mL＋リンタングステン酸0.2 g＋炭酸リチウム飽和水溶液 1 滴を混合する.

4．Papanicolaou 染色の手順

95%エタノール湿固定 → 水洗 → Gill のヘマトキシリン液 → 水洗 → 分別 → 色出し → 95%エタノール → OG-6 液 → 95%エタノール → EA-50 液 → 95%エタノール → 無水アルコール → キシレン → 封入

5．染色結果

①核――青藍色（ヘマトキシリン）

②表層細胞――朱～黄橙色（オレンジ G およびエオジン）

③中層細胞――淡青～淡緑色（ライト緑）

④基底および傍基底細胞――青緑色（ライト緑）

⑤腺細胞や中皮細胞――淡青～緑色（ライト緑）

⑥赤血球――橙～緑色（オレンジ G およびエオジン～ライト緑）

⑦類脂質――淡黄褐色（ビスマルクブラウン）

Giemsa 染色

1．特徴

①血液塗抹標本の染色として知られているが，細胞診でもリンパ節検体や造血器系腫瘍が疑われる場合，尿や体腔液などの液状検体で用いられている.

②Papanicolaou 染色の湿潤固定とは異なり，Giemsa 染色は塗抹後，急速に冷風乾燥する.

③利点としては，ⅰ）塗抹後の乾燥により染色中での細胞剥離が少ない，ⅱ）Papanicolaou 染色と比べて染色工程が簡便である，ⅲ）細胞質内の所見が明瞭である.

④欠点としては，重積性を示す細胞集塊では細胞内の観察がしにくい（表 5–5）.

⑤May–Grünwald–Giemsa［メイ・グリュンワルド・ギムザ（メイ・ギムザ)］染色は，Giemsa 染色に比較して細胞質内顆粒の染色性に優れている.

⑥Giemsa 染色と May–Grünwald–Giemsa 染色では，アルコール系列の脱水は行わないで乾燥後にキシレン透徹後封入する.

表 5-5 Papanicolau 染色と Giemsa 染色での細胞所見の相違

	Papanicolau 染色	Giemsa 染色
固定	湿潤固定（95%エタノール）	乾燥固定
細胞剥離	多い	少ない
細胞の大きさ	小型	大型
細胞集塊	立体的	平面的
細胞集塊内構造	観察可能	不明瞭
核クロマチン	明瞭	不明瞭
核小体	明瞭	不明瞭
細胞質内顆粒	不明瞭であるが時に観察可能	明瞭
異染性の観察	—	明瞭
角化	明瞭	不明瞭

2．Giemsa 染色の手順

塗抹後，急速乾燥 → メタノール固定 → 乾燥 → Giemsa 希釈液 → 水洗 → 乾燥 → キシレン透徹 → 封入

3．May-Grünwald-Giemsa 染色の手順

塗抹後，急速乾燥 → May-Grünwald-Giemsa 液 → 同量のリン酸緩衝液 → 流水水洗 → Giemsa 希釈液 → 水洗 → 乾燥 → キシレン透徹 → 封入

4．染色結果

①核——紫色
②核小体——淡紅～淡青色
③細胞質——淡青～青紺色

粘液染色

1．PAS（periodic acid Sciff）反応

①粘液物質の証明やグリコーゲン，真菌の確認に用いられる．
②特に，腺系細胞での粘液の証明や中皮細胞のグリコーゲンの証明に有用である（図 5-2）．

2．Alcian blue 染色

①酸性粘液多糖類や酸性粘液の証明に用いられる．
②体腔液で使用される機会が多い．

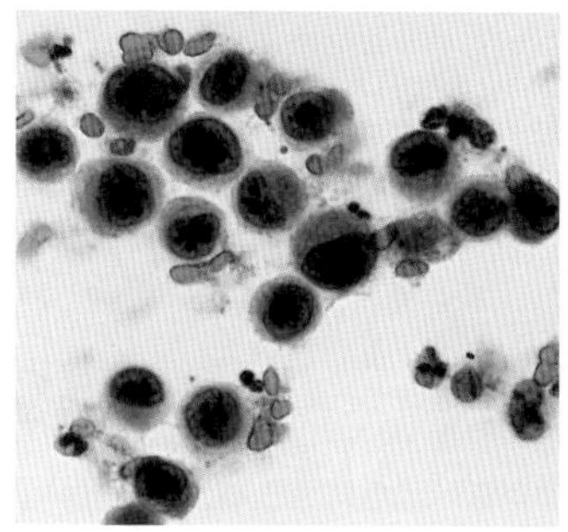
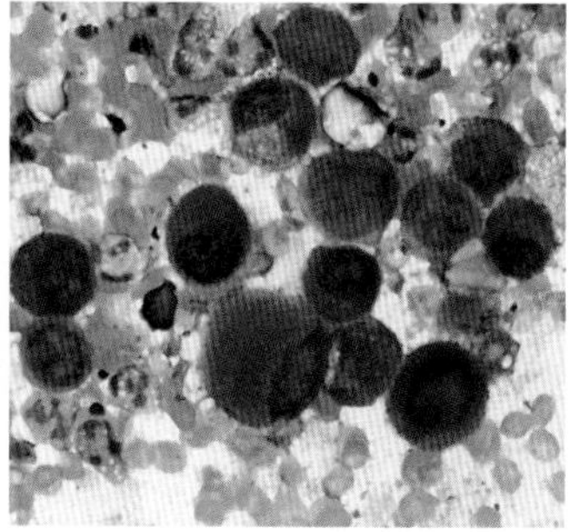

図 5-2　Papanicolaou 染色と PAS 反応
左：Papanicolaou 染色．右：PAS 反応（乾燥固定）．
PAS 反応では，細胞質内粘液が赤紫色にびまん性に染色されている．

3．mucicarmine 染色

・上皮性粘液の証明やクリプトコッカスなどの菌体や莢膜の証明に利用される．

4 免疫細胞化学染色

①細胞診検体でも組織と同様に，免疫染色（免疫細胞化学染色）がルーチンで実施されている．
②細胞の同定，組織型の分類，原発巣の推定，迅速細胞診など細胞診検体での免疫染色の応用範囲は広い．1 枚の塗抹標本から細胞転写法を利用して多種類の抗体を染色することも可能である．
③主なマーカーと適応については，p.271「4 章–E　免疫組織化学染色法」を参照のこと．

5 自動染色装置

①固定後の塗抹標本を自動染色装置にセットすることで，Papanicolaou 染色の各工程を自動で行うことができる．
②自動封入装置と連動している機器もある．
③試薬管理や染色後の染色性のチェックを厳密に行うことで，安定した染色結果を得ることができる．

セルフ・チェック

A　次の文章で正しいものに○，誤っているものに×をつけよ．

	○	×
1. EA-50 液にはメチル緑が含まれる．	□	□
2. EA-50 液は 95％エタノール溶液を含む．	□	□
3. Papanicolaou 染色で，角化細胞は淡青～緑色に染まる．	□	□
4. Papanicolaou 染色で，癌真珠は淡青～緑色に染まる．	□	□
5. Papanicolaou 染色で，円柱上皮細胞の胞体は淡青～緑色に染まる．	□	□
6. Giemsa 染色では重積性集塊の観察も可能である．	□	□

B

1．Papanicolaou 染色法の手順について正しいのはどれか．

□ ① ヘマトキシリン → 核の分別 → 核の色出し → OG-6 → EA-50

□ ② ヘマトキシリン → 核の分別 → 核の色出し → EA-50 → OG-6

□ ③ ヘマトキシリン → 核の色出し → 核の分別 → OG-6 → EA-50

□ ④ ヘマトキシリン → OG-6 → 水洗 → EA-50

□ ⑤ ヘマトキシリン → EA-50 → 水洗 → OG-6

2．Papanicolaou 染色に**使用しない**のはどれか．

□ ① ヘマトキシリン

□ ② オレンジ G

□ ③ エオジン

□ ④ トルイジン青

□ ⑤ ライト緑

A　1-×（ライト緑），2-○，3-×（朱～黄橙色），4-×（朱～黄橙色），5-○，6-×（Papanicolaou 染色）

B　1-①（ヘマトキシリン染色後に塩酸アルコールで核のみが染色されるように分別する．次に，アルカリ液などで核の色出し後，95％アルコールを通して OG-6 液，EA-50 液と染色する），2-④

3．Papanicolaou 染色の手技について正しいのはどれか．

- □ ① 塗抹標本はメタノール湿固定を行う
- □ ② 核染色には通常 Gill のヘマトキシリンが用いられる．
- □ ③ ヘマトキシリンの分別には炭酸リチウムが用いられる．
- □ ④ EA–50 液で先に染色した後に OG–6 液で細胞質を染色する．
- □ ⑤ OG–6 液はエオジンが含まれている．

4．Papanicolaou 染色の染色結果について正しいのはどれか．**2 つ選べ．**

- □ ① 表層細胞———橙赤色
- □ ② 中層細胞———橙赤色
- □ ③ 傍基底細胞——緑　色
- □ ④ 腺細胞————橙赤色
- □ ⑤ 中皮細胞———橙赤色

5．Papanicolaou 染色について正しいのはどれか．**2 つ選べ．**

- □ ① 検体採取後ただちに塗抹し湿固定する．
- □ ② 異染性の観察に優れている．
- □ ③ 表層細胞はライト緑に染まる．
- □ ④ 傍基底細胞はオレンジ G に染まる．
- □ ⑤ 喀痰中にオタマジャクシ型細胞が認められる場合は扁平上皮癌を疑う．

6．Giemsa 染色で正しいのはどれか．

- □ ① 細胞は大きくみえる．
- □ ② 細胞が剥離しやすい．
- □ ③ 水溶性封入剤を用いる．
- □ ④ 95%エタノール湿固定を行う．
- □ ⑤ 角化細胞は黄橙色に染色される．

3–②，4–①と③，5–①と⑤（②：Giemsa 染色のこと），6–①

7．細胞診のPapanicolaou染色とGiemsa染色について正しいのはどれか．**2つ選べ．**

- □　① Giemsa染色標本は細胞が剥離しやすい．
- □　② Papanicolaou染色には乾燥後メタノール固定が用いられる．
- □　③ Giemsa染色ではPapanicolaou染色に比べて細胞が大きくみえる．
- □　④ Papanicolaou染色は造血器腫瘍の観察に適している．
- □　⑤ Papanicolaou法は透徹性が高く，喀痰細胞診に適している．

7-③と⑤

F スクリーニングの実際

学習の目標

- □ 正常細胞の基本形態
- □ 異型細胞と悪性腫瘍細胞の特徴
- □ 子宮頸部の細胞診
- □ 呼吸器の細胞診
- □ 体腔液の細胞診
- □ 細胞判定区分
- □ Bethesdaシステム・癌取扱い規約に準じた報告様式

スクリーニングの方法

スクリーニングでは悪性腫瘍細胞や悪性を疑う異型細胞の他に，感染症の有無，良性腫瘍細胞なども確認しなければならない．

1．スクリーニングの対象となるもの

①感染性病原体：細菌，真菌，寄生虫，原虫，ウイルスなど
②細胞以外の物質：Charcot-Leyden（シャルコー・ライデン）結晶，Curschmann（クルシュマン）螺旋体，アスベスト小体など
③化生細胞，再生上皮細胞など
④良性腫瘍細胞
⑤異形成
⑥悪性腫瘍細胞や悪性を疑う細胞

2．スクリーニング前に必ず確認する事項

①患者氏名・年齢・性別などの患者情報の確認
②検体の種類
③検体採取法や標本作製方法
④悪性の有無，炎症所見，感染症など臨床側が求めている事項

3．鏡検時に確認する事項

①標本の適否（細胞採取量や厚い・薄いなど塗抹の状態）
②固定の適否（乾燥による検体不適の有無など）
③染色性の適否（染色ムラ，染色性の濃淡，染色時のコンタミネーションの有無など）
④封入時の適否（気泡の混入，封入剤の過不足など）

表 5-6　異型細胞と悪性腫瘍細胞の特徴

出現形式	細胞集塊の重積性など
細胞の所見	・核/細胞質比（N/C 比）の増大 ・核の大小不同 ・核形の不整 ・核クロマチンの増量 ・核クロマチン分布の不均等 ・核縁の不整肥厚 ・核異型を伴う多核細胞の出現 ・核小体の腫大，数の増加，明瞭化 ・核分裂像の増加 ・細胞質の形態変化，封入物，異常空胞など
背景	壊死物質

4．スクリーニングの方法

①対物レンズ 10 倍（弱拡大）を用いてスクリーニングする．

②見落としをしないように，塗抹された部分を横方向または縦方向に移動させて，細胞の塗抹面の端から端までスクリーニングする．

③スクリーニングでは視野を 1/3 程度を重複させて観察する．

④気になる細胞があれば対物レンズ 40 倍で詳細に確認し，必要に応じて対物レンズ 100 倍の油浸で確認する．

2 スクリーニングのポイント

スクリーニングの対象となる臓器によって出現してくる細胞が異なるので，採取された臓器の正常細胞の特徴をしっかりと把握する．

正常細胞のなかからスクリーニングして，**表 5-6** に注意して異型細胞や悪性腫瘍細胞を判定する．

① 異型細胞と悪性腫瘍細胞の特徴

1．細胞の出現形式

①角化型扁平上皮癌細胞では孤立散在性に出現することが多い．

②細胞集塊を形成した悪性細胞は，腺癌のときによくみられる．正常の細胞集塊では配列が整い規則的であるが（**図 5-4**），悪性では細胞配列が不規則となり極性がなくなる．また，細胞集塊での結合性低下や同一集塊での核の向きがバラバラの場合には悪性を疑う所見の一つである（**図 5-12**）．

③肺の小細胞癌（図 5-15）や非 Hodgkin リンパ腫，神経内分泌腫瘍では小型で単調な細胞が出現する．

④非上皮性腫瘍では束状の集塊として出現したり，一部バラバラな疎な集塊として出現したりする．

2．細胞の所見

(1) 核と細胞質の面積比（核/細胞質比，N/C 比）

・異型細胞や悪性細胞では，N/C 比が増大する．

(2) 核の大きさ

・正常細胞では核の大きさはほぼ揃っているが，悪性細胞では大小不同が著明なことが多い．

(3) 核形

①悪性細胞では核溝，切れ込みなど核縁不整がみられる．

②核の辺縁がヘマトキシリンに濃く染色され，核周囲が厚くなった核縁肥厚もみられる．

(4) 核小体

・再生上皮細胞など反応性の変化でもみられるが，悪性細胞では大型化，数の増加，不整がみられる傾向にある．

(5) 核クロマチン

①核クロマチンは，良性細胞と異型細胞や悪性細胞の鑑別に最も重要な所見である．

②扁平上皮系の異型細胞や癌細胞では核クロマチンが粗く，不整凝集・不整分布，核クロマチンの濃染傾向がある．

③腺系の異型細胞や癌細胞では，核クロマチンは微細で核内に均等に分布し，核クロマチンは淡染する傾向がある．

(6) 核分裂

①核分裂像は正常でも分裂能のある細胞にはみられる．

②数の多い場合には，悪性を疑う所見の一つとなる．

(7) 多核細胞

①悪性腫瘍では多核細胞の出現を特徴とするものがあり，Hodgkin リンパ腫，中皮腫，肉腫などがある．

②良性病変でも，ウイルス感染細胞や結核症（ラングハンス細胞）などでは，多核細胞がみられる．

(8) 細胞質

・細胞質の形態変化，封入物，異常空胞など．

3．背景

・壊死物質は悪性で認めることが多いが，結核症など良性でも壊死を認めることがある．

子宮頸部の細胞診

① 基礎知識・正常細胞

1．重層扁平上皮細胞

(1) 分化

①扁平上皮での分化の指標として，ⅰ）層形成，ⅱ）細胞間橋，ⅲ）角化などがある．

②細胞は基底から表層に向かって分化し，基底細胞，傍基底細胞，中層細胞，表層細胞からなる．

③皮膚では無核化した鱗片状の角質層細胞もみられる．

④子宮腟分泌での塗抹標本では，ホルモンの影響を受けて卵胞期にはエストロゲン効果で表層細胞が多くなり，黄体期にはプロゲステロン効果で中層細胞が多く出現する．

(2) N/C 比

①N/C 比は，核の細胞質に対する面積比を表す．

②表層細胞のように分化した細胞ほどN/C比は小さく，傍基底細胞のように細胞分化が低い場合はN/C 比は大きくなる．

(3) 重厚性，層状構造

①細胞質が濃染し厚みを帯びてみえるものを重厚性といい，扁平上皮系細胞の特徴の一つである．

②細胞質がライト緑好性で，核を同心円状に取り巻き層状にみえる層状構造も扁平上皮系細胞の特徴である．

(4) 細胞の種類

a）表層細胞（図 5-3）

①核は小型円形で，濃縮核を有する．

②細胞質は扁平で多稜形であり，ときに細胞質内にケラトヒアリン顆粒がみられる細胞もある．

b）中層細胞（図 5-3）

①核は 10 μm 前後で円形，クロマチンは細顆粒状を呈する．

②細胞質は表層細胞に近い大型で，多稜形から傍基底細胞に近い類

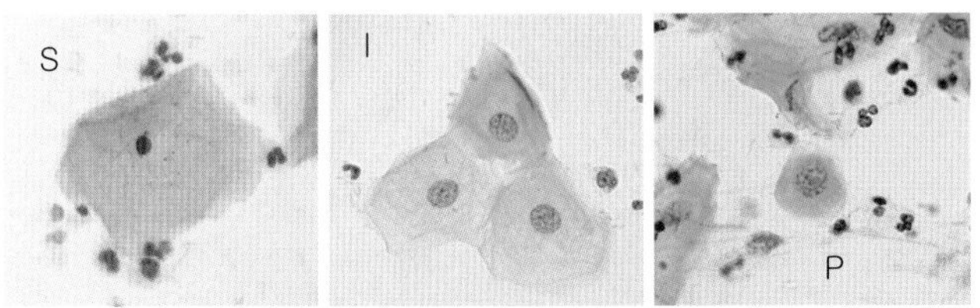

図 5-3　扁平上皮細胞（低倍率）
S：表層細胞，I：中層細胞，P：傍基底細胞

円形まで幅広い細胞質を有する．

③膣内に常在するグラム陰性桿菌のデーデルライン桿菌は，中層細胞のグリコーゲンを利用して乳酸に変化させて，膣内の pH を酸性に保つことで膣内の自浄作用に関与している．

④子宮膣部・頸部の細胞診では，妊娠期に細胞質が黄色に染色されるグリコーゲンを豊富に有する舟状細胞が多く出現する．

c）傍基底細胞（図 5-3）

①核は円形で中心性に存在し，細顆粒状のクロマチンを有する．

②細胞質は類円形～立方形で厚みがある．

③閉経後の標本では傍基底細胞が主体に出現し，萎縮像を呈する．

④萎縮像で炎症が加わった細胞像を萎縮性膣炎という．

d）基底細胞

①核は円形で中心性に存在し，細胞質も類円形である．

②N/C 比は大きいが，クロマチン増量は軽度である．

2．円柱上皮細胞（図 5-4）

①子宮頸管内膜，子宮体内膜，消化器系や唾液腺などの消化腺，鼻腔や気管の呼吸器系などを被覆する上皮細胞である．

②細胞質に粘液を有する細胞や線毛を有する円柱上皮細胞がみられる．

3．扁平上皮化生細胞（図 5-5）

①子宮膣部では子宮頸管内の円柱上皮細胞が外子宮口からめくれてびらん様（偽びらん）になる．この扁平上皮細胞と円柱上皮細胞との境界部を扁平・円柱上皮接合部（suquamo-columnner junction；SCJ）という．

②円柱上皮細胞が扁平上皮細胞に変化することを扁平上皮化生といい，細胞質に突起を有する扁平上皮化生細胞が出現する．

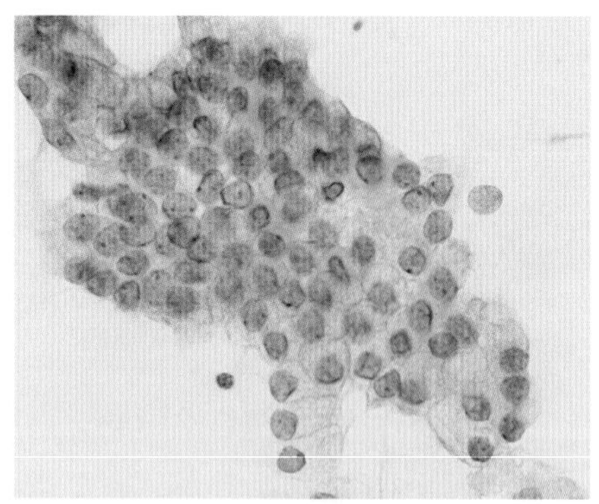

図 5-4　円柱上皮細胞（低倍率）
細胞質に粘液を有する.

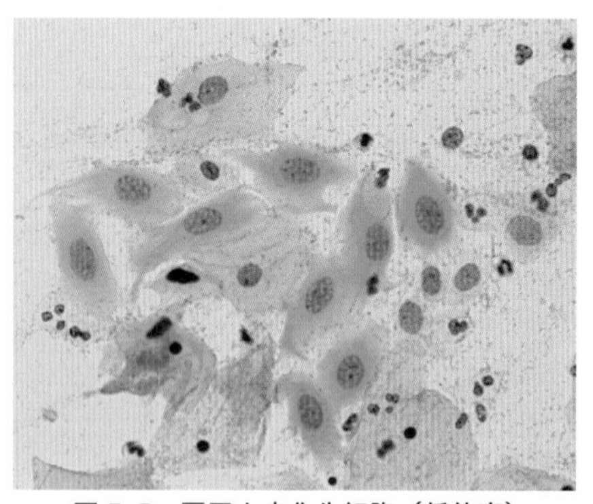

図 5-5　扁平上皮化生細胞（低倍率）

4．再生細胞（regenerative cell）

①扁平上皮細胞や円柱上皮細胞が欠損した場合に，正常な上皮細胞に修復するまでの過程で出現する細胞である.

②高度の炎症，放射線治療後，組織生検後に出現する.

③細胞質が淡くリボン状を示し，核小体の腫大や数の増加が目立つ.

2 感染症

1．膣カンジダ症（図 5-6）

①酵母様真菌で，仮性菌糸や胞子が Papanicolaou 染色で赤褐色に

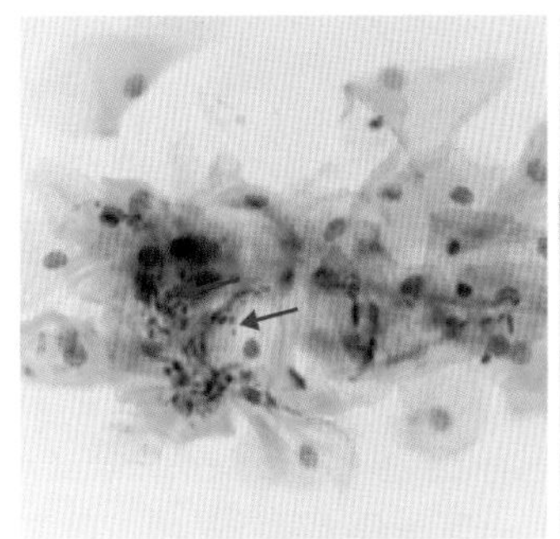
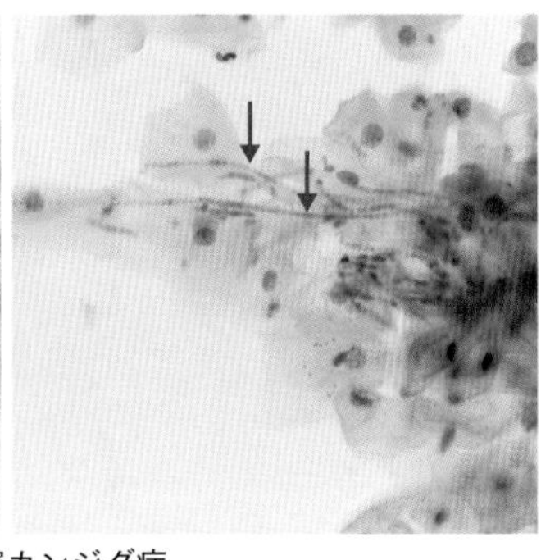

図 5-6 膣カンジダ症
左：低倍率，赤矢印は酵母，右：高倍率，青矢印は仮性菌糸．

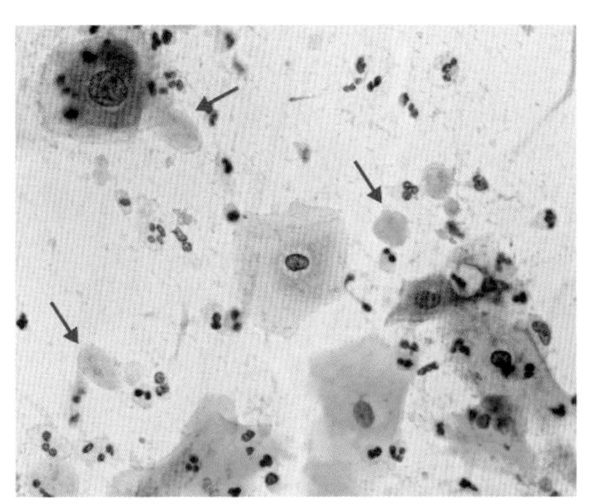

図 5-7 トリコモナス膣炎（低倍率）
赤矢印：トリコモナス原虫．

染まる．

②扁平上皮細胞集塊に絡むように出現することが多い．

2．トリコモナス膣炎（図 5-7）

①トリコモナス原虫は大きさが 10〜20 μm，西洋梨状の形態で，細胞質に赤い顆粒がみられる．

②好中球が多く出現して，球状集塊でみられる．

③扁平上皮細胞の細胞質の多染性や halo(核周明庭)などもみられる．

3．単純ヘルペスウイルス感染症（図 5-8）

①単純ヘルペスウイルス（herpes simplex virus）感染にはⅠ型とⅡ型があるが，Ⅱ型感染に起因する．

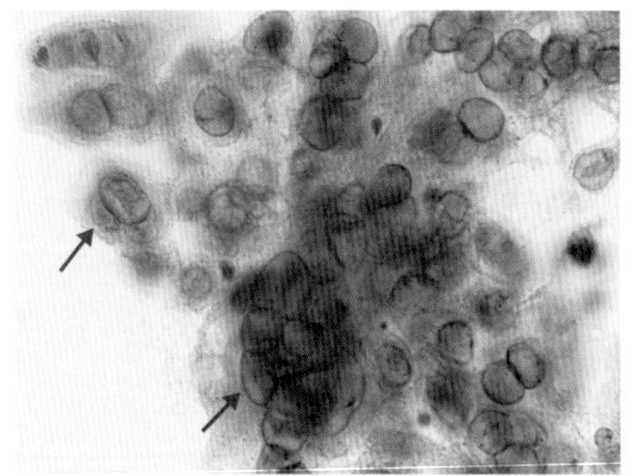

図 5-8　ヘルペス感染細胞（高倍率）
赤矢印：核内封入体，青矢印：多核，鋳型，すりガラス状核.

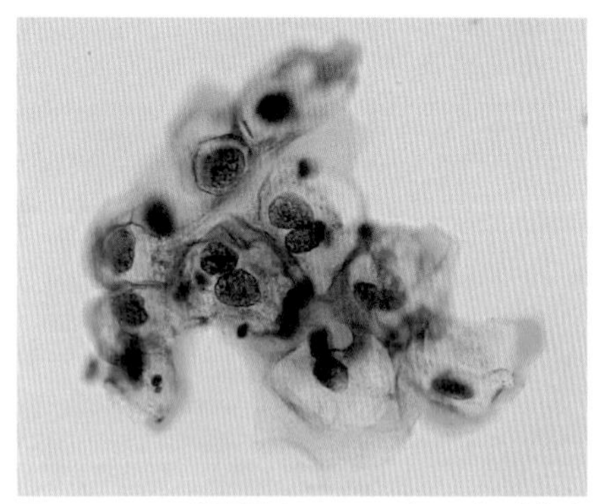

図 5-9　ヒト乳頭腫ウイルス（HPV）感染症（高倍率）
HSIL（中等度異形成）.

②上皮細胞は多核化して圧排像を示す.

③核内はすりガラス状で，核内に好酸性の封入体がみられることがある.

4．ヒト乳頭腫ウイルス（human papilloma virus；HPV）感染症（図 5-9）

①過角化，錯角化，異常角化などの角化異常，核の多核化，細胞質辺縁が抜けてみえるコイロサイトーシス（koilocytosis）がみられる.

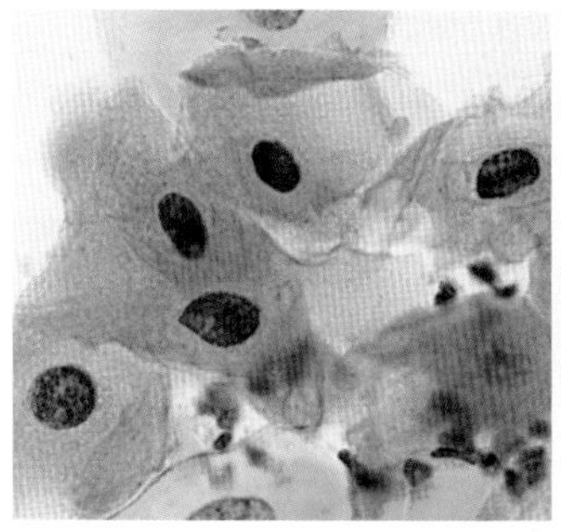
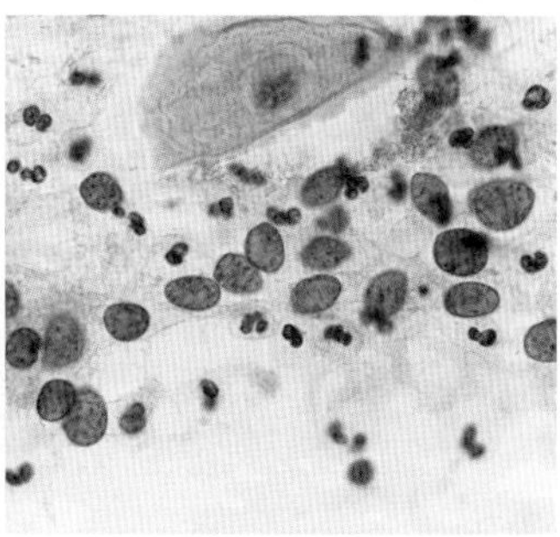

図 5-10　子宮頸部の前癌病変
左：LSIL（軽度異形成）．表層型の核異型細胞（高倍率）．
右：HSIL（上皮内癌）．N/C 比の高い裸核状細胞（高倍率）．

②HPV は子宮頸癌の原因ウイルスである．

5．その他

①コリネバクテリウムやヘモフィルスによるガルドネラ属菌による炎症では，短桿菌が扁平上皮細胞の上に集簇してみられるクルーセル（clue cell）とよばれる細胞が出現する．

②リンパ性頸管炎（濾胞性頸管炎）では，萎縮性膣炎が慢性化することで成熟リンパ球と貪食組織球が出現する．

③ 病変

1．前癌病変―扁平上皮系病変

(1) LSIL（low grade squamous intraepithelial lesions）（軽度異形成）（図 5-10）

①HPV 感染と軽度異形成が含まれる．

②表層細胞型の核異型細胞が主体である．

(2) HSIL（high grade squamous intraepithelial lesions）

中等度異形成，高度異形成，上皮内癌が含まれる．

①中等度異形成：中層型の核異型細胞が主体である．

②高度異形成：傍基底型の核異型細胞が主体である．

③上皮内癌（図 5-10）

・傍基底型～基底型の核異型細胞が主体である．
・N/C 比が高く，核は類円形で裸核状を呈することが多い．
・細胞質はライト緑に淡染する．

表 5-7 扁平上皮癌と腺癌の細胞所見の相違

	扁平上皮癌	腺癌
出現様式	孤立散在性	集塊状
	渦巻状，層状 多稜形，蛇型，紡錘型，オタマジャクシ型	柵状，乳頭状，腺管状，篩状 類円形，円柱状，杯細胞型，印環細胞型
核	中心性	偏在性
クロマチン	濃縮，粗大顆粒状	微細顆粒状
核小体	不明瞭（角化型），明瞭（非角化型）	明瞭
細胞質	重厚，同心円状	泡沫状，粘液空胞

2．癌

(1) 角化型扁平上皮癌（表 5-7）（図 5-11）

①オレンジ G に好染する蛇型，オタマジャクシ型など，多彩な細胞質を有する細胞が出現する．細胞質がオレンジ G に強く染まり，光輝性の橙黄色を呈する．

②細胞相互封入像，無核細胞（ゴースト細胞）が出現する．

③孤立散在性に出現する．

④癌真珠形成がみられることがある（→p.75 参照）．

⑤核クロマチンは濃染し，濃縮を示す．

(2) 非角化型扁平上皮癌

①多稜形や類円形を示す基底細胞から傍基底細胞の大きさに相当する細胞が出現する．

②核は類円形～円形で，細胞質の中心に位置する．

(3) 腺癌（表 5-7）（図 5-12）

①細胞集塊で出現することが多い．

②核クロマチンは繊細で，明瞭な核小体を有する．

③重積性集塊として出現することが多い．

④集塊内には腺腔様構造がみられることがある．

⑤細胞質に粘液を有することがある．

⑥細胞質は狭く泡沫状．

⑦核は偏在性を示す．

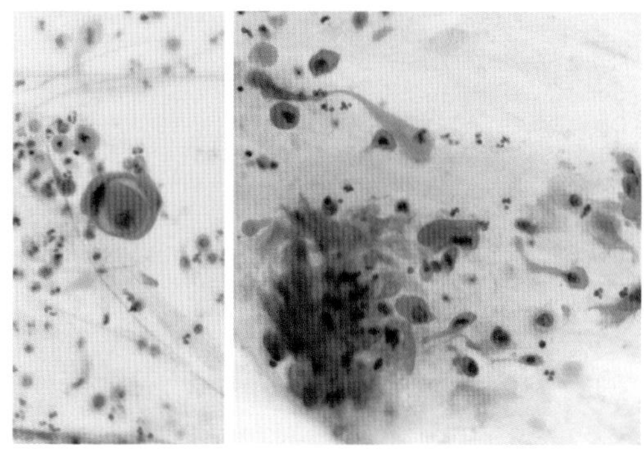

図 5-11　角化型扁平上皮癌（低倍率）

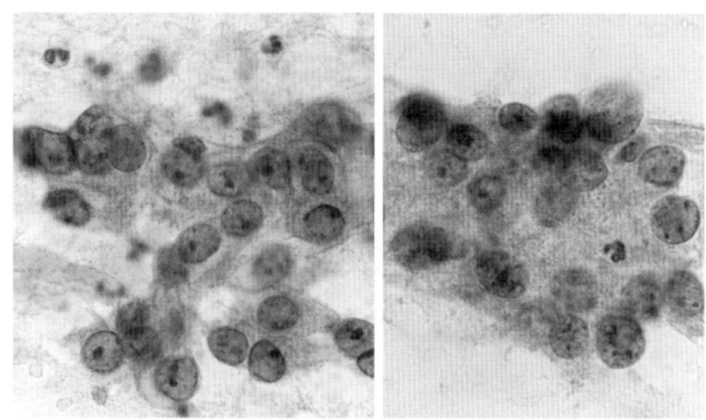

図 5-12　腺癌（高倍率）

④ 細胞判定区分

1．Bethesda システムに準じた報告様式

(1) 細胞判定区分と細胞診断

①細胞判定区分として，古くから Papanicolaou による 5 段階分類が広く使われてきた（**表 5-8**）.

②現在，婦人科細胞診の判定分類として Bethesda（ベセスダ）システムが用いられている．この Bethesda 分類は標本の適否を判定後，HPV 感染所見から上皮内癌までの病変を扁平上皮内病変

表 5-8　Papanicolaou 分類

ClassⅠ：異型細胞は認められない（陰性）
ClassⅡ：異型細胞は認められるが悪性は考えられない（陰性）
ClassⅢ：悪性と判断できないが悪性も否定できない（疑陽性）
ClassⅣ：悪性が強く疑われる異型細胞が認められる（陽性）
ClassⅤ：悪性を認める（悪性）

表 5-9　Bethesda 分類

扁平上皮系

Bethesda 分類			従来のクラス分類
結果	**略語**	**推定される病理診断**	
陰性	NILM	非腫瘍性所見，炎症	Ⅰ，Ⅱ
意義不明な異型扁平上皮細胞	ASC-US	軽度扁平上皮内病変疑い	Ⅱ-Ⅲa
HSIL を除外できない異型扁平上皮細胞	ASC-H	高度扁平上皮内病変疑い	Ⅲa-b
軽度扁平上皮内病変	LSIL	HPV 感染	Ⅲa
		軽度異形成	
高度扁平上皮内病変	HSIL	中等度異形成	Ⅲa
		高度異形成	Ⅲb
		上皮内癌	Ⅳ
扁平上皮癌	SCC	扁平上皮癌	Ⅴ

腺細胞系

Bethesda 分類			従来のクラス分類
結果	**略語**	**推定される病理診断**	
異型腺細胞	AGC	腺異型または腺癌疑い	Ⅲ
特定不能な異型腺細胞	AGC-NOS	上皮内腺癌	Ⅲa
腫瘍性を示唆する異型腺細胞	AGC-favor neoplastic	特定不能な異型腺細胞	Ⅲb
上皮内腺癌	AIS	腫瘍性を示唆する異型腺細胞	Ⅳ
腺癌	Adenocarcinoma	腺癌	Ⅴ
その他の悪性腫瘍	Other malignancy	その他の悪性腫瘍	Ⅴ

（SIL）として，LSIL（軽度異型扁平上皮内病変）と HSIL（高度異型扁平上皮内病変）に分けている（表 5-9）．

呼吸器の細胞診

1 基礎知識・正常細胞

①呼吸器細胞診では扁平上皮細胞，線毛や細胞質に粘液を有する円柱上皮細胞，円柱上皮細胞以外にも肺胞組織球（塵埃細胞）（図5-14）や炎症細胞がみられる．

②喀痰細胞診では，肺胞組織球の有無が標本の適・不適の判断材料となる．

③線毛円柱上皮細胞では，核は類円形で線毛を有する．

④杯細胞は細胞質に粘液を有するため，核が押しやられて偏在性である（核の圧排像）．

2 炎症・感染症

1．気管支喘息（図5-13）

①Charcot-Leyden 結晶と Curschmann 螺旋体がみられる．

②Charcot-Leyden 結晶は好酸球の顆粒が溶出して再結晶化したもので，Curschmann 螺旋体は気管支腺内の粘液が喀出されて，螺旋状にみえる．

2．結核症

・類上皮巨細胞，ラングハンス巨細胞，乾酪壊死部からの壊死物質が出現する．

3．ウイルス感染症

①ヘルペス感染では，多核化細胞，鋳型状核，核縁肥厚したすりガラス状核，核内封入体がみられる．

②サイトメガロウイルス感染では，単核の好塩基性のフクロウの目に類似した巨細胞封入体がみられる．

4．真菌症

①アスペルギルスでは，45度に分岐する菌糸やほうき状の分生子頭がみられる．

②クリプトコッカスでは，円形の厚い莢膜を有する胞子がみられる．

③*Pneumocystis jirovecii* では泡沫状の細胞質を有する細胞が出現するが，Papanicolaou 染色では菌体の証明は不可能である．菌体の証明には Grocott 染色，Giemsa 染色，toluidine blue O 染色などが用いられ，特に Grocott 染色が有用である．

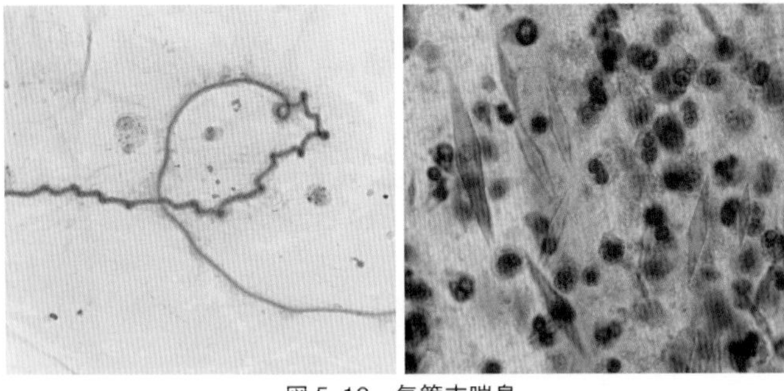

図 5-13　気管支喘息
左：Curschmann 螺旋体（低倍率）．右：Charcot-Leyden 結晶（高倍率）．

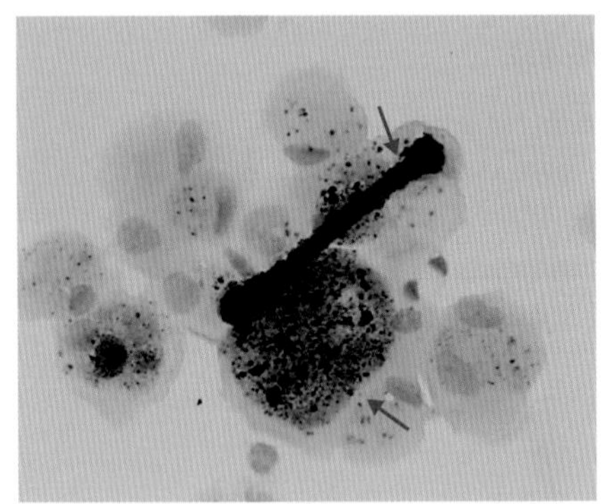

図 5-14　アスベスト小体（高倍率）
赤矢印：アスベスト小体，青矢印：塵埃細胞．

5．その他

①炎症所見で好中球が多いのは急性炎症，リンパ球が多いのは慢性疾患にみられる．

②アレルギー性疾患や気胸，寄生虫感染などでは好酸球が出現する．

③アスベスト小体（**図 5-14**）：石綿（アスベスト）の繊維を中心とし周辺に鉄を含有し，鉄亜鈴状，棍棒状などの形をしている．中皮腫や肺癌の発生に深く関与する．

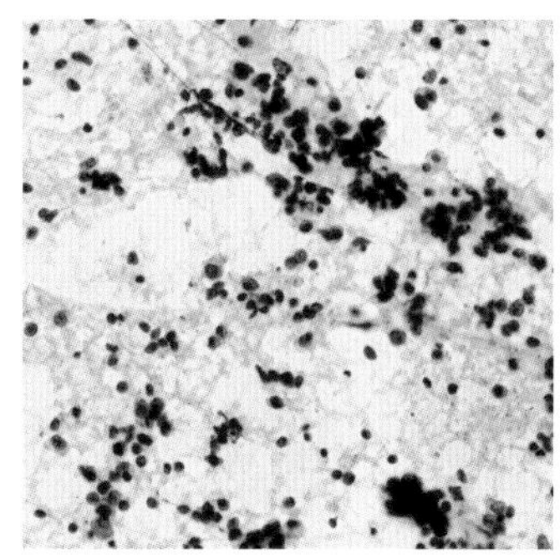
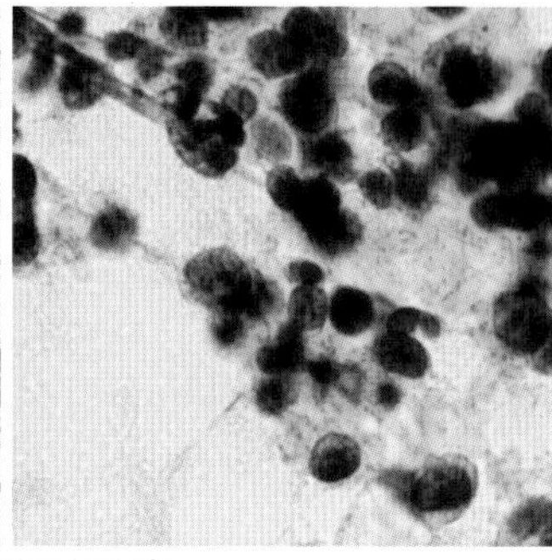

図 5-15　肺小細胞癌
左：低倍率，右：高倍率.

3 病変

1．扁平上皮系前浸潤性病変

細胞質や核の異型から軽度異形成，中等度異形成，高度異形成および上皮内扁平上皮癌に分けられる.

(1) 角化型扁平上皮癌（→p.326 参照）

(2) 腺癌（→p.326 参照）

(3) 小細胞癌（図 5-15）

①小型で N/C 比の高い，裸核状細胞で出現する.

②鋳型状，敷石状の配列を示す.

③細胞同士がペアになった対細胞で出現することがある.

④核小体は目立たない.

⑤壊死性背景を伴うことが多い.

⑥細胞が壊れて線状になった核線がみられることがある.

4 細胞判定区分

1．ABC 分類

・細胞判定区分としては，Papanicolaou 分類（表 5-8）や肺がん検診における喀痰細胞診の判定基準と指導区分が用いられている（表 5-10）.

表 5-10　肺がん検診における喀痰細胞診の判定基準と指導区分

判定	判定区分	細胞所見	指導区分
判定不能	A	喀痰中に組織球を認めない	材料不適，再検査
陰性	B	正常上皮細胞のみ	現在異常を認めない 次回定期健診
		基底細胞増生	
		軽度異型扁平上皮細胞	
		線毛円柱上皮細胞	
	C	中程度異型扁平上皮細胞	再塗抹または6カ月以内の再検査
		核の増大や濃染を伴う円柱上皮細胞	
疑陽性	D	高度(境界)異型扁平上皮細胞または悪性腫瘍の疑いのある細胞を認める	ただちに精密検査
陽性	E	悪性腫瘍細胞を認める	

(肺癌取扱い規約（2017年1月）第8版に準拠)
肺がん検診における喀痰細胞診の判定基準と指導区分（2016改訂）より抜粋

体腔液の細胞診

① 基礎知識・正常細胞

1．中皮細胞（図 5-16）

①胸腔，腹腔，心嚢腔を被覆する単層扁平上皮細胞である．

②手術時の腹腔洗浄液や胸腔洗浄液などの静止状態の中皮細胞ではシート状で出現し，核は円形や楕円型で細胞質の中心に存在，細胞質はレース状で薄くライト緑に淡染する．

③中皮細胞には微絨毛がみられることもある．

2．その他

①体腔液では中皮細胞以外にも白血球，赤血球，大食細胞などがみられる．

②大食細胞は貪食能をもち細胞質に多数の空胞が認められ，レース状や泡沫状などを示す．Papanicolaou染色ではライト緑に淡染する．

② 病変

1．漿膜の炎症・肝硬変など

・漿膜の炎症や肝硬変などの際には反応性中皮細胞（図 5-17）が出現し，細胞は立方形あるいは球形になり偽重層性や乳頭状などの

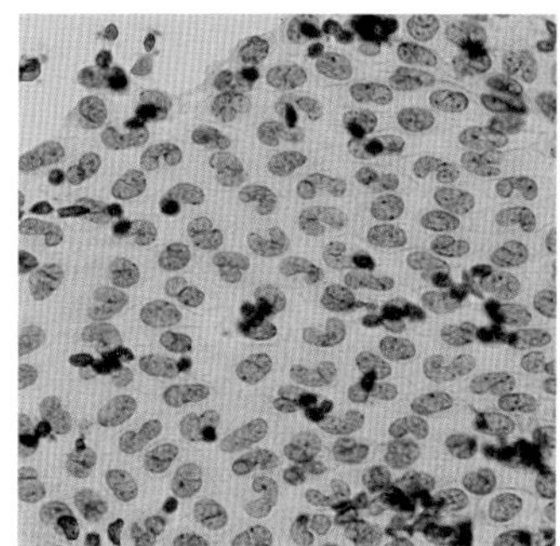

図 5-16　中皮細胞（低倍率）
手術時の腹腔洗浄液．シート状配列．

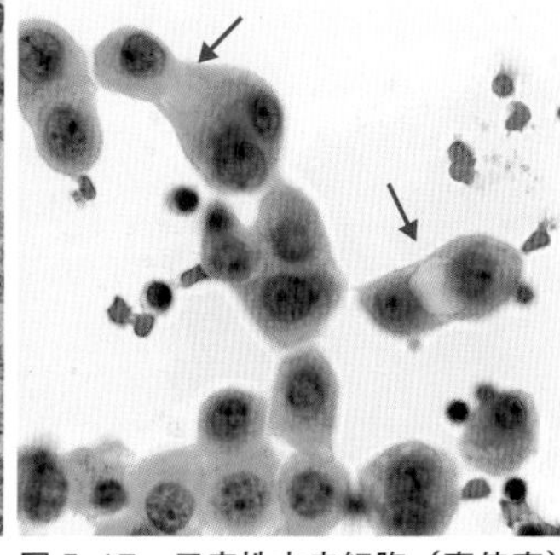

図 5-17　反応性中皮細胞（高倍率）
赤矢印：2 つの中皮細胞の間に window とよばれる空隙が観察される．

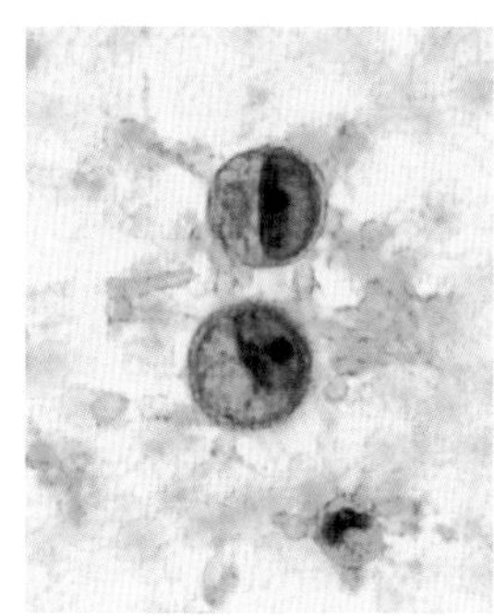

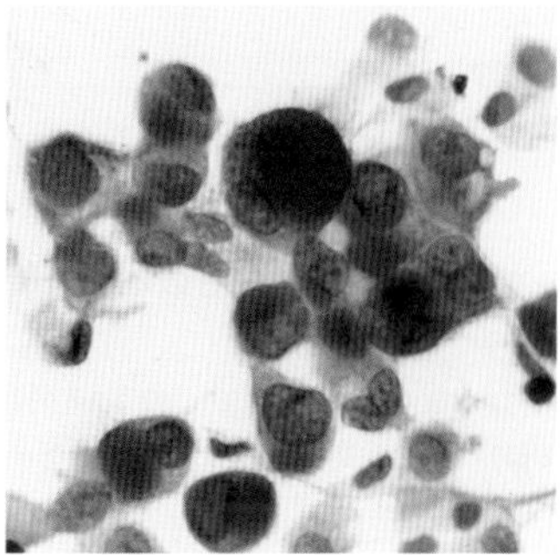

図 5-18　印環細胞癌
左：Papanicolaou 染色（高倍率），右：PAS 反応（高倍率）

増殖を示すこともあり，細胞質が厚いためにライト緑で濃く染色される．

2．悪性腫瘍

①胸腔では肺癌など，腹腔では胃癌，卵巣癌などの転移性腫瘍がみられる（図 5-18，19）．

②原発性の腫瘍としては中皮腫が発生する．大型の多核細胞などが出現する．

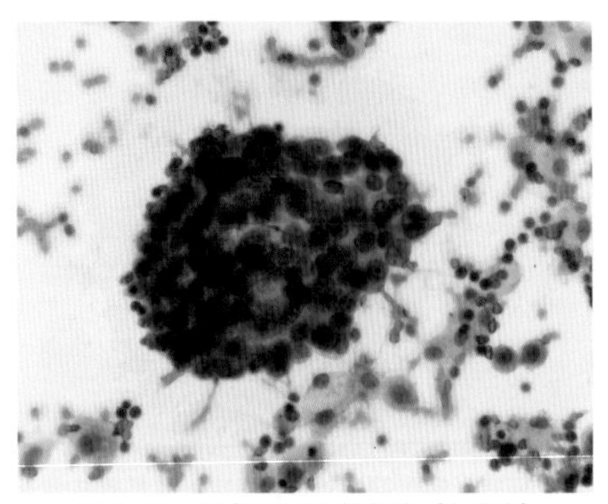

図 5-19　腺癌のまりも状集塊（高倍率）

セルフ・チェック

A 次の文章で正しいものに○，誤っているものに×をつけよ．

	○	×
1. Papanicolaou 染色で，カンジダは赤褐色に染まる．	□	□
2. トリコモナス感染ではコイロサイトーシスがみられる．	□	□
3. トリコモナス感染では，扁平上皮細胞の細胞質はオレンジ G 好染性を示す．	□	□
4. Papanicolaou 染色標本ではトリコモナスの細胞質に緑色の顆粒がみられる．	□	□
5. ヘルペスウイルスは子宮頸部細胞診でコイロサイトーシスに関係する．	□	□
6. ヘルペスウイルス感染では核の圧排像がみられる．	□	□

A 1-○，2-×（halo），3-○，4-×（赤色），5-×（ヒト乳頭腫ウイルス(HPV)），6-○

7. 結核症では類上皮細胞，トロホブラスト巨細胞，壊死物質がみられる. □ □
8. デーデルライン桿菌は膣内を酸性に保ち，自浄作用に関係する. □ □
9. ヒト乳頭腫ウイルス（HPV）感染細胞ではすりガラス状核がみられる. □ □
10. Papanicolaou 染色で，角化細胞は黄橙色に染まる. □ □
11. 悪性細胞では核と細胞質の面積比（N/C 比）が増加する. □ □
12. 悪性腫瘍細胞では核クロマチンは減少する. □ □
13. 扁平上皮癌では細胞質内粘液が増加する. □ □
14. 腺癌では癌真珠が形成される. □ □
15. 腺癌は核偏在性に出現する. □ □
16. 扁平上皮癌では粘液空胞がみられる. □ □
17. 腺癌ではライト緑濃染の細胞質がみられる. □ □
18. Papanicolaou 染色で，扁平上皮癌は重積性集塊を示す. □ □
19. Papanicolaou 染色で，腺癌は腺腔様構造を示す. □ □
20. Papanicolaou 染色で，腺癌は光輝性の黄色細胞質を示す. □ □
21. 閉経後には舟状細胞が多くみられる. □ □
22. 妊娠期には傍基底細胞が多くみられる. □ □
23. 心嚢液では中皮細胞がみられる. □ □
24. 喀痰塗抹標本には心臓病細胞を認めることがある. □ □
25. 喀痰中には線毛円柱上皮細胞がみられる. □ □
26. 体腔液中の印環状細胞はすべて悪性である. □ □

7−×（ラングハンス巨細胞），8−○，9−×（ヘルペスウイルス感染），10−○，11−○，12−×（増量する），13−×（扁平上皮癌ではオタマジャクシ型細胞など奇抜な細胞が出現する），14−×（扁平上皮癌），15−○，16−×（腺癌），17−×（扁平上皮癌），18−×（腺癌），19−○，20−×（扁平上皮癌），21−×（傍基底細胞），22−×（舟状細胞），23−○，24−○，25−○，26−×（大食細胞も印環状形態を示す）

B

1．悪性細胞で頻度が高い所見はどれか．**2つ選べ**．

- □ ① 核膜の消失
- □ ② 細胞質内粘液
- □ ③ 細胞質の空胞化
- □ ④ 核クロマチン増量
- □ ⑤ 核と細胞質の面積比（N/C比）の増加

2．Papanicolaou染色標本における腺癌の細胞学的特徴はどれか．

- □ ① 核中心性
- □ ② 重積性集塊
- □ ③ 癌真珠形成
- □ ④ 光輝性の黄色細胞質
- □ ⑤ ライト緑濃染の細胞質

3．喀痰塗抹標本に通常**出現しない**細胞はどれか．

- □ ① 好中球
- □ ② リンパ球
- □ ③ 塵埃細胞
- □ ④ 中皮細胞
- □ ⑤ 扁平上皮細胞

4．腹水の細胞診で通常みられる細胞はどれか．**2つ選べ**．

- □ ① 中皮細胞
- □ ② 上衣細胞
- □ ③ 大食細胞
- □ ④ 円柱上皮細胞
- □ ⑤ 扁平上皮細胞

B　1-④と⑤，2-②，3-④，4-①と③

5．子宮頸部細胞診の Papanicolaou 染色標本を下に示す．
関係が深いのはどれか．

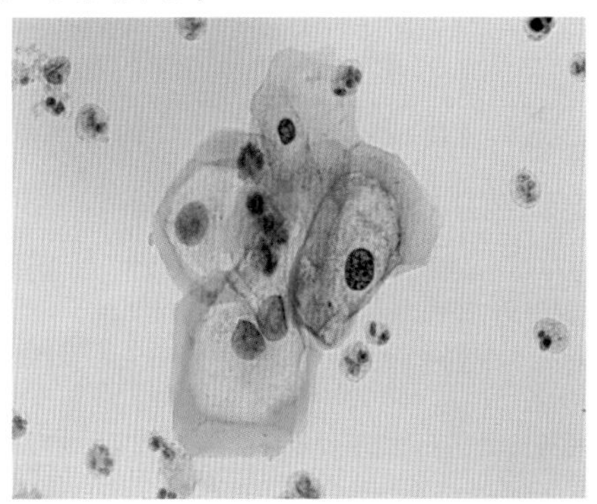

□　① カンジダ
□　② クラミジア
□　③ トリコモナス
□　④ ヘルペスウイルス
□　⑤ ヒト乳頭腫ウイルス（HPV）

5-⑤（核周囲の細胞質が抜けて細胞質辺縁が濃染したコイロサイトーシスを示す扁平上皮細胞が認められる．核異型もみられる）

6．喀痰細胞診の Papanicolaou 染色標本を下に示す．
関係が深いのはどれか．

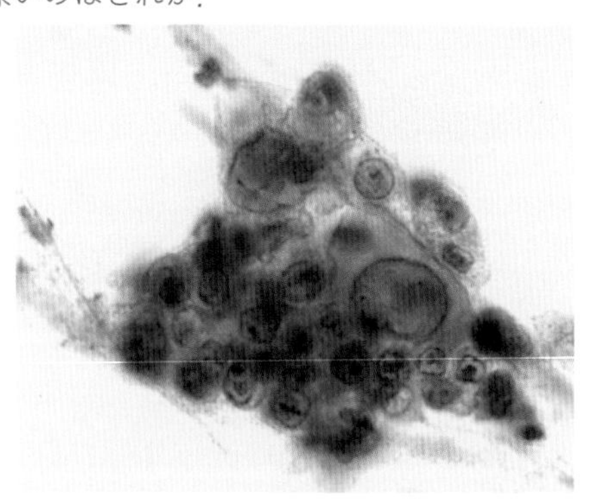

- □　① 結　核
- □　② クラミジア
- □　③ クリプトコッカス
- □　④ ヘルペスウイルス
- □　⑤ ヒト乳頭腫ウイルス（HPV）

6–④（多核，鋳型状核，核縁肥厚したすりガラス状核，大型好酸性核内封入体がみられる）

7．喀痰細胞診の Papanicolaou 染色標本を下に示す．組織型はどれか．

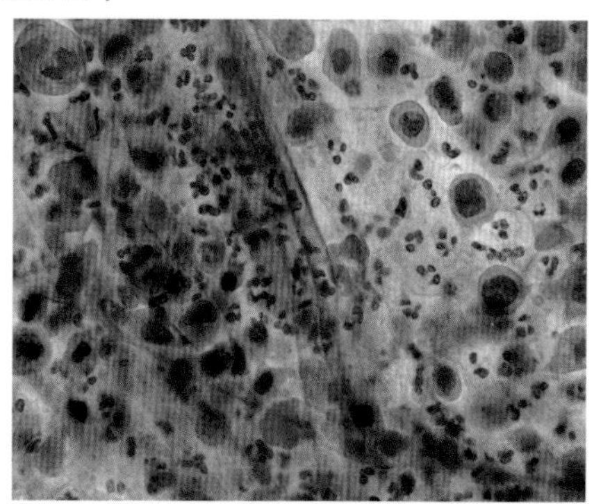

□　① 腺　癌
□　② 小細胞癌
□　③ 大細胞癌
□　④ 扁平上皮癌
□　⑤ 悪性リンパ腫

7–④（壊死性背景に，オレンジ G 好染する光輝性の細胞が孤立散在性に出現している．核は濃縮状で，ゴースト細胞もみられる）

8．気管支擦過細胞診の Papanicolaou 染色標本を下に示す．組織型はどれか．

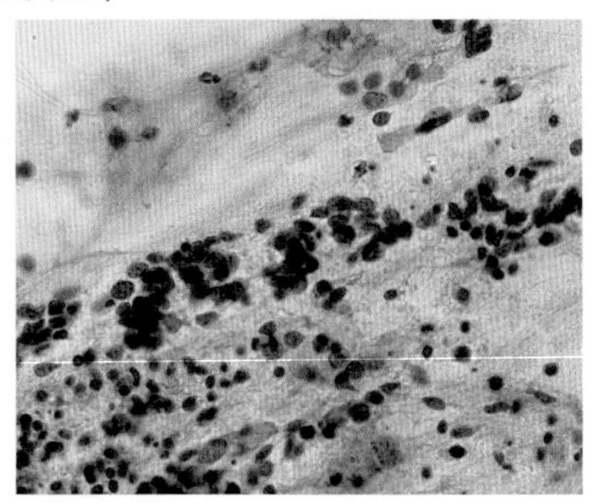

- □ ① 腺　癌
- □ ② 小細胞癌
- □ ③ 扁平上皮癌
- □ ④ カルチノイド
- □ ⑤ 悪性リンパ腫

8–②（小型で N/C 比の高い裸核状細胞が敷石状に散在性，あるいは結合性の緩い細胞集塊で出現している）

9．腹水細胞診の Papanicolaou 染色標本を下に示す．
組織型はどれか．

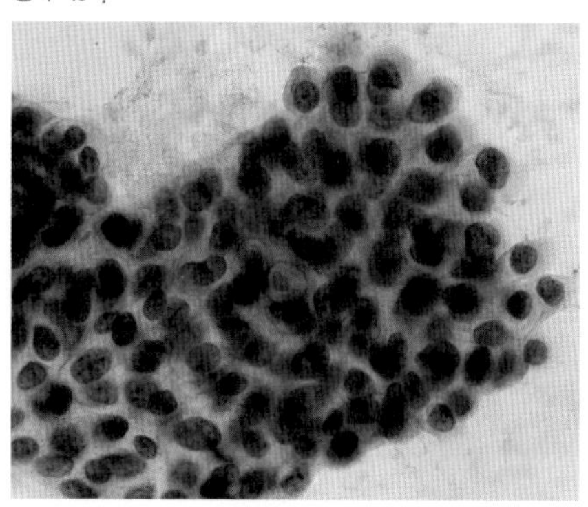

- □ ① 腺　癌
- □ ② 中皮腫
- □ ③ 小細胞癌
- □ ④ 扁平上皮癌
- □ ⑤ 悪性リンパ腫

9–①（核クロマチンの増量した結合性の強い大型集塊が出現している．核の大小不同や集塊の中央部に細胞質内粘液空胞がみられる）

10. 子宮頸部擦過細胞診の Papanicolaou 染色標本を下に示す. Bethesda システムによる判定はどれか.

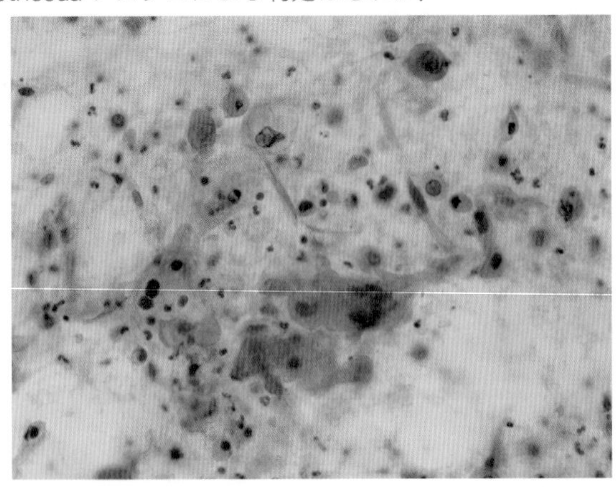

- □ ① NILM
- □ ② LSIL
- □ ③ HSIL
- □ ④ Squamous cell carcinoma
- □ ⑤ Adenocarcinoma

10–④（核クロマチンは濃縮し，細胞質がオレンジ G に染まる多彩なかたちの細胞が出現しており，Squamous cell carcinoma（扁平上皮癌）である）

6 病理解剖（剖検）

A 概要

学習の目標

- □ 病理解剖（剖検）
- □ 行政解剖
- □ 司法解剖
- □ 系統解剖

病理解剖（剖検）とは

①病理解剖とは死体解剖保存法（昭和 24 年法律 204 号）に基づき，生前の治療にもかかわらず，薬石効なく亡くなった患者の病気の状態，病気の診断と治療効果を判定する目的で，その遺体を解剖すること．

②病理解剖は，大学の病理学講座や解剖室を備えた病院などで行われる．

③病理解剖の記録は，日本病理学会で刊行されている日本病理剖検輯報*に収載され，これらのデータは人口動態統計のための正確な情報として活用されている．

④病理解剖中に犯罪が疑われる場合：「死体を解剖した者は，その死体について犯罪と関係のある異状があると認めたときは，24 時間以内に解剖をした地の警察署長に届け出なければならない」（死体解剖保存法第 11 条）．

* 日本病理剖検輯報（しゅうほう）：1960 年（1958 年度剖検）を第 1 輯とし，毎年刊行されている．日本の大学病院や認定病院・一般病院における病理解剖の記録を集めたもので，貴重なデータの集積となっている（日本病理学会の刊行物：病理剖検輯報とデータベースから引用）．

解剖の種類と目的

解剖は病理解剖を含めて以下の 3 つと 4 分類される．

①司法解剖：犯罪などが疑われる遺体について，刑事訴訟法に基づ

いて行われる．医学部のある法医学教室（法医学講座）で実施される．

②行政解剖：死因が特定できない場合（伝染病，中毒，災害など）に，その死因を明らかにするために監察医務院（監察医）が行うもの．

③系統解剖：医学部，歯学部の教育や研究のため，人体の正常な構造を明らかにする目的で行われる．生前の本人の申出による献体（死後，自身の体を医学教育のために提供すること）で行われる．

臨床検査技師がかかわれる解剖

臨床検査技師がかかわれるのは，病理解剖（病院），司法解剖（医学部の法医学教室・法医学講座），行政解剖（監察医務院），系統解剖（解剖学教室・解剖学講座）の介助業務である．

病理解剖手技法

①Rokitansky（ロキタンスキー）法：新生児の病理解剖の手法として行われることがある．全臓器を一塊にして取り出す方法である．

②Virchow（ウイルヒョウ）法：Virchow のリンパ節に名を冠したドイツの病理学者が開発した手技である．病理解剖手技のスタンダードで，個別に臓器を取り出す方法である．手順は後述．

セルフ・チェック

A 次の文章で正しいものに○，誤っているものに×をつけよ．

	○	×
1. 死後24時間以内の解剖は監察医の許可が必要である．	□	□
2. 中毒による死亡の疑いのあるときは監察医の検案が必要である．	□	□
3. 病理解剖は治療効果判定が目的に含まれる．	□	□
4. 病理解剖は人口動態統計のための正確な情報が得られる．	□	□
5. 病理解剖で犯罪が疑われる場合，24時間以内に管轄警察署長宛てに届け出る．	□	□

B

1．病理解剖で正しいのはどれか．2つ選べ．

□ ① 犯罪と関係があると思われる遺体を対象とする．
□ ② 死体解剖保存法に規定されている．
□ ③ 肉眼観察所見のみで報告される．
□ ④ 治療効果判定は目的の一つである．
□ ⑤ 系統解剖と目的が同じである．

A 1−×，2−○，3−○，4−○，5−○
B 1−②と④

B　介助

学習の目標

- □病理解剖の介助
- □病理解剖の実際

臨床検査技師は病理解剖の介助を行うことができるが，単独では解剖を行うことはできない．剖検医に協力して病理解剖業務の介助にあたることができる（表 6-1）．

病理解剖（剖検）の手続き

1．遺族の承諾

①病理解剖を行うには遺族の承諾が必要である．

②ただし，遺族が不明で，遺体の引き取り人のいない場合，診療にあたった主治医を含む 2 名以上の医師（一方は歯科医師であってもよい）が病理解剖の必要を認めたとき遺族の承諾なしに行うことができる．しかしながら，後にトラブルの原因となることもあるので，承諾書を受けてから行うのが望ましい．

2．許可

①医学に関する大学の解剖学，病理学，法医学の教授および准教授である．

②病院においては所轄保健所の許可を受けた病理解剖に関して学識経験を有する医師・歯科医師が解剖を行えるが，以下の場合には保健所長の許可を受けなくても解剖を行うことができる．

a）医師，歯科医師，その他の者で厚生労働大臣が認定した死体解剖資格をもつ者が解剖する場合．

b）医科大学の解剖学・病理学・法医学の教授または准教授が解剖する場合．

c）監察医制度や刑事訴訟法，食品衛生法，検疫法により検証や死因究明のために行う場合．

3．介助業務

①介助の業務は解剖の手伝いをするというものではなく，剖検医の指示のもと，遺体から臓器などの取り出しや，肉眼所見などを見

表 6-1　病理解剖（剖検）で医師・歯科医師／臨床検査技師ができること

	医師・歯科医師	臨床検査技師	臨地実習生
遺族の承諾取得	○	×	×
保健所からの許可	○	×	×
剖検介助	○	○	×
執刀	○	×	×
頭蓋骨の開頭	○	○	×
臓器の取り出し	○	○	×
遺体の皮膚縫合	○	○	×
肉眼臓器の写真撮影	○	○	○（補助）
ホルマリン固定	○	○	×
臨床医への所見説明	○	×	×
肉眼臓器の重量測定	○	○	○（補助）
肉眼所見の記載	○	×	×
遺族への解剖後の説明	○	×	×
標本所見の記載	○	○※1	×
死亡原因の特定	○	×	×
臓器からの細菌培養	○	○	×
血液採取	○	○	×
病理解剖報告書の作成	○	×	×
解剖（担当医）からの承諾取得※2	○	×	×
プロトコルへの記載	○	×	×

※1：臨床検査技師が，病理医の指示の下，生検材料標本の組織所見，特殊染色標本の染色態度の評価，免疫染色標本等の染色態度の評価または陽性細胞の計数・定量判定等についての報告書を作成することは可能．ただし，病理医の確認と承認を受ける必要がある．また，当該所見に基づく死亡原因についての判断は医師が行う必要がある．

※2：遺族が不明の場合

いだしたら，剖検医に正確に伝えなければならない（血液の採取量，臓器の重量測定，臓器の固定液への浸漬，管腔臓器の内容物の性状など）．

②そのため，剖検医に介助業務で得られた医学的知識を正確に伝えられるように知識を高めておく．

③解剖後の遺体の皮膚縫合などの医行為は臨床検査技師に認められている．

病理解剖の実際

①遺族の承諾書と諸手続きと準備が整えば，死後の変化を少なくするために速やかに解剖を行うべきであるが，準備が整わないときは霊安室の死体冷蔵庫に保存する．

②解剖の始まりから終了まで遺体に畏敬の念をもち，厳かに行うようにする．

病理解剖の手順

①主治医による臨床診断，治療経過，検査データなどの説明がなされ，剖検医による解剖が開始される．

②まず剖検医による外見の所見から始まり，栄養状態，死後硬直，死斑の有無について皮膚の色調，腫脹，出血，瘢痕などを確認する．

③遺体の切開は，一般的に Virchow 式で行われる．切開の順序をあげると以下のようになる．

胸部・腹部の正中線に沿って皮膚切開⟶腹腔切開⟶大腿部付近まで切開，次に肋骨剪刀にて肋骨を外す⟶心嚢を切開⟶心臓の取り出し（血液量を計測する）⟶左右の肺の取り出し⟶頸部周辺の臓器の取り出し⟶腹部臓器および後腹膜臓器の取り出し⟶骨盤臓器の取り出し⟶検索目的によっては頸椎⟶胸椎⟶腰椎・馬尾⟶大腿骨髄の取り出し⟶頭蓋開頭→脳を取り出す．

④解剖中は剖検医が臓器の観察と肉眼所見の口述を行い，主治医がその所見を記録する．

⑤臨床検査技師は取り出された臓器の計測と写真撮影，血液量の計測などを行う．

⑥全臓器の取り出しが終了したら，剖検医とともに腹腔内・胸腔内・頭蓋内などを確認し，取り忘れがないか再確認する．

⑦最後に充填物を詰めて胸骨，肋骨，頭蓋骨を元に戻し，切開した皮膚を縫合する．

⑧遺体は清拭，着衣のうえ霊安室に移して，遺族に引き渡す．

⑨解剖終了後は，消毒液を用い，長靴や解剖用具，解剖室の洗浄を行う．ディスポーザブルの着衣などは感染防止のため滅菌処理や焼却処分とする．

セルフ・チェック

A 次の文章で正しいものに○，誤っているものに×をつけよ．

	○	×
1. 遺族不明のとき，遺族の諾否確認不明証明書が必要である．	□	□
2. 急病死の明らかなときは病院長の許可が必要である．	□	□
3. 成人の正常な肝臓の重量は 600～800 g である．	□	□
4. 管腔臓器は取り出したまま固定液に入れる．	□	□
5. 病理解剖において臨床検査技師は死亡原因の特定ができる．	□	□
6. 希少症例は遺族の承諾なしに病理解剖ができる．	□	□
7. 生前の本人の意思が明確であれば，遺族が反対しても病理解剖はできる．	□	□
8. 病理解剖は医師以外の者も解剖できる．	□	□

B

1．死体解剖保存法で規定されているのはどれか．2 つ選べ．
- □ ① 遺族の承諾
- □ ② 解剖所要時間
- □ ③ 介助者の資格
- □ ④ 解剖を行う場所
- □ ⑤ 標本の保存期間

A 1–○，2–×（遺族不明で，解剖しなければならない時に主治医が申請する），3–×（正常重量は 1,300～1,500 g），4–×（管腔臓器は摘出後に，ハサミで開いてコルク板などにピンなどで貼り付けてから固定する），5–×（臨床検査技師はできない），6–×（希少症例でも遺族の承諾が必要），7–×（遺族が反対したらできない），8–○

B 1–①と④

2．死体解剖保存法で**規定されていない**のはどれか．
- □ ① 遺族の承諾
- □ ② 解剖所要時間
- □ ③ 解剖を行う場所
- □ ④ 大学医学部（学部を含む）の教授・准教授に関すること．
- □ ⑤ 医師・歯科医師資格に関すること．

3．病理解剖で正しいのはどれか．
- □ ① 医師以外の者でもできる．
- □ ② 遺族への解剖結果の説明は臨床検査技師が行う．
- □ ③ 遺体の引き取り人がいない場合は解剖できない．
- □ ④ 原則として死後48時間以内に行わなくてはならない．
- □ ⑤ 生前の本人の意思が明確であれば遺族が反対しても解剖できる．

4．病理解剖で正しいのはどれか．
- □ ① 犯罪性の立証を行う．
- □ ② 医師以外が行うことはできない．
- □ ③ 希少症例は遺族の承諾なしに解剖できる．
- □ ④ 人口動態統計のための正確な情報が得られる．
- □ ⑤ 執刀者は事前に厚生労働大臣に届け出る必要がある．

5．病理解剖で正しいのはどれか．
- □ ① 不慮の事故死の原因を調べる．
- □ ② 遺族は解剖に立会うことができる．
- □ ③ 剖検医の指示下では臨床検査技師が開頭できる．
- □ ④ 病院内であれば所轄保健所の許可なく実施できる．
- □ ⑤ 犯罪が疑われる所見を認めた場合は行政解剖に移される．

2-②，3-①，4-④，5-③（②：感染症などのリスクがあるので解剖室に入室できるのは医療関係者のみ．⑤：司法解剖）

6．病理解剖において臨床検査技師が行うことが**できない**のはどれか．

□ ① 写真撮影
□ ② 腸管の切開
□ ③ 骨髄採取
□ ④ 頭蓋骨の開頭
□ ⑤ プロトコルへの記載

7．病理解剖において臨床検査技師が行うことが**できない**のはどれか．

□ ① 臓器の取り出しの介助
□ ② 皮膚の縫合
□ ③ 臓器重量の測定
□ ④ 細菌培養検体の採取
□ ⑤ 遺族への剖検所見の説明

8．病理解剖において臨床検査技師が行うことが**できない**のはどれか．

□ ① 血液採取
□ ② 臓器のホルマリン固定
□ ③ 肉眼標本の作製
□ ④ 標本所見の記載
□ ⑤ 死亡原因の特定

9．病理解剖において臨床検査技師が行うことができる業務はどれか．

□ ① 遺族からの解剖の承諾取得
□ ② 遺体の縫合
□ ③ 病理解剖の執刀
□ ④ 臨床医への解剖後の説明
□ ⑤ 病理解剖報告書の作成

6–⑤，7–⑤，8–⑤，9–②

C 剖検室管理

学習の目標

- □ 剖検室管理
- □ 試料の保存と管理
- □ バイオハザード

試料の保存と管理

取り出された臓器はホルマリン固定後，割を入れ，さらに詳しく肉眼的観察がなされ，組織標本検査により解剖結果が検討され，病理解剖報告書が作成される．

この報告書は臨床病理検討会（clinicopathologic conference；CPC）で検討され，最終報告書（プロトコル）が完成する．

①病理解剖の目的以外に使用するために臓器や組織の一部を採取すること，または標本を使用するときは，改めて遺族の同意が必要である．

②組織標本作製後の臓器の保存および扱いは丁重にすることを心がける．

③遺族から引き渡しの請求があった場合は速やかに応じなければならない．

④遺族の承諾が得られれば，保存臓器を火葬，焼却など適切に処分する．

⑤解剖臓器保管施設は施錠し，関係者以外の者の出入りを禁止し，適切な場所に保管する．

バイオハザード

①見学者を含め解剖に携わる剖検医，臨床検査技師が感染しないようにすること．

②解剖室の空調は陰圧とすることが望ましい．

③更衣は解剖準備室で行う．ゴム長靴は解剖室内で履き替える．ゴム長靴以外の着衣はすべてディスポーザブル（解剖衣，帽子，マスク，ゴーグル，フェイスシールド，ビニール製のエプロン，手

術用ゴム手袋と布製手袋など）製品を用いるのを原則とする．

④解剖従事者が触れたものは，解剖終了後，殺菌消毒する．

⑤解剖時に記録紙が血液などで汚染された場合は記録紙を破棄し，新たな記録紙を使用する．

⑥解剖終了後は，解剖台，切り出し台，使用した解剖器具，床，長靴などを水洗し，その後細菌・真菌・ウイルス・結核菌などに有効な殺菌消毒剤で洗浄する．

⑦解剖用具類の消毒は次亜塩素酸ナトリウムでよいが，より確実にするには高圧蒸気滅菌が望ましい．

⑧解剖衣など着用したものは解剖室内で脱衣し，使用したディスポーザブル製品は解剖室内で感染性廃棄物として処理する．

⑨解剖室から出る際は殺菌消毒用の洗剤で手洗いを行い，必要に応じてシャワーや入浴により身体をよく洗う．

⑩結核菌を有する場合の解剖では，空調は陰圧の工夫がなされていることが望ましく，マスクはディスポーザブルのN95微粒子用マスク，ハイラック350マスクを用いる．結核が疑われる臓器の写真撮影はホルマリン固定後とし，固定前の組織からの凍結切片作製は禁忌である．

⑪プリオン病の病理解剖は，専用設備のない解剖室では行わない．

⑫肝炎ウイルスやHIV，その他の病原体を有する場合，感染や針刺し切創などが起きないように最善の注意を払う．

⑬病理解剖における消毒法，臓器の取り扱い，臓器標本作製についての注意点を記したマニュアルを作成しておく．

臨床病理検討会（CPC）

病理解剖（剖検例）を対象に，診療に当たった臨床医と，病理診断を行う病理医が合同で行う討論形式の症例検討会である．参加者は，主治医を含めた他の医療スタッフや，病理医および病理スタッフ（臨床検査技師，細胞検査士）が参加することもある．

会では症例の診断に至るプロセスの合理性，治療の妥当性，画像や検査所見の整合性や矛盾点などを議論する場である．主治医・病理医にとって，今後の治療方針などを検討するために重要な検討会の一つである．

A 次の文章で正しいものに○，誤っているものに×をつけよ．

	○	×
1. 剖検に使用した器具などは消毒しバイオハザードを防止する．	□	□
2. 死体解剖保存法では標本の保存期間が規定されている．	□	□
3. 剖検室の空調は陽圧式空調が適している．	□	□
4. プリオン病の解剖は大学病院や大規模病院で行ってもよい．	□	□
5. 感染症が疑われる解剖ではサージカルマスクでも対応可能である．	□	□

B

1．病理解剖中の結核感染防止に有効なものはどれか．
- □ ① 空気清浄器の使用
- □ ② 微粒子用マスクの着用
- □ ③ 手指消毒
- □ ④ 解剖室のホルマリン燻蒸消毒
- □ ⑤ ツベリクリン反応

2．病理解剖の感染対策で**誤っている**のはどれか．
- □ ① 陽圧式空調
- □ ② 使用器具の滅菌
- □ ③ エプロンの着用
- □ ④ 入室前の手袋着用
- □ ⑤ 肺のホルマリン注入固定

A 1-○，2-×（保存期間の規定はない），3-×（陰圧式空調が適している），4-×（プリオン病対策が施された専門設備のある解剖室で行う），5-×（N95 微粒子用マスク，ハイラック 350 マスクを使用する）

B 1-②，2-①

7　病理業務の管理

A　検体の取り扱い

学習の目標

□ 医療事故防止対策

病理診断は患者の治療方針決定に直接影響を与える．このため，他の検査室と比べて標本作製工程の機械化が進んではいるが手作業が多い病理検査室では，各工程での検体取り違えには十分注意する．

また，未固定の検体を取扱う機会が多く，感染症に十分注意する．

1 検体受付から標本作製

①検体受付時には，提出側と検体受取者が対面授受することが基本である．

②検体受付時に，提出臓器，患者 ID，依頼書の記載不備や記載間違い，検体数，固定液中の検体の状態を確認する．

③依頼書の記載不備や検体間違いがあった場合には，提出した臨床医に問い合わせを行い，問題点が解決するまでは検体を受け取らない．

④検体処理中は常に検体取扱いおよび検体取り違えに注意しながら，複数人によるチェック体制を取り入れて確認しながら検体処理を進める．

2 感染防止対策

①感染や怪我に対する不測の事態を回避または抑制するための管理対策手順書を作成する．

②検体提出時に感染が疑われる検体の場合には提出医より依頼書に記載してもらう．特に，術中迅速組織診断や術中迅速細胞診，病理解剖の際には，事前に連絡を受ける体制を整える．

③検体処理中はマスク，手袋，ゴーグル，エプロンなどの保護具を

着用する．結核症などが疑われる症例においては，N95 微粒子用マスクを着用する．

④結核菌や肝炎ウイルス感染が疑われる検体は凍結切片作製は行わない（ホルマリン固定後に標本作製を行う）．

⑤切り出しや薄切でメスを取扱う際には切傷に十分気をつける．また，メスの廃棄時には専用の容器に入れて医療廃棄物として廃棄する．

⑥術中迅速組織診断で使用したクリオスタットは使用後，清掃する．感染症の症例，特に結核を取扱った場合には消毒液にて庫内を消毒するか，紫外線照射やオゾン処理の装備がある器機では速やかに処理する．

セルフ・チェック

A　次の文章で正しいものに○，誤っているものに×をつけよ．

	○	×
1. 検体受付後に，提出臓器，患者 ID，依頼書の記載不備などを確認する．	□	□
2. 複数人によるチェック体制を取り入れて，確認しながら検体処理を進める．	□	□
3. 感染や怪我に対する不測の事態を回避または抑制するための管理対策手順書を作成する．	□	□
4. 迅速診断時で，結核症が疑われる症例においてはサージカルマスクを着用する．	□	□

A　1−×（検体受付時に確認する），2−○，3−○，4−×（N95 微粒子用マスク）

B　試薬の管理

学習の目標

- □ 毒物
- □ 劇物
- □ ホルムアルデヒド
- □ 特定化学物質障害予防規則で指定されている物質
- □ キシレン
- □ 危険物

病理検査室で取り扱う毒物・劇物

病理検査室で取り扱う毒物・劇物の代表的な試薬を**表 7-1** に示す.

毒物・劇物の取り扱い

1．注意点

①試薬の受け取り，保管，在庫管理などについて文書化された手順を有すること.
②試薬の保管については製造業者の指示に従った保管を行う.
③毒物および劇物，危険物は各法令に沿った取り扱いと管理を行う.
④労働安全衛生法および労働安全衛生法施行令に基づき，ホルムア

表 7-1　病理検査室で取り扱う毒物・劇物の代表的な試薬

薬品名	毒物・劇物	薬品名	毒物・劇物
ホルムアルデヒド	劇物	硝酸銀	劇物
キシレン	劇物	トリクロロ酢酸	劇物
メタノール	劇物	アジ化ナトリウム	毒物
クロム酸	劇物	過酸化水素	劇物
重クロム酸カリウム	劇物	硫酸	劇物
クロロホルム	劇物	ギ酸	劇物
アンモニア	劇物	シュウ酸	劇物
塩酸	劇物	水酸化ナトリウム	劇物
硝酸	劇物	水酸化カリウム	劇物
フェノール	劇物	チオセミカルバジド	毒物

図 7-1　専用保管庫

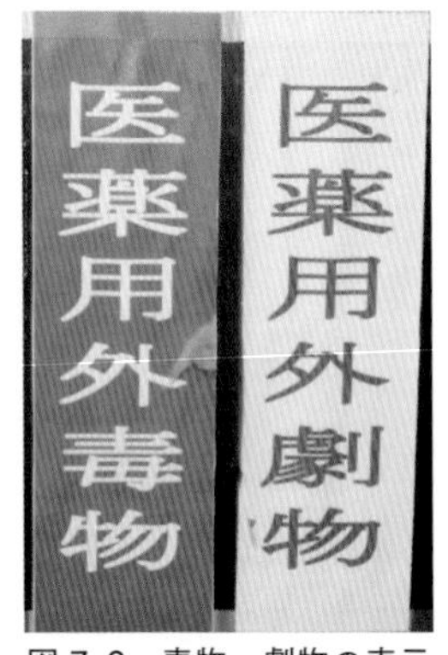

図 7-2　毒物・劇物の表示

ルデヒドなどは特定化学物質障害予防規則で，キシレンなどは有機溶剤中毒予防規則による取り扱いと管理濃度を厳守する．

2．毒物・劇物の取り扱い

①管理手順書の文書化と責任所在の明確化
②受払い記録と SDS（Safety Data Sheet：安全データシート），GHS（The Globally Harmonized System of Classification and Labelling of Chemicals：化学品の分類および表示に関する世界調和システム）
③出納管理の記録
④専用保管庫の設置と保管庫の施錠（図 7-1）
⑤一般試薬とは別に保管
⑥法令に沿った適切な表示（図 7-2）
・赤地に白字：医薬用外毒物
・白地に赤字：医薬用外劇物
⑦地震などの災害に対する対策
・保管庫の固定
・試薬の転倒防止
・流出防止用トレー　など
⑧法令に沿った適切な廃棄処理

ホルムアルデヒドおよび特定化学物質障害予防規則で指定されている物質の取り扱い

特定化学物質障害予防規則で定められた化学物質では，暴露によっては癌などの慢性障害や急性中毒の原因となる．

1．ホルムアルデヒド

特定化学物質障害予防規則におけるホルムアルデヒドの取り扱いおよび管理濃度．

①ホルムアルデヒド管理濃度：0.1 ppm.

②第二類物質　特定第二類物質　特別管理物質.

③作業環境測定：6 カ月に 1 回実施，記録を 30 年間保管.

④囲い式フード局所廃棄装置またはプッシュプル型換気装置で管理濃度以下.

⑤取扱者の特定化学物質健康診断を実施し，健康診断個人票を作成して，5 年間保管.

⑥特定化学物質作業主任者の選任.

⑦物質名，人体への影響，注意事項などを掲示.

2．ホルムアルデヒド以外にも病理検査室で使用される特定化学物質障害予防規則で指定されている物質

①クロロホルム管理濃度：3 ppm，第二類物質　特別有機溶剤など.

②クロム酸およびその塩 Cr として管理濃度：0.05 mg/m^3.

③重クロム酸およびその塩 Cr として管理濃度：0.05 mg/m^3，第二類物質　管理第二類物質.

④アンモニア，硝酸，硫酸：第三類物質.

キシレンおよび有機溶剤中毒予防規則で指定されている物質の取り扱い

1．キシレン

有機溶剤中毒予防規則におけるキシレンの取り扱いおよび管理濃度.

①キシレン管理濃度：50 ppm.

②有機溶剤蒸発の発散源を密封する設備.

③局所排気装置またはプッシュプル型換気装置の設置.

④有機溶剤作業主任者の選任.

⑤尿中メチル馬尿酸の検査（キシレン取扱作業者).

⑥取扱者の健康診断を実施し，健康診断個人票を作成して，5 年間保管.

2．キシレン以外にも病理検査室で使用される有機溶剤中毒予防規則で指定されている物質

①アセトン管理濃度：500 ppm.

②メタノール管理濃度：200 ppm.

③イソプロピルアルコール管理濃度：200 ppm.

④ノルマルヘキサン管理濃度：40 ppm.

毒物劇物の事故対応など

1．毒物劇物の事故対応

応急処置については，販売の際に提供されるSDS（毒物劇物の取り扱いに関する情報）を確認して処置にあたる．

1）漏洩時の処置：①風下の人に知らせ，避難誘導させる．②揺曳した毒物劇物がさらに拡散するのを防ぐ処置をする（砂などでおおう，中和剤などを散布する，中和後に多量の水で洗い流す）．

2）作業上の注意：保護具，保護衣を着用する，風下で作業しない．

3）吸入した場合：直ちに被災者を毛布などでくるんで安静にさせ，場所を移動し，速やかに医師の手当てを受ける．

4）目に入った場合：水などで十分洗い流す．

5）皮膚に付いたとき：毒物劇物の付いた着衣は脱がせ，患部を石けんなどを使い十分に水で洗い流す．

2．毒物劇物による中毒

症状が出ている場合は，すぐに医療機関を受診する．

毒作用や治療法に関する情報は「中毒110番」（日本中毒情報センター）に問い合わせる．

3．毒物劇物の盗難・紛失が発生した場合

警察署に連絡する．

4．毒物劇物が飛散・漏洩・滲出・流出した場合

警察署・消防署・保健所に連絡する．

 4 危険物の取り扱い

病理検査室で使用されている危険物．指定数量以内の保管を行い，危険物取扱者を選任する．

①第 1 類：硝酸ナトリウム，硝酸銀，過マンガン酸ナトリウム，重クロム酸カリウム，メタ過ヨウ素酸．

②第 4 類：アセトン，メチルアルコール，エチルアルコール，プロピルアルコール，酢酸，キシレン，アニリン，グリセリン．

③第 5 類：ピクリン酸，アジ化ナトリウム．

④第 6 類：過酸化水素，硝酸．

セルフ・チェック

A 次の文章で正しいものに○，誤っているものに×をつけよ．

	○	×
1. 毒物・劇物の取り扱いでは専用保管庫の設置と保管庫の施錠を行う．	□	□
2. 医薬用外毒物は白地に赤字で記載する．	□	□
3. ホルムアルデヒドは暴露によって癌などの慢性障害や急性中毒の原因となる．	□	□
4. ホルムアルデヒドは作業環境測定を 1 年に 1 回実施する．	□	□
5. ホルムアルデヒドは作業環境測定記録を 30 年間保管する．	□	□

A 1-○，2-×（赤地に白字），3-○，4-×（6 カ月に 1 回），5-○

6. ホルムアルデヒドは取扱者の健康診断個人票を作成して，5 年間保管する. □ □
7. クロロホルムは特定化学物質障害予防規則で指定されている. □ □
8. キシレンを取り扱う際には，特定化学物質作業主任者を選任する. □ □
9. メタノールは有機溶剤中毒予防規則で指定されている. □ □
10. イソプロピルアルコールは特定化学物質障害予防規則で指定されている. □ □
11. キシレンは危険物として指定されていない. □ □

B

1. 毒物及び劇物取締法で劇物に指定されているのはどれか. 2 つ選べ.
   - □ ① 過マンガン酸カリウム
   - □ ② イソプロピルアルコール
   - □ ③ メタノール
   - □ ④ キシレン
   - □ ⑤ アセトン
2. 毒物及び劇物取締法で毒物に指定されているのはどれか. 2 つ選べ.
   - □ ① シュウ酸
   - □ ② アンモニア
   - □ ③ クロム酸
   - □ ④ アジ化ナトリウム
   - □ ⑤ チオセミカルバジド

6-○，7-○，8-×（有機溶剤作業主任者の選任），9-○，10-×（有機溶剤中毒予防規則），11-×（第 4 類危険物）

B 1-③と④，2-④と⑤

3. 尿中メチル馬尿酸の検査が必要な薬品はどれか.
   - □ ① ホルムアルデヒド
   - □ ② メタノール
   - □ ③ アセトン
   - □ ④ キシレン
   - □ ⑤ イソプロピルアルコール

4. 毒物及び劇物取締法で白地に赤字の記載が**必要でない**試薬はどれか.
   - □ ① 硝酸銀
   - □ ② エタノール
   - □ ③ 水酸化ナトリウム
   - □ ④ ホルムアルデヒド
   - □ ⑤ クロロホルム

5. 特定化学物質障害予防規則におけるホルムアルデヒドの管理濃度はどれか.
   - □ ① 0.01 ppm
   - □ ② 0.1 ppm
   - □ ③ 1 ppm
   - □ ④ 10 ppm
   - □ ⑤ 100 ppm

6. 有機溶剤中毒予防規則におけるキシレンの管理濃度はどれか.
   - □ ① 0.05 ppm
   - □ ② 0.5 ppm
   - □ ③ 5 ppm
   - □ ④ 50 ppm
   - □ ⑤ 500 ppm

3-④, 4-②（①, ③, ④, ⑤：劇物）, 5-②, 6-④

7. ホルムアルデヒドについて正しいのはどれか.
   - □ ① 発癌性がある.
   - □ ② 分子式は CH_3OH である.
   - □ ③ 酸化されるとクエン酸になる.
   - □ ④ 医薬用外毒物に指定されている.
   - □ ⑤ 組織の固定には 15%水溶液が用いられる.

8. 毒劇及び劇物取締法において劇物に**指定されていない**のはどれか.
   - □ ① キシレン
   - □ ② エタノール
   - □ ③ メタノール
   - □ ④ クロロホルム
   - □ ⑤ ホルムアルデヒド

9. 法令で保管庫の施錠が義務付けられているのはどれか. **2つ選べ.**
   - □ ① アセトン
   - □ ② エタノール
   - □ ③ キシレン
   - □ ④ パラフィン
   - □ ⑤ ホルマリン

7-①（②：分子式は CH_2O，③：ギ酸，④：劇物，⑤：ホルマリン原液には通常約 37%のホルムアルデヒドが含まれる．10〜20%に希釈して使用するので，ホルムアルデヒドは 3.7〜7.4%含まれる.），8-②，9-③と⑤

C　標本・報告書の保守管理

学習の目標

- □ 診断書の保管
- □ 標本の保管
- □ パラフィンブロックの保管
- □ 切り出し後の臓器の保管
- □ 保管期間とその後の対応

診断書，顕微鏡標本，パラフィンブロック，肉眼写真の病理検体の保管

①患者の尊厳とプライバシーが保護されなければならないため[1)]，管理上から施錠できる部屋に保管する．

②特に報告書の内容が目的以外に使用されないよう十分注意する．

③近年は電子カルテが導入され，情報がコンピュータ管理されている施設が多くなっている．個人情報保護のため，担当者以外が患者情報にアクセスできないようにセキュリティー強化に努める．

④スライドガラスは専用の容器に入れて保管すると，必要時にすぐに取り出せて便利である．

⑤パラフィンブロックは表面の乾燥変形防止のため，薄切面をパラフィンでおおってから保管する．

⑥スライドガラス，ブロック，報告書などの保管時には，ドアのロックなど地震対策を行い，スライドガラスやブロックなどが保管棚から飛び出さないように配慮する．

⑦切り出し後の臓器は，ホルマリンが発散・蒸発しないように真空パックや密封容器に保存し，施錠のできる部屋に保管する．

保管期間とその後の対応

①報告書は永久保管，パラフィンブロックも永久保管が望ましい．

②保管期間の過ぎた依頼書などの書類は，個人情報を適切に扱っている処理業者に委託するか，シュレッダー処理して処分する．

③切り出し後の臓器の廃棄は，施設で決められた保管期間後に専門の廃棄業者に委託し，処分してもらう．

セルフ・チェック

A　次の文章で正しいいもに○，誤っているものに×をつけよ．

	○	×
1. 担当者以外が患者情報にアクセスできないようにセキュリティー強化に努める．	□	□
2. 保管期間の過ぎた書類は一般ごみと一緒に廃棄できる．	□	□
3. 切り出し後の残臓器は，切り出し後すぐに廃棄する．	□	□
4. 切り出し後の臓器は専門の廃棄業者に委託・処分してもらう．	□	□
5. 切り出し後の残臓器は，真空パックや密封容器に保存する．	□	□

B

1. 標本・報告書の管理で正しいのはどれか．**2つ選べ．**
   - □ ① スライドガラス標本はプライバシーの保護を行う必要がない．
   - □ ② パラフィンブロックは薄切後の状態のままで保管する．
   - □ ③ パラフィンブロックの保管では地震対策を行う．
   - □ ④ 肉眼写真はプライバシーの保護がされなければならない．
   - □ ⑤ 臓器の保管では，部屋の施錠は必要ない．

A　1-○，2-×（処理業者に委託するか，シュレッダー処理する），3-×（診断後で，一定の保管期間後廃棄），4-○，5-○

B　1-③と④

文　献

<1 章　病理学総論>　<2 章　病理学各論>

1）青笹克之（編）：解明　病理学　第 3 版．医歯薬出版，2017.

2）鈴木利光・他（監訳）：カラー ルービン病理学―臨床医学への基盤　改訂版．西村書店，2017.

3）松原　修・他：最新臨床検査講座 病理学/病理検査学．医歯薬出版，2016.

4）新臨床検査学技師教育研究会（編）：臨床検査知識の整理 病理学・病理組織学．医歯薬出版，2014，p.137.

5）山田正仁：アミロイドーシス診療ガイドライン．厚生労働科学研究費補助金 難治性疾患克服研究事業 アミロイドーシスに関する調査研究班，2010.

6）Rajan TV.：The Gell–Coombs classification of hypersensitivity reactions：a re–interpretation. Trends Immunol., 24（7）：376–379, 2003.

7）窪田哲朗・他：最新臨床検査学講座　免疫検査学．医歯薬出版，2017.

8）村松正實（監）：ヒトの分子遺伝学　第 4 版．メディカル・サイエンス・インターナショナル，2011.

9）永田和宏・他（編）：分子生物学・免疫学 キーワード辞典　第 2 版．医学書院，2003.

10）厚生労働統計協会：厚生の指標（8 月増刊）　国民衛生の動向 2019/2020．厚生労働統計協会，2019，p.417.

11）臨床検査振興協議会：がん遺伝子パネル検査の品質・精度の確保に関する基本的な考え方（第 1.0 版）．（作成日 2018 年 10 月 30 日）

12）西原広史：講演 3　がんゲノム医療の新展開～遺伝子パネル検査の果たすべき役割について～．*Animus*（株式会社 LSI メディエンス医療情報誌），No.97：19–26，2018.

<3章　病理組織標本作製法>

1）金沢　亮・他：当院でのテレパソロジーによる術中迅速病理診断の成績. 日本外科系連合学会誌, 43（2）：170–174, 2018.

2）日本デジタルパソロジー研究会：テレパソロジーガイドライン. http://www.digitalpathology.jp/wp/wp-content/uploads/2017/05/テレパソロジー運用ガイドライン.pdf

3）日本臨床衛生検査技師会（監修）：JAMT 技術教本シリーズ病理検査技術教本. 丸善出版, 2017, pp.298–300.

<5章　細胞学的検査法>

1）松原 修・他：臨床検査講座 病理学/病理検査学. 医歯薬出版, 2005, p.369.

<6章　病理解剖（剖検）>

1）吾妻美子・佐藤健次（編著）：病理検査学実習書. 医歯薬出版, 2011, pp.147–149.

<7章　病理業務の管理>

1）一般社団法人日本病理学会：患者に由来する病理検体の保管・管理・利用に関する日本病理学会倫理委員会の見解. 平成 27 年 11 月.

索　引

和　文

あ

い

う

え

お

か

き

さ

し

す

せ

そ

た

ち

つ

て

と

ひ

H

I

K

L

M

N

O

X

Z

数字

ポケットマスター臨床検査知識の整理
病理学／病理組織細胞学　第2版　ISBN978-4-263-22426-7

2020年 3 月25日　第1版第1刷発行
2021年 6 月25日　第1版第2刷発行
2023年11月10日　第2版第1刷発行

編　者　福　留　伸　幸
　　　　木　村　文　一
　　　　大河戸光章
発行者　白　石　泰　夫
発行所　医歯薬出版株式会社
〒113-8612　東京都文京区本駒込1-7-10
TEL（03）5395-7620（編集）・7616（販売）
FAX（03）5395-7603（編集）・8563（販売）
https://www.ishiyaku.co.jp/
郵便振替番号 00190-5-13816

乱丁，落丁の際はお取り替えいたします．　印刷・三報社印刷／製本・榎本製本